Enigmas y misterios

PARA

DUMMIES™

Enigmas y misterios

PARA

DUMMIES™

J. J. Benítez

Obra editada en colaboración con Centro Libros PAPF, S.L.U. – España

Edición publicada mediante acuerdo con Wiley Publishing, Inc.
© ...For Dummies y los logos de Wiley Publishing, Inc. son marcas
registradas utilizadas bajo licencia exclusiva de Wiley Publishing, Inc.

© 2011, Centro Libros PAPF, S.L.U.
Grupo Planeta
Avda. Diagonal, 662-664
08034 - Barcelona

© 2011, Editorial Planeta Mexicana, S.A. de C.V.
Bajo el sello editorial CEAC M.R.
Avenida Presidente Masarik núm. 111, 2o. piso
Colonia Chapultepec Morales
C.P. 11570 México, D. F.
www.editorialplaneta.com.mx

Primera edición impresa en España: octubre de 2011
ISBN: 978-84-329-2147-6

Primera edición impresa en México: octubre de 2011
ISBN: 978-607-07-0923-4

Impreso en los talleres de Litográfica Ingramex, S.A. de C.V.
Centeno núm. 162, colonia Granjas Esmeralda, México, D.F.
Impreso en México – *Printed in Mexico*

¡La fórmula del éxito!

Tomamos un tema de actualidad y de interés general, añadimos el nombre de un autor reconocido, montones de contenido útil y un formato fácil para el lector y a la vez divertido, y ahí tenemos un libro clásico de la serie ...para Dummies.

Millones de lectores satisfechos en todo el mundo coinciden en afirmar que la serie ...para Dummies ha revolucionado la forma de aproximarse al conocimiento mediante libros que ofrecen contenido serio y profundo con un toque de informalidad y en lenguaje sencillo.

Los libros de la serie *...para Dummies* están dirigidos a los lectores de todas las edades y niveles del conocimiento interesados en encontrar una manera profesional, directa y a la vez entretenida de aproximarse a la información que necesitan.

www.paradummies.com.mx

¡Entra a formar parte de la comunidad Dummies!

El sitio web de la colección ...para Dummies está pensado para que tengas a mano toda la información que puedas necesitar sobre los libros publicados. También te permite conocer las últimas novedades antes de que se publiquen.

Desde nuestra página web, también, puedes ponerte en contacto con nosotros para resolver las dudas o consultas que te puedan surgir.

Asimismo, en la página web encontrarás muchos contenidos extra, como por ejemplo los audios de los libros de idiomas.

También puedes seguirnos en Facebook (facebook.com/dummies.mx), un espacio donde intercambiar tus impresiones con otros lectores de la colección ... para Dummies.

10 cosas divertidas que puedes hacer en www.paradummies.com.mx y en nuestra página de Facebook:

1. Consultar la lista completa de libros ...para Dummies.
2. Descubrir las novedades que vayan publicándose.
3. Ponerte en contacto con la editorial.
4. Recibir noticias acerca de las novedades editoriales.
5. Trabajar con los contenidos extra, como los audios de los libros de idiomas.
6. Ponerte en contacto con otros lectores para intercambiar opiniones.
7. Comprar otros libros de la colección en línea.
8. ¡Publicar tus propias fotos! en la página de Facebook.
9. Conocer otros libros publicados por Grupo Planeta.
10. Informarte sobre promociones, presentaciones de libros, etc.

El autor

J. J. Benítez (Pamplona, 1946) lleva cuarenta años dedicado a la investigación de todo tipo de enigmas y fenómenos inexplicables. Licenciado en Ciencias de la Información por la Universidad de Navarra, escribió sus primeros artículos sobre el fenómeno ovni para el periódico *La Gaceta del Norte* en el año 1974. Desde entonces, ha publicado más de cincuenta libros de todo tipo, ha dado la vuelta al mundo en más de cien ocasiones y se ha convertido en uno de los autores más leídos en lengua española, gracias sobre todo a su serie de libros *Caballo de Troya*, en la que se aproxima a la figura de su admirado Jesús de Nazaret y de la que se han vendido más de cinco millones de ejemplares.

Este incansable investigador, que rehúsa la etiqueta de escritor, no sólo ha publicado sus trabajos en libros y artículos de prensa. Habitual de programas de radio y televisión desde el éxito de su primer libro, *Existió otra humanidad*, dirigió finalmente su propia serie para Televisión Española en 2002, *Planeta Encantado*. En sus 13 capítulos, J. J. Benítez recorría los cinco continentes para acercarnos los misterios que le han ocupado durante décadas: fenómenos tan distantes en el lugar y el tiempo como la naturaleza de la Síndone o Sábana Santa, el significado de las misteriosas líneas del desierto de Nazca o el origen de la isla de Pascua y la cultura rapa nui. Un viaje de miles de kilómetros persiguiendo los enigmas que todavía siguen asombrando a investigadores de todo el mundo. En los últimos tiempos, J. J. Benítez ha seguido manteniendo informados a sus seguidores desde la página web www.planetabenitez.com, desde donde ha ampliado la información disponible sobre sus hallazgos.

Hoy, cuarenta años después de aquel primer artículo sobre ovnis en un periódico ya desaparecido, J. J. Benítez emprende la tarea de revisar y agrupar los resultados de décadas de trabajo en este libro de la serie *...para Dummies*. Una síntesis de toda una vida detrás de algunos de los misterios más fascinantes que la humanidad aún no sabe cómo afrontar; una tarea que no sería posible sin una inagotable curiosidad y la firme voluntad de cuestionar la verdad preestablecida. Un resumen de aquellos enigmas para los que la ciencia y la razón carecen de respuesta, que espera sembrar en el lector la semilla de la curiosidad y la necesidad de buscar la verdad a partir de la duda.

Sumario

· ·

Introducción

Año 1974. Hacía ya algún tiempo que había terminado mis estudios de Ciencias de la Información. De hecho, aunque sólo tenía 28 años, ya había ejercido mi profesión en distintas cabeceras repartidas por toda España. Por esas fechas escribía sobre temas muy distintos, aunque con una especial predilección por todo aquello que se suele encajar en la sección de sociedad; sucesos, avisos, visitas oficiales, noticias de ámbito local… Un amplio abanico de posibilidades. No me había especializado en ninguna materia en concreto, y, claro está, mis conocimientos sobre temas como los fenómenos inexplicables, los enigmas y el fenómeno ovni eran los mismos que los de cualquier lector del periódico para el que trabajaba. Aunque sentía una cierta curiosidad por estos asuntos, la misma que sentía por muchos otros, no me imaginaba que el sentido de mi vida iba a girar alrededor de la investigación de este tipo de fenómenos.

Así que fue el azar el que tuvo que tomar partido. Una mañana se recibió un teletipo en la redacción de la bilbaína *La Gaceta del Norte,* medio en el que trabajaba. Aclararé, para aquellos que ya han nacido con el correo electrónico y los mensajes de texto, que un teletipo podría ser la versión rudimentaria y muy analógica de estos inventos propios de la era digital. El texto en sí, breve y austero, hablaba de un posible aterrizaje de ovnis (objetos voladores no identificados) que se había producido en la provincia de Burgos. Mi jefe, quizá porque intuía en mí unas virtudes que yo aún desconocía, o quizá porque en aquel momento no había ningún otro disponible, decidió mandarme a mí a cubrir la noticia.

Sobre el terreno me limité a hacer mi trabajo. Visité el lugar, hablé con los testigos y tomé mis notas. Hice lo que sabía hacer, lo que me habían enseñado. Busqué las pruebas, intenté atar cabos, dar con las respuestas. Pero, a pesar de mi experiencia y de mis enconados esfuerzos, no supe muy bien cómo abordar aquel reportaje. Lo que los testigos describían, lo que yo vi con mis propios ojos en aquel hipotético campo de aterrizaje, no podía explicarse con los argumentos habituales. ¿Cómo explicar la luz en el cielo? ¿Y las marcas en el campo? ¿Cómo contradecir las coincidentes declaraciones de los testigos? No pude ni supe encontrar una respuesta lógica y sólida para todos aquellos interrogantes, por lo que volví a la redacción del periódico con una sensación desconocida para mí: una mezcla de curiosidad y duda que no me dejó dormir esa noche. Al contrario, me empujaba a seguir investigando. Mi incapacidad para comprender encendió algo nuevo dentro de mí.

A partir de aquel incidente, pedí que se me asignaran todas las noticias relacionadas con el fenómeno ovni. Por primera vez después de cubrir una noticia, volvía a casa con más preguntas que respuestas. Y mis siguientes reportajes no hicieron otra cosa que acentuar mi inquietud y mis ganas de cuestionar la realidad establecida. Con cada nuevo caso encontraba más argumentos para dudar de las explicaciones racionales y de la verdades oficiales, así que no tuve otra opción que seguir recorriendo kilómetros en busca de respuestas. A los ovnis se sumaron otros enigmas y misterios, muchos de ellos relacionados con descubrimientos arqueológicos a los que la ciencia no sabía dar respuesta. Descubrí que hay todo un mundo ahí fuera al que no sabemos dar explicación. En algunos casos, porque nos ocultan la verdad; en otros, porque nuestros conocimientos no resultan suficientes. Tras la publicación de mis primeros libros y de cosechar algún que otro éxito, por fin, en 1977, pude abandonar el periodismo diario y dedicarme exclusivamente a la investigación.

Desde entonces, mis trabajos han abrazado múltiples campos. Gracias a mis viajes he encontrado algunas respuestas a las preguntas que me planteé hace tiempo, aunque, en infinidad de ocasiones, aquello que parecía una respuesta se ha convertido en un nuevo enigma. Sé que existe vida extraterrestre, y que esos seres de ahí fuera mantienen una peculiar relación con la especie humana desde hace milenios. Pero ¿para qué? ¿En qué condiciones? ¿Desde cuándo? Una pregunta me lleva a hacerme otra, y así es desde hace décadas. La imaginación me mantiene vivo, y con la voluntad de contagiarte ese estímulo emprendo la redacción de este libro. Quién sabe si tú podrás dar respuesta a las preguntas que a día de hoy aún están abiertas.

Sobre este libro

Lo que vas a encontrarte a partir de aquí es el resultado de una vida dedicada a la investigación. Voy a compartir contigo buena parte de la información que he recogido a lo largo de los años en viajes y entrevistas, y darte las claves para que puedas sacar tus propias conclusiones. Te expondré los hechos tal como los he vivido y conocido, te confiaré mis reflexiones y dejaré que seas tú quien escoja las respuestas.

Los misterios de los que hablo son un reto a la ciencia y al pensamiento lógico, pero ese desafío no implica que sean sus enemigos. Ante las limitaciones de los conocimientos actuales, a menudo la investigación de los enigmas implica la elaboración de hipótesis y teorías que son difíciles de comprobar. La ciencia no es aquí la respuesta, sino una compañera de viaje. Es posible que el candelabro de Paracas fuera un faro para naves de una civilización desconocida, pero ¿cómo es posible probarlo, si se desconoce la fecha de su construcción y no hay documentos de ningún tipo que nos hablen de su función original? A veces es imposible probar la verdad, lo que abre la puerta a que tampoco sea posible probar la mentira.

Por eso la investigación de estos temas es terreno abonado para la proliferación de invenciones, habladurías, fraudes y engaños. Son muchos los charlatanes que sólo quieren confundir, sin aportar ninguna respuesta, con la única intención de obtener un beneficio personal o económico. Otros, que carecen de la formación y el espíritu crítico, dan por verdadero aquello que no lo es. Creen en un error, y acaban restando credibilidad al resto de investigadores. En este libro, por el contrario, todo lo que vas a encontrar o bien nace de mis propias investigaciones, de lo que yo he visto y he oído, o bien te ofrece mi aproximación a algunos de los misterios más célebres de la humanidad. Todo parte de una realidad que está ahí fuera, que podemos tocar con las manos, pero que aún no sabemos cómo explicar.

Enseguida te contaré cómo he decidido organizar este libro, pero ya te adelanto que nos espera un recorrido que nos va a llevar alrededor de la Tierra, pasando por Siberia, la isla de Pascua o el desierto de Mali, y que nos va a invitar a conocer más a fondo múltiples áreas del conocimiento humano. Para seguirme no va a hacer falta ser un experto en geografía o en historia bíblica, ni conocer al dedillo la línea temporal que marca la aparición de la especie humana. Este es un libro *...para Dummies*, y mi intención es no dejar cabos sueltos en mis explicaciones. Así, por el camino vas a encontrar apuntes de las más diversas materias, necesarios para entrar en los detalles de algunos misterios. Es difícil comprender, por ejemplo, el significado del Grial si carecemos de ciertas nociones de historia medieval. El deseo de saber nos lleva a hacernos las preguntas, pero sólo el conocimiento puede acercarnos las respuestas.

Pasarse de listo

Entre las distintas especialidades en las que se divide la investigación de enigmas, la ufología, es decir el estudio de los objetos voladores no identificados, ocupa sin duda un lugar muy especial, seguramente por su generosa presencia en el cine y la televisión. Podría
decirse que la ufología es más mediática que la arqueología antigua.
Sin embargo, su popularidad está sometida a ciclos; hay épocas en
las que se habla mucho de platillos volantes y otros periodos en los
que es difícil oír algo del tema.

En España, por ejemplo, la segunda mitad de la década de 1970 fue
prolífica, al igual que el principio de la de 1990. En este último caso,
buena parte de la culpa se debió a la emisión de una serie de televisión, *Expediente X*, en la que dos agentes del FBI estadounidense
investigaban todo tipo de fenómenos ocultos y paranormales, con
una especial predilección por los ovnis y el misterio del Área 51.
Algunos de los seguidores más recalcitrantes de la serie lucían
unas camisetas con el eslogan "I want to believe", que podríamos
traducir como "Quiero creer", colocado sobre la foto de un ovni.
Por cierto, hay serias dudas sobre la autenticidad de la foto, que por
lo visto fue creada especialmente para la serie.

La credulidad de la que hacían gala algunos de los seguidores de
Expediente X, capaces de dar fe sin tener ni una sola prueba a la que
agarrarse, es sin duda uno de los mayores peligros que acechan al
investigador de lo desconocido. A menudo se afirma que los lectores interesados en estas cuestiones son crédulos de nacimiento, y
que están dispuestos a tragarse cualquier historia que se les venda
con un mínimo de atractivo. La experiencia me ha demostrado que
esta afirmación es generalmente falsa, pero siempre hay personas
que, motivadas por intereses ocultos o problemas personales, son
capaces de anteponer la superchería a la ciencia.

Lo mismo ocurre con algunos mal llamados investigadores, que
aprovechan la inocencia de un sector del público interesado para
vender cualquier historia. La credulidad nos hace dar por bueno
aquello que no resiste un mínimo análisis, y suele ser la responsable de que caigamos en el más absoluto ridículo científico. Está
claro que todos queremos encontrar las respuestas, que queremos
atar los cabos sueltos, pero no podemos dejar que nuestra buena fe
nos ciegue.

Este libro, por lo tanto, no va a dirigido a aquellos que quieren creer lo que sea y como sea; pero, cuidado, tampoco a los escépticos que echan por la borda cualquier opinión que roce los estrechos márgenes de la ciencia. Para vivir este libro es imprescindible disponer de la voluntad de ir un poco más allá, sin perder por eso un ápice de capacidad crítica. La falta de rigor que provoca la credulidad es un arma de doble filo, que hiere tanto la reputación del investigador como el buen juicio del lector. Mantengámonos a salvo de ella.

Cómo utilizar el libro

He decidido plasmar el resultado de mis años de investigación en un libro ...*para Dummies,* un formato que ha cosechado un gran éxito desde su aparición en 1991. Encontrarás la información bien organizada, como si fueran platillos de un bufé gastronómico, a los que se echa sal y pimienta con notas aclaratorias y listas de ideas que lo hacen todo más fácil.

Puedes leer el libro de principio a fin, para hacerte una idea general, o ir directamente a un capítulo que te interese en especial y dedicarte sólo a él. Si quieres leer el capítulo sobre Nessie, el monstruo del lago Ness, no es necesario haber pasado antes por el que dedico a uno de mis temas favoritos, la Síndone de Turín, la Sábana Santa. Ya entrarás en él cuando te apetezca.

Si, por el contrario, prefieres seguir el orden que marcan las páginas, vas a encontrarte con un libro dividido en varias partes. Si quieres, puedes saltarte una y cambiar el orden, pero te recomiendo que no dejes muy aparcada la primera, pues nos va a servir para hacer un mapa mental y aclarar unas cuantas ideas. Con esa primera parte vamos a sacar mucho más partido al resto del libro. Nos va a servir para abrir el apetito.

Cómo se divide este libro

Enigmas y misterios para Dummies se divide en seis áreas temáticas, que agrupan buena parte de los misterios universales que aún hoy están sin resolver. Sin embargo, me resulta imposible reunirlos todos en un único libro. He decidido dejar para otra ocasión, por ejemplo, mis investigaciones acerca de personajes históricos, como

Cristóbal Colón —el último descubridor de América— o el inigualable Julio Verne. Si lo deseas, puedes encontrar abundante información sobre ellos en mis libros anteriores. De lo que sí voy a hablarte es de todo lo que sigue.

Parte I: Planeta encantado

¿A qué me refiero cuando hablo de enigmas y misterios? ¿Qué instrumentos y técnicas se utilizan a la hora de investigar?¿Hay zonas del mundo especialmente enigmáticas? En esta primera parte daré respuesta a estas cuestiones introductorias; veremos de qué especialidades se compone la investigación de los enigmas e incluso me atreveré a bautizar la disciplina en sí con una nueva palabra, *enigmología*. Tras la lectura de este primera parte, tendrás a tu disposición los conocimientos suficientes para poder disfrutar a fondo del viaje que te voy a proponer.

Parte II: Huellas en el tiempo

Vamos a empezar nuestro recorrido remontándonos al principio de los tiempos, a las huellas que dejaron en él. Creemos que lo sabemos todo de las vidas de nuestros antepasados, pero a día de hoy aún quedan muchos enigmas por resolver. ¿Qué pretendían los pobladores de Nazca, en Perú, al dibujar en el desierto figuras que sólo son visibles desde el aire? ¿Quiénes son esos seres con guantes y cabezas enormes que aparecen en la pinturas rupestres de Tassili, en el Sahara? ¿Cómo es posible que tribus del África subsahariana tengan conocimientos astronómicos que sólo se difundieron en Europa a partir del siglo XX? El origen de la humanidad es más incierto de lo que se creía.

Parte III: Cuestión de fe

Europa, y en España en particular, no se entienden sin la influencia del cristianismo. De hecho, Jesús de Nazaret es quizás el personaje más popular y enigmático de todos los tiempos, al que he dedicado muchas horas de estudio y trabajo. En esta parte repasaré esa vida de Jesús que no nos cuentan los cuatro evangelios oficiales; una biografía que ha sido alterada lo largo de los siglos en beneficio de unos pocos. También analizaré a fondo algunas de las reliquias más

célebres del cristianismo y el judaísmo, como el Santo Grial y el
Arca de la Alianza, y me entretendré especialmente en
el que es uno de mis enigmas favoritos de todos los tiempos:
la Sábana Santa de Turín; el sudario mortuorio en el que, según la
tradición, quedó grabada la imagen del cuerpo de Jesús de Nazaret
cuando tuvo lugar la resurrección.

Parte IV: Enigmas de hoy en día

No hace falta remontarse al tercer milenio antes de Jesús para encontrar muchas preguntas sin respuesta. Misterios tan populares
como el célebre Triángulo de las Bermudas o los avistamientos de
ovnis, un fenómeno al que he dedicado incontables esfuerzos y
horas de trabajo, son propios de tiempos recientes, aunque hundan
sus raíces en un pasado mucho más lejano. También es propio de
las últimas décadas el interés por monstruos legendarios, como
Nessie, la criatura del lago Ness, y el Yeti, el abominable hombre de
las nieves. No sé si sabías, por cierto, que ambas criaturas tienen
un sinfín de primos lejanos repartidos por el mundo. ¿Y qué decir
del llamado incidente de Tunguska? ¿Es posible que se produjera
una explosión atómica de brutal potencia en mitad de la taiga siberiana y en el año 1908?

Parte V: Los decálogos

Como buen libro ...*para Dummies,* cierro este volumen con una
serie de listas que te van ayudar a recordar los contenidos que te
he ido exponiendo. Algunas funcionan como un resumen de todo lo
dicho; otras, como una invitación a que aprendas e investigues por
tu propia cuenta. Repasaremos, por ejemplo, la lista de los diez misterios contemporáneos que aún están pendientes de solución.

Los iconos de este libro

Como ocurre con el resto de libros de la colección ...*para Dummies,*
te encontrarás con unos dibujos en los márgenes del texto. Estas
pequeñas viñetas, llamadas *iconos,* te señalan un fragmento que
debes tener en especial consideración. Algunos te advertirán de un
falso mito, y otros te dejarán clara una idea. Tal como sucede con

el resto del libro, puedes abrir por una página y leer la información asociada a un icono, como si fuera un aperitivo, o seguir un recorrido más convencional, de principio a fin. Los iconos que voy a utilizar para agilizarte la lectura y la búsqueda de la información son los siguientes.

Si te encuentras con este icono, te estoy proponiendo un pequeño resumen de lo expuesto hasta entonces. Abre bien los ojos y afina las neuronas, porque ahí delante tienes las claves de cada uno de los fenómenos de los que te voy a dar cuenta.

Este icono te marca mi visión personal sobre un misterio. Muchos enigmas de los que te hablaré están pendientes de solución; aún no se han investigado a fondo o, simplemente, es imposible saber qué ocurrió en realidad, por lo que sólo pueden establecerse teorías y conjeturas sobre su origen. Yo te propongo una teoría, y tú escoges la solución.

Resulta difícil dar con la verdadera explicación de un misterio, sobre todo cuando la información y los testigos son escasos o, directamente, no existen. Es fácil cometer errores y elaborar teorías equivocadas. Si ves este icono es que tienes delante un teoría que, en su momento, se dio por buena, pero que hoy ha sido superada por nuevas investigaciones.

A veces resulta necesario profundizar en algunas disciplinas para poder entender las claves de un enigma un poco peleón. Esto no significa que la información que vas a encontrar junto a este icono sea demasiado especializada o difícil de comprender. Al contrario, sólo indica que estoy en entrando en materia.

Testimonios, relatos, declaraciones recogidas en primera persona… Si te topas con este icono estás frente a una anécdota real, documentada por mí y por otros investigadores. La investigación de los enigmas no puede basarse sólo en conjeturas y elucubraciones.

Vamos allá

Ahora que ya sabes cómo funciona y se estructura este *Enigmas y misterios para Dummies,* ha llegado la hora de meterse en faena. Quizá ya sepas que hay otra realidad ahí fuera, que la ciencia no es capaz de explicar, o puede ser que, por el contrario, seas una persona escéptica con este tipo de fenómenos. Sea como sea, estoy convencido de que, a medida que leas las páginas de este libro, los interrogantes y la curiosidad irán ganando terreno en tus pensamientos. Si sigues las claves y pistas que te doy, poco a poco vas a poder ir encajando las piezas que conforman este planeta encantado. Quién sabe si tus próximas vacaciones tendrán como destino uno de los territorios misteriosos que ya he visitado; quizá tú tengas la respuesta a un misterio que a otros se nos escapa sin remedio... Te invito a que me sigas y lo descubras por ti mismo.

Parte I
Planeta encantado

—PARA MISTERIO VERDADERAMENTE INEXPLICABLE, LO QUE HACE MI ESPOSA PARA CONSEGUIR LLEGAR A FINAL DE MES CON MI SUELDO...

En esta parte...

Si estuvieras a punto de empezar un ...*para Dummies* sobre el sistema Windows o la cocina para solteros, sería fácil imaginar de qué vamos a hablar a continuación. Pero si trata sobre enigmas y misterios, ¿deben ser también sus contenidos oscuros y enigmáticos? En otro tipo de libro quizá sí... pero no en éste. Por lo tanto vamos a poner un poco de luz, a dejar claros los conceptos. En esta parte voy a diferenciar entre enigmas, mitos y otros misterios. Vas a aprender cómo acercarte a su análisis con rigor, qué disciplinas los estudian y cómo se distribuyen geográficamente. En resumen, vas a salir con la mochila bien equipada para lanzarte al descubrimiento de un planeta que parece estar encantado.

Capítulo 1

Un enigma, supongo

El calor es tan espantoso que no nos deja respirar. Es como si el aire que nos entra en los pulmones no tuviera oxígeno. Me arden la nariz y la boca, pero el agua no abunda y hay que racionarla. Para complicar aún más nuestras penurias, el camino que recorremos se compone de una mezcla casi infernal de piedras y arena. Hace días que dejamos los 4x4, y los animales de carga sufren tanto que algunos miembros de la expedición han decidido portear su propio equipaje. Unos kilómetros atrás hemos perdido a nuestro cocinero, que ha caído por un barranco de unos diez metros y se ha fracturado varios huesos. Desde hace unas cuantas horas me pregunto si ha sido buena idea ir a perderse en este rincón de mundo; la meseta de Tassili, al sur de Argelia, en pleno desierto del Sahara.

Por fin, llegamos a nuestro destino: un conjunto de grutas y cuevas que esconden algunas de las pinturas rupestres más antiguas y hermosas de la Tierra. He oído hablar de ellas desde hace años. He podido verlas previamente en el Museo del Hombre, en París. He leído los trabajos de renombrados arqueólogos que las han visitado antes que yo. Pero, cuando estoy frente a ellas y contemplo esas extrañas formas no humanas, esos seres prehistóricos pintados en las paredes que parecen llevar casco, guantes y escafandra, esos grandes dioses que algunos han calificado de "marcianos", no puedo hacer otra cosa que repetirme: esto debe de ser un enigma, supongo.

Una definición

En el capítulo 7 te cuento con todo lujo de detalles lo que encontré en Tassili, lugar que guarda uno de los misterios más fascinantes del planeta. Lo que quiero explicarte en estas páginas es por qué supe que me encontraba ante un enigma en toda regla.

Una forma sencilla de definir un *enigma* es decir que se trata de un fenómeno que no se puede comprender con los conocimientos actuales. Por lo tanto, el resultado del partido del próximo domingo se cae automáticamente de la categoría; un enigma no hace referencia al futuro, sino a un fenómeno presente o pasado. ¿Y qué pasa, por ejemplo, con la piedra filosofal? Aquel material mágico que era capaz de convertir cualquier metal en oro fino. ¿Es acaso un enigma?

La respuesta es también negativa: la piedra filosofal no existió nunca; las creencias que empujaron a los alquimistas en su búsqueda, si bien son interesantes desde un punto de vista espiritual, son del todo falsas con las leyes de la química en mano. No podemos acceder al secreto de la piedra filosofal con los conocimientos actuales porque, sencillamente, se trata de un fenómeno que no existe.

Si no lo veo, no lo creo

Para concretar qué es lo que convierte un interrogante en un enigma, vamos a dejar el horno sahariano y nos vamos a Turín, en cuya catedral se guarda como un tesoro la Síndone, la Sábana Santa. Me refiero al ropaje de lino en el que, según la tradición, se envolvió el cuerpo de Jesús de Nazaret al bajarlo de cruz y darle sepultura; tres días después, según los evangelios, Jesús de Nazaret resucitó y, al hacerlo, dejó grabada en la tela su imagen. Los escépticos sobre su autenticidad afirman que se trata de una falsificación, muy bien hecha, eso sí.

En las últimas décadas varios grupos de científicos han estudiado la Síndone a fondo. Algunas investigaciones han llegado a la conclusión de que se trata de una reliquia fabricada en la Edad Media. Otras, en cambio, la sitúan en la Palestina de los tiempos de Jesús, y confirman su autenticidad. Analizaremos con más detalles el misterio de la Síndone en el capítulo 8. Ahora lo importante es que nos fijemos en las características del problema:

✔ La Síndone es un objeto real, palpable. No es un invento ni una creencia. No es algo que se supone. Está ahí, y cualquier persona puede contemplarla con sus propios ojos. No es una ensoñación como la piedra filosofal.

✔ Tras un primer análisis, son muchas las dudas que se nos pueden pasar por la cabeza. ¿Es realmente Jesús el que aparece en la tela? ¿Cómo se quedó grabada su imagen? Esas preguntas nos obligan a hincar los codos y estudiar el caso a fondo.

✔ La ciencia, con todos los métodos a su disposición, ha estudiado la tela. Y las conclusiones son contradictorias. Aunque nos posicionásemos a favor de los escépticos y nos convenciéramos de que es una falsificación medieval, la ciencia sigue sin saber explicar cómo se grabó la imagen y qué técnica se usó para conseguirlo.

En resumen, se trata de un fenómeno real que, a pesar de haber sido investigado por la ciencia, sigue planteándonos una serie de interrogantes que no podemos responder con nuestros conocimientos actuales. Estamos, por lo tanto, ante un enigma en toda regla.

Figura 1-1:
La Síndone,
un enigma
en toda
regla

Algunas objeciones

Si has echado un vistazo al sumario del libro —seguro que sí—, verás que dedico un capítulo al Yeti, el hombre de las nieves, y otro a Nessie, el monstruo del lago Ness. Incluso he dedicado toda una parte al fenómeno ovni. Con razón puedes entonces preguntarme: "Jota, nadie ha tocado al Yeti ni a Nessie, no son palpables, no sabemos si son reales, ¿son un enigma entonces?". A ver si mi respuesta te convence.

Si bien no hemos llegado a ver al Yeti expuesto en un zoológico, son muchísimos los testigos que afirman haberlo visto. Personas que no se conocen, que no tienen ningún vínculo entre ellas y que visitaban la zona del Tíbet y Nepal. Asimismo, se han encontrado numerosas huellas de un animal que bien podría ser el Yeti y que no se han podido asociar con otra especie. Y lo mismo ocurre con el monstruo del lago Ness: testimonios, indicios, huellas, alguna fotografía borrosa... Pruebas que nos hablan de un fenómeno real; de algo que está ahí, en las mentes y en las experiencia de centenares de personas.

Una prueba definitiva, como el hallazgo de un cadáver, supondría la resolución de todas las dudas, el fin del enigma y el nacimiento de uno nuevo. Pero en su lugar lo que nos encontramos son testimonios de personas que afirman haberlo visto en primera persona; avistamientos que ninguna expedición diseñada para resolver la cuestión ha podido explicar. El fenómeno es real y se ha intentado aclarar, pero no se ha conseguido.

Ocurre lo mismo con el fenómeno ovni. No hemos contactado con los extraterrestres ni nos hemos sentado con ellos a discutir el futuro interplanetario, pero miles de personas en todo el mundo afirman haber visto objetos inexplicables en el cielo. En muchos casos hay argumentos racionales y fundamentados que prueban el origen terrestre de esos objetos voladores no identificados. Pero en un buen número de casos no ha habido explicación convincente... Son ovnis en toda regla, y un completo misterio.

Una última duda

Veo que frunces el ceño y que estás a punto de encasquetarme otra pregunta. ¿Y el llamado Santo Grial? Sí, la copa que Jesús de Nazaret usó en la Última Cena y que, según algunas versiones, recogió la sangre del crucificado. Hay referencias escritas sobre su existencia, pero nadie lo ha visto ni lo ha tocado. No hay ningún testimonio que afirme haber contemplado el Grial, y ni siquiera se ha tenido localizado en algún momento de la historia. Sólo hay hipótesis y conjeturas. Tampoco se ha podido comprobar si los "griales" que hay repartidos por el mundo, como el de Valencia, tienen una mínima posibilidad de ser auténticos. Para aclararte el tema tengo que introducir un nuevo concepto.

De mitos, gatos y liebres

Está claro que Greta Garbo es un mito del cine, así como Pelé lo es del fútbol. Usamos muy a menudo la palabra *mito* para referirnos a alguien brillante e irrepetible. Pero no son éstos los tipos de mitos que nos interesan. Un mito, desde el prisma de la Historia, nos relata una historia situada fuera del tiempo y que nos ofrece respuestas acerca de cuestiones fundamentales de la humanidad, como el origen de nuestra especie o el sentido de la vida. En otras palabras, los mitos intentan dar respuesta a eso que solemos llamar "los grandes temas" usando relatos y personajes que a menudo suelen adoptar un aire legendario.

Es fácil pensar en la mitología griega, por ejemplo, y en sus decenas de personajes y relatos que explican el origen del mundo, los fenómenos naturales y las pasiones humanas. En la Grecia arcaica, de hecho, se consideraba que los mitos representaban acontecimientos históricos; se creía que eran ciertos y que explicaban realmente los sucesos que habían hecho del mundo el lugar que es. En algunas comunidades indígenas también se cree que las historias míticas son ciertas, y las diferencian de forma clara de los cuentos y fábulas, que son pura ficción. Desde una óptica más actual, en cambio, la filosofía y la historia prefieren decir que un mito es una narración inventada y arcaica, pero que resulta fundamental para entender los distintos aspectos de nuestra existencia. Tratan temas reales, que nos llenan de preguntas importantes, pero los hechos y personajes que los describen no lo son.

Confundir los términos

Queda claro que los mitos no son enigmas y que se escapan del objeto de este libro. Entonces, ¿por qué he querido entretenerme en ellos? Te responderé con una pregunta: ¿Qué ocurre si, por el paso

Mitología hispánica

Aunque se suele complementar el término *mitología* con los calificativos *griega*, *romana* o *nórdica*, la verdad es que la península Ibérica atesora un rico universo propio de dioses, duendes, espíritus, leyendas y rituales. Por la propia naturaleza de España, compuesta a partir de la unión de diversos reinos y culturas cuyos orígenes se pierden en los tiempos, cada territorio tiene su propia mitología bien diferenciada. Guardan similitudes, por supuesto, pero cada región imprime un carácter diferenciado.

La mitología asturiana, por ejemplo, nos lleva a un mundo poblado por duendes traviesos —los *trasgus*—, que habitan en las casas, y por unas hadas —las *xanes*—, que son capaces de seducir a cualquier caballero. La mayoría de los personajes masculinos son huraños, traviesos, malhumorados o, directamente, agresivos. Los femeninos, por su parte, suelen tener un carácter malicioso, como si disfrutaran engañando y enloqueciendo a los hombres. La *Guaxa* es capaz incluso de asesinar a los niños chupándoles la sangre, en lo que sería una versión local del mito del vampiro.

La mitología cántabra, que tiene una gran influencia de la cultura celta, rinde tributo al sol como figura masculina y a la Tierra como femenina. Árboles, ríos, lagos y montañas poseen su propio espíritu y se consideran sagrados. En cuanto a sus criaturas autóctonas es interesante la clara división que existe entre los representantes del bien y los del mal. El Ojáncanu —y su mujer, la Ojáncana— son dos criaturas gigantescas que no tienen piedad a la hora de hacer el mal, incluso entre los niños. Frente a ellos, las *anjanas*, unas pequeñas hadas de gran belleza se presentan como las protectoras de los gentiles, los enamorados y los extraviados.

En Cataluña el agua adquiere un papel preponderante, ya sea por su abundancia o por su carencia. Los bosques, a su vez, aparecen repletos de duendes y hadas, más moderados en sus actividades cotidianas que sus colegas del norte. En cambio, comparte con esas mitologías cántabras la presencia de animales míticos, como bestias que comen niños —el *Papu*—, y la creencia en el origen sagrado de ríos, montañas y demás accidentes geográficos.

Y los ejemplos siguen... En Castilla, el Diablo Cojuelo, el Bú o el Tragaldabas. En Extremadura, el Machu Lanú, las *jáncanas* o los *mulachinis*. En el País Vasco, los dioses Urtzi y Mari, los *jentilak*, las *lamiak* y los *iratxoak*. En las Canarias, los dioses Achamán, Magec, Achuguayo o Chijoraji. Y la lista continúa en Galicia, las Baleares, el Pirineo y el resto de territorios de España, porque no hay pueblo en el mundo que pueda consolidarse y desarrollarse sin unos mitos que definan el sistema local de valores.

del tiempo o la verosimilitud del relato, se cree que los hechos que se describen son reales? Piensa que los mitos tratan temas esenciales, que de una u otra forma conectan con algo que todos tenemos dentro. Así que imagínate qué pasa si se acaba creyendo que lo que cuentan es verdad. La realidad y la ficción se confunden, y surgen las dudas.

Cojamos el caso del Grial. ¿Cuántas personas han dedicado sus vidas a estudiarlo? ¿Y a buscarlo? ¿Cuántos libros se han publicado sobre él? ¿Cuánto dinero se ha gastado en su persecución? Conozco incluso a algún investigador que casi pierde la cabeza obcecado en su búsqueda… Y, la verdad, la podría haber perdido del todo, porque se trata de un mito en toda regla. A estas alturas de mi vida estoy convencido de que la célebre copa no existe. Jesús la cogió con las manos, repartió el vino entre sus discípulos… y después de la cena, teniendo en cuenta lo que se les venía encima, la copa se perdió o se rompió, ya que probablemente era de cristal. Si realmente existiera, entonces el mito dejaría de existir y el enigma cobraría vida.

Si el Grial aparece en este libro es porque son muchos los que creen que es real, que de verdad existe, y que está custodiado en algún lugar perdido de Europa. Creen que es un auténtico enigma, como también le ocurre a otro mito muy relacionado: el que nos habla del Rey Arturo y los famosos caballeros de la Mesa Redonda. Si bien yo creo que ambos mitos son precisamente eso, ficciones en toda regla, es indudable que se trata de las más importantes de la civilización occidental. En sus relatos se esconden buena parte de las claves que iluminan nuestra forma de pensar.

Entrarás a fondo en el misterio de Grial en el capítulo 11. Lo que me interesa ahora es que te quede bien claro cuál es la diferencia entre los mitos y los enigmas. Porque una cosa es lanzarse a la difícil tarea de buscar el origen de los avanzados conocimientos astronómicos de los dogones, y otra muy distinta, y del todo imposible, es encontrar la mesa redonda del Rey Arturo. En el mejor de los casos, todo lo que vas a encontrar es una réplica inspirada en los relatos artúricos, que cuelga de la pared del castillo de Winchester, en Inglaterra. Quedas advertido.

Dejarse tomar el pelo

Perseguir un mito puede ser frustrante, porque jamás se va a encontrar aquello que se busca. Pero al menos, en su persecución, seguro que se aprenden unas cuantas verdades sobre la cultura y la mentalidad de la que surgió. El que busca el Grial no lo encontrará jamás, pero, al sumergirse de lleno en la mentalidad medieval, dará con las claves que explican nuestra forma de ver el mundo.

En cambio, los fraudes no tienen ningún efecto beneficioso involuntario. Le hacen sentir a uno como un tonto. Tan sólo son uno de los mayores enemigos del investigador. ¿Y a qué me refiero cuando hablo de fraudes? Es fácil; aquí la palabra no tiene múltiples significados. Un *fraude* es un bulo, un engaño, una mentira; es un relato o un documento que se refiere a un fenómeno inventado pero que se presenta al público como si fuera auténtico.

Peligro a la vista

En la historia de la investigación de los enigmas hay numerosos ejemplos, seguramente demasiados. Son una completa pérdida de tiempo para el estudioso, que dedica un esfuerzo muy valioso a un fenómeno que no lleva a ninguna parte. Yo diría que aún es más grave: dedicar horas de trabajo a un fraude y apuntar que quizá tenga algo de verdad es la peor publicidad que puede labrarse un investigador.

De hecho, aquellos que dan veracidad a un fraude acaban perjudicando la reputación de todos los que nos dedicamos a la investigación de enigmas. Cada vez que se descubre que un documento dado por bueno resulta ser un engaño, aquellos que critican por sistema nuestro trabajo tienen un argumento más para echar por tierra muchas líneas de investigación. Que una foto que muestra un ovni esté manipulada no significa que los ovnis no existan; sin embargo, los escépticos se aferrarán a esa prueba para afirmar que todo el fenómeno es un fraude. La parte acaba por arruinar el todo. Así que mucho cuidado; evita caer en un fraude como quien huye de la peste.

Los trucos del falsificador

Los fraudes son tan antiguos como la historia. Siempre ha habido personas ansiosas de notoriedad a cualquier precio, o que disfrutan tomando el pelo a sus vecinos. La verdad es que no dejan de tener su interés como signos de los tiempos, como una muestra de lo retorcido de la mente humana… Pero eso ahora mismo no nos interesa, y se lo dejamos a la psicología. Prefiero recordarte que un fraude puede esconderse, como el lobo, bajo múltiples pelajes. Algunos de ellos son los siguientes.

✔ **Falsos testimonios.** Una persona decide inventarse una historia para conseguir notoriedad o llamar la atención. Son frecuentes en el estudio del fenómeno ovni, donde dependemos mucho de los testigos y sus relatos. A veces es fácil descubrir a un mentiroso: no puede dar detalles concretos ante una pregunta inesperada, repite siempre las mismas excusas, y habla con lentitud para darse un tiempo extra y buscar una mejor explicación. Contrastar varias versiones de una historia es siempre la mejor manera de descubrir un engaño.

✔ **Mentiras colectivas.** En el siglo XIX, algunas ciudades de Estados Unidos e Inglaterra vieron nacer "los clubes de mentirosos", asociaciones de bromistas que se ponían de acuerdo para mofarse de sus conciudadanos contando una misma historia. La televisión y la radio acabaron con ellos, pero hoy, gracias a internet, el fenómeno ha resucitado: los mentirosos pueden ponerse de acuerdo sin ni siquiera conocerse personalmente, lo que hace más complicado descubrir el fraude.

✔ **Fotografías manipuladas.** En plena era del Photoshop resulta relativamente sencillo construir una foto falsa y que no lo parezca. En los tiempos de la fotografía analógica, los fraudes también existían, pero se requería más tiempo y más talento para conseguir una imagen que pudiera crear confusión. El estudio de las sombras y los tonos de los distintos objetos suele revelar el engaño.

✔ **Reconstrucciones digitales.** Últimamente son frecuentes los vídeos de avistamientos de ovnis en ciudades. En ellos se suele ver un entorno reconocible, en el que de repente aparece algún tipo de nave extraterrestre surcando los cielos; la gente que aparece en la grabación, como no podía ser de otra forma, muestra su gran sorpresa.

El uso de herramientas digitales permite una fusión entre imágenes reales y otras creadas por ordenador casi perfecta. Puede descubrirse el fraude por el estudio de las sombras, de las texturas y del contorno de los objetos (la superposición de capas a veces muestra un halo alrededor de las formas creadas digitalmente). Pero un trabajo profesional es difícil de desenmascarar.

✔ **Muñecos y maquetas.** Los mismos trucos que usaban en el cine previo a la era digital se han usado para montar fraudes. Así, hay un sinfín de grabaciones de maquetas de naves espaciales surcando los cielos. Lo mismo ocurre con muñecos de supuestos alienígenas, criaturas monstruosas y animales fantásticos. En estos casos, sólo la confesión de su creador puede poner punto final al engaño.

✔ **Fetos de animales.** Suena desagradable, lo sé, pero se han usado a menudo para hacerlos pasar por restos de extraterrestres. Los fetos de algunas especies de mono pueden parecer criaturas venidas de otro mundo. También se ha usado material orgánico para reconstruir animales fantásticos y míticos, como el popular *chupacabras* o las fabulosas sirenas.

✔ **Restos arqueológicos falsos.** Cogemos una losa de piedra, el alfabeto rúnico —el que usaban los pueblos arios precristianos—, un punzón de acero y, listo, ya podemos construir la prueba de que los vikingos llegaron a América antes que Colón. Parece un chiste, pero eso es lo que hicieron en Kensington (Minnessota) en el año 1898. Puede sonar un poco burdo, pero hay ejemplos a decenas.

✔ **Dibujos y mapas falsificados.** En el capítulo 2 trato las distintas áreas en las que se divide la investigación de los enigmas. Una de ellas es el estudio de mapas insólitos, que revelan territorios desconocidos para la fecha en que fueron dibujados. El más famoso es el de Piri Reis, fechado en 1513 y que muestra la Antártida con sorprendente exactitud. El de Piri Reis es auténtico, pero corre por ahí una buena colección de mapas falsos. El de *Vinlandia*, datado entre 1423 y 1455, revelaría el contorno de América del Norte antes del descubrimiento de Colón. Estudios sobre las tintas utilizadas pusieron en duda su autenticidad.

Los auténticos Indiana Jones

A lo largo del libro vas a saber de la vida y la obra de unos cuantos investigadores que bien se merecen ser los "verdaderos Indiana Jones", hasta el punto de que las malas lenguas dicen que George Lucas se inspiró en ellos para crear al personaje encarnado por Harrison Ford. Académicos y profesionales que dejaron las cátedras y los laboratorios para entregarse a un trabajo de campo que cambiaría sus vidas de arriba abajo. Si hoy se los recuerda es precisamente por ser descubridores y pioneros del estudio de algunos de los mayores enigmas de la humanidad.

María Reiche, nacida en Dresde en 1903 y fallecida en 1998 en Lima (Perú), fue una matemática alemana que entregó su vida a las líneas de Nazca. Fue ella quien realizó el primer mapa completo de las figuras grabadas en el suelo, y quien propuso que las líneas son en realidad un gran calendario de las constelaciones y planetas. También nacido en Alemania, **Otto Rahn** (Michelstadt, 1904-1939) fue un medievalista que viajó por toda Europa y publicó trabajos de gran influencia sobre el Grial y la herejía cátara. Su hipótesis de trabajo, en la que establece una conexión entre la copa sagrada y la secta de los perfectos, ha influido a decenas de escritores que han aprovechado el tirón de tan fabuloso argumento.

El ruso **Leónidas Kulik,** nacido en Tartu en 1883 y fallecido en 1942, fue el descubridor de los restos del "incidente de Tunguska", una formidable explosión de tintes atómicos ocurrida en 1908 que no sería documentada hasta 1927. Fue capaz de rescatar la historia del olvido y de soportar penurias y enfermedades hasta dar con el lugar de la explosión. Hoy es uno de los mayores misterios a los que se tiene que enfrentar la geología moderna, y por ese motivo varios accidentes y cuerpos espaciales llevan su nombre. Kulik murió en un campo de concentración nazi en 1942, víctima del tifus.

El francés **Marcel Griaule** (1898-1956) fue piloto de combate antes de convertirse en antropólogo y destacado africanista. En una de sus expediciones por Mali, Griaule contactó con la tribu de los dogon, quienes poseían unos conocimientos astronómicos que asombraron a Occidente; fue además pionero en el uso de la fotografía aérea. Otro francés, **Henri Lhote** (1903-1991), fue quien descubrió las pinturas rupestres de Tassili tras oír un rumor que apuntaba a la existencia de unos extraños grabados. Montó la primera expedición a la zona y fue también el primero en describir los dibujos del Tassili como representaciones de astronautas… ¡en pleno Neolítico!

Como ves, cada enigma tiene su propio descubridor, pero todos coinciden en una misma idea; creyeron en una visión en la que nadie confiaba, soportando la crítica y el desprecio, aunque al final demostraron que eran ellos quienes tenían razón.

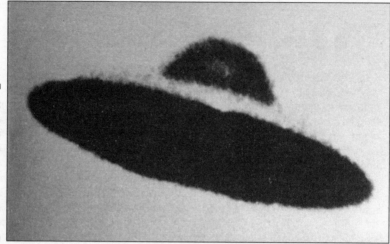

Figura 1-2:
La foto de un ovni; algunas personas pueden considerarla una manipulación fotográfica

Como puedes ver, la variedad de fraudes posibles es tan grande como la imaginación y la ingenuidad humanas. La única forma probable de estar a salvo de ellos es mantener el espíritu crítico y, ante la duda, acudir a un experto en la materia. Biólogos, restauradores, químicos, técnicos en efectos especiales, editores de vídeo digital... Ellos tienen los conocimientos que pueden revelar un fraude y salvarte del ridículo más espantoso. Por mi experiencia es muy posible que se tomen la propuesta como un peculiar reto personal, por lo que no van a dudar en asesorarte y demostrar lo que saben. Mejor una pregunta a tiempo que una disculpa pública cuando ya sea demasiado tarde.

Lo que hay que tener

¿Hay que estar hecho de una pasta especial para dedicarse a la investigación de los enigmas? Por supuesto, del mismo modo que no todo el mundo tiene las agallas necesarias para ser médico, profesor de instituto o submarinista. A diferencia del investigador más ortodoxo, que suele pasar muchas horas encerrado en el laboratorio, el que se dedica a la búsqueda de enigmas y misterios debe combinar el trabajo de campo con el de biblioteca. Muchos de los misterios que hay repartidos por el mundo tienen una abundante bibliografía asociada, pero sobre otros no existen estudios serios publicados. En este caso, es el investigador el que debe abrir un nuevo camino, casi a tientas; y no todo el mundo sabe andar en la oscuridad. Un investigador completo debe poseer las siguientes siete cualidades.

✔ **Curiosidad.** Sin ella no hay investigación posible. De la curiosidad nacen las preguntas; y de ellas, las respuestas que nos permiten aprender. Y no sólo debemos ser curiosos sobre el objeto de nuestro estudio, sino acerca de todos los campos del conocimiento. La curiosidad, entendida como lo hacen los niños, sin maldad y con la única voluntad de conocer, debe ser nuestro primer motor. Aquí está permitido mirar por los ojos de todas las cerraduras.

✔ **Espíritu crítico.** ¿Qué sería del progreso si Einstein o Newton no se hubieran planteado respuestas nuevas para las preguntas de siempre? Hasta hace poco, por ejemplo, se aceptaba comúnmente que las pirámides se habían construido empleando miles de esclavos, cuerdas, poleas y mucha fuerza bruta. Así lo describía Herodoto en el siglo V a. C. Algunos investigadores empezamos a plantearnos si habría otras opciones y así, hoy en día, trabajos como los de Jean-Pierre Houdin o Joseph Davidovits han puesto en duda la visión tradicional.

✔ **Escepticismo.** Ya hemos visto cómo los fraudes son el mayor peligro que debe afrontar un investigador. La mayoría no hubieran tenido la más mínima repercusión si el espíritu crítico, la capacidad de dudar, se hubiera enfrentado a ellos desde un principio. Durante el transcurso de nuestro trabajo nos encontraremos con documentos y testigos que nos darán aquella respuesta que estamos buscando. Antes de abrazarla hay que someterla a las más duras preguntas, como si fuera el abogado del diablo quien interrogara.

✔ **Fortaleza.** Durante toda mi carrera he tenido que soportar críticas feroces, provenientes de todas las esferas. Las recibí incluso cuando dirigí un curso universitario en El Escorial que pretendía poner un poco de orden y ortodoxia a la disciplina que nos ocupa. Siempre hay quien prefiere el oscurantismo al debate y la luz pública. Al sugerir nuevas interpretaciones, se ponen en duda viejas verdades y se lucha a contracorriente. Hay que tener fortaleza para seguir andando solo.

✔ **Inteligencia emocional.** Una parte importante de nuestras fuentes proviene de testimonios de personas de carne y hueso.

Hay que realizar numerosas entrevistas, ganarse la confianza de los testigos y lograr que nos revelen aquello que consideran un secreto. Está claro que no todo el mundo sabe hacerlo. La paciencia, el respeto, la simpatía y la empatía son cualidades fundamentales. Piensa que a menudo el testigo tiene miedo de contar una historia que él es incapaz de comprender, que sería más propia de un loco que de un cuerdo. Sólo hablará si se siente seguro y protegido.

✔ **Imaginación.** Heinrich Schliemann es, sin duda, el arqueólogo a quien todo el mundo asocia con la ciudad de Troya. No sólo encontró la ciudad homérica, sino que sus excavaciones son las que ofrecieron más luz sobre el lugar. ¿Y qué empujó a Schliemann a encontrar la ciudad? No fue otra cosa que los relatos de Homero que su padre le dio a conocer de niño. A pesar de que todo el mundo pensaba que Troya era un mito, sus sueños de niño le decían que no. Y sus sueños tenían razón.

✔ **Formación.** Como veremos en el capítulo 2, para investigar los enigmas hace falta disponer de una vasta cultural general. Historia, biología, antropología, geografía, medicina, historia del arte y, por supuesto, idiomas. Sólo al instruido no se le escapan los detalles ni se le da gato por liebre.

Figura 1-3:
Encerrado en casa no se descubre nada

Está claro que no sólo son necesarias las características que menciono; otras son comunes a cualquier trabajo científico. La paciencia, la constancia o la voluntad son fundamentales para llevar a cabo cualquier tarea que merezca la pena. Sin ellas, mejor nos quedamos en casa. Dar con una ciudad perdida no es un trabajo que se haga en un fin de semana… aunque tampoco hace falta que empieces por metas tan elevadas. De momento, sigamos con la lectura, pasemos al próximo capítulo y veamos qué herramientas tenemos para desenvolvernos en un mundo lleno de enigmas.

Capítulo 2

La enigmología

Como ya habrás podido comprobar, cada vez que quiero mencionar la disciplina que nos ocupa tengo que utilizar expresiones como *investigación tanto de los enigmas como de los misterios*. No hay un término como *arqueología*, *historia* o *zoología*, una palabra concreta que defina con precisión lo que quiero decir. A veces se le asocian términos como *ciencias ocultas* o *parapsicología,* pero siempre he pensado que se refieren a un universo más espiritual; a los misterios de la mente humana, y no tanto a los del planeta que nos rodea.

Pienso, sin embargo, que algunas áreas de las ciencias ocultas son enigmas, tal y como los entendemos aquí. El estudio del Grial, por ejemplo, tiene tanto de material como de espiritual. Lo mismo ocurre con la Sábana Santa, que no es posible si no creemos en que sea posible la resurrección de un muerto, lo que entraría de lleno en el terreno de lo oculto, de la parapsicología. Sin embargo, el estudio de las civilizaciones perdidas, de las anomalías de la zoología o del fenómeno ovni no encajan con lo que entendemos por *ciencias ocultas*. Así, no creo que pueda usar estos "términos" para hablar del contenido de este libro.

Sentando cátedra

Con permiso de los académicos —y me temo que sin él— voy a usar un término que he oído alguna vez de forma coloquial, casi sin darle importancia: *enigmología*. Viene de las raíces griegas *aenigma* (adivinanza, acertijo) y *logos* (tratado); creo que su significado queda claro. A partir de estas líneas lo podrás encontrar cada vez que me refiera al conjunto de los estudios que tratan lo que ya he definido como enigmas y misterios: los fenómenos y acontecimientos históricos que no podemos explicar con los conocimientos actuales.

Tal y como ocurre con otras disciplinas, la *enigmología* se divide en varias especialidades. Si hay historiadores expertos en la Edad Moderna y otros en la Grecia clásica, dentro de la enigmología también ocurre lo mismo: hay diversas áreas de estudio. Enseguida hacemos un repaso, pero antes déjame explicarte por qué me he puesto las gafas de ver de cerca y me dispongo a hacerte toda una clasificación.

En primer lugar, por la confusión que siempre envuelve la investigación de los enigmas. Es como si fuera inevitable que ambas ideas vayan de la mano. Y, como te comenté en la introducción —y perdón por el juego de palabras—, la enigmología no tiene por qué ser enigmática. Así que no está de más aclarar, con unos cuantos ejemplos, qué queda dentro y qué se va fuera.

Y, en segundo lugar, ¿no tienes curiosidad por saber a qué se dedica la criptobotánica? Si estas leyendo estas líneas, deduzco que sí, de modo que tienes la respuesta unas líneas más abajo.

Con orden y en fila

No hay mejor manera de ver claro que después de poner orden. Si la ciencia establece clasificaciones y jerarquías por doquier, e incluso le dedica una especialidad —la *taxonomía*—, es porque hay que llamar a las cosas por su nombre. Si no, es difícil que nos pongamos de acuerdo.

Así pues, voy a hacer una pequeña clasificación de los enigmas, ponerle categorías a nuestra enigmología. Hay quien sólo se ha dedicado a una sola especialidad, pero somos mayoría los que nos

Figura 2-1:
Las pirámides de Egipto, todavía un enigma sin fin

entregamos al estudio de todas su facetas. Yo mismo he tocado casi todos los palos, porque la curiosidad difícilmente conoce límites. Pero reconozco que es clave el papel de los expertos en una sola materia, de los que los demás aprendemos y, en muchos casos, seguimos los pasos.

Caminamos terreno poco explorado, y por lo tanto muchos son los que vendrán detrás y descubrirán una ruta mejor. Propondrán correcciones y añadidos a esta lista. Cualquier observación que me quieras hacer será bien recibida.

Misterios arqueológicos

Arqueología y prehistoria son dos conceptos que suelen asociarse. De manera errónea, claro. La *arqueología* investiga el pasado humano mediante el estudio de restos materiales, sean éstos de la edad que sean. La *prehistoria*, en cambio, hace referencia al periodo temporal previo a la aparición de la escritura; es decir, todo lo que viene antes del 3300 a. C. Por lo tanto, la arqueología —misteriosa o no— no investiga sólo la prehistoria, sino cualquier otro periodo; eso sí siempre a partir de sus restos.

Seguramente es a día de hoy una de las especialidades favoritas de los aficionados a la investigación, por lo mucho que nos puede aportar sobre nuestros orígenes e historia remota. Como puedes imaginar, investiga aquellos restos y mitos que plantean incógnitas que no sabemos cómo interpretar, lo que abre de forma vastísima nuestro campo de trabajo. Podemos dividir las áreas de trabajo de la arqueología misteriosa en dos grandes grupos.

✔ **Descubrimientos arqueológicos.** Aquellos enigmas que surgen a raíz del hallazgo de cualquier documento o construcción histórica. Los ejemplos son numerosos. ¿Cómo se construyeron las pirámides? ¿Qué representan las ancestrales líneas de Nazca, sólo visibles desde el aire? ¿A qué se refieren las pinturas rupestres de Tassili, con esos hombres que parecen astronautas? ¿Cuál era la función de las piedras del yacimiento de Stonehenge? La lista es casi interminable. Al tratarse de hallazgos que nos llevan miles de años atrás en el tiempo, es difícil encontrar las respuestas y muy fácil entrar en el juego de las hipótesis.

✔ **Mitos arqueológicos.** Podríamos denominar a esta rama *criptoarqueología,* en cuanto que busca los restos de aquellas civilizaciones que creemos desaparecidas o que, de momento, pensamos que son más mito que realidad. Aquí se recogen algunos de los mayores misterios de la humanidad, que han hecho volar la imaginación de centenares de investigadores. Me refiero a la búsqueda de lugares míticos, como El Dorado o la Atlántida, de los que se tiene noticia por medio de narraciones y testimonios antiguos, pero cuya existencia no se ha podido probar.

El descubrimiento de Troya por parte de un arqueólogo aficionado, Heinrich Schliemann, es un claro ejemplo de las puertas que nos puede abrir la arqueología misteriosa o criptoarqueología. La existencia de la ciudad homérica se consideraba un mito por sus contemporáneos, pero Schliemann se empecinó en su búsqueda, y finalmente la encontró. Lo mismo ocurre hoy en día con la Atlántida o Mu, el continente perdido, que se toman por simples leyendas perdidas en el tiempo. ¿Quién sabe si sus ruinas nos están esperando en el fondo del mar?

El gran problema de la arqueología misteriosa es la dificultad para probar las hipótesis de trabajo. Los testigos han desaparecido, y no hay documentos escritos que nos puedan aclarar el verdadero significado de un descubrimiento. El primer historiador digno de calificarse como tal es Herodoto, quien publicó sus obras en el siglo V a. C., y por lo tanto no podía saber nada de lo que ocurría en la Europa del Neolítico ni el Egipto de los faraones.

¿Cómo encontrar, pues, una explicación a los enigmas que plantea la prehistoria remota? Pues lamento decirte que no hay una respuesta clara. La arqueología convencional se basa en el hallazgo de restos materiales, que nos dan pistas acerca de los hábitos de vida de nuestros antepasados. Pero resulta más difícil averiguar qué pensaban, qué decían y qué preocupaba a los hombres de la prehistoria. No sabemos cuáles eran sus rituales, ni tampoco tenemos una idea clara de su religión. La literatura y la filosofía nos dan las claves que nos abren el alma de nuestros antepasados… y en la prehistoria no existían.

Entonces ¿qué? Ante los enigmas que nos plantean los hallazgos del pasado, como las pinturas de Tassili, la arqueología convencional a menudo da explicaciones como que se trata de "rituales tribales", "folklore desconocido" y similares. Pero, y ahora soy el que pregunta, ¿cómo podemos afirmar que una pintura rupestre se refiere a un ritual tribal si desconocemos por completo cómo eran dichos rituales? Como ves, la respuesta se nos van a seguir escapando…

Historia oscura

Cuando unas líneas más arriba definía la *arqueología misteriosa,* dejaba claras las diferencias entre los términos *arqueología*, *historia* y *prehistoria*. Así, la historia oscura, la que ahora nos ocupa, tratará aquellos enigmas del pasado que no se investigan a partir de restos ni yacimientos arqueológicos. En especial, la historia oscura se centra sobre todo en la huella dejada por determinados personajes enigmáticos. Caracteres que marcaron su tiempo y el devenir de la humanidad, pero de los que desconocemos sus verdaderas motivaciones.

Los enigmas de la historia "reciente" suelen centrarse en la vida de personajes y colectivos polémicos, cuyas actitudes nos resultan difíciles de entender desde una óptica contemporánea. Sus vidas y motivaciones se nos escapan, y por ello se merecen un capítulo aparte. Tomemos el caso de Cristóbal Colón, por ejemplo. Seguimos sin ponernos de acuerdo sobre su origen. ¿Era español o italiano? Y si vamos un poco más allá, nos tendremos que preguntar qué lo empujó a irse hacia las Indias por una ruta completamente desconocida. ¿Acaso no sería Colón el último de una larga lista de

Enigmas nazis

Durante la primera década del siglo XXI el interés por aquellos pasajes de la historia reciente que aún permanecen ocultos se ha multiplicado, y revistas, libros y canales temáticos mantienen bien surtido al aficionado. De entre los temas habituales, destaca sobremanera todo lo que tenga que ver con la Alemania nazi, que aún parece ejercer un hipnótico y morboso interés en el lector. La bibliografía llena estantes enteros en las librerías, en muchos casos con obras que son mitad verdad y mitad leyenda.

Entre ellas, y por citar algunos ejemplos, la relación del régimen nazi con el esoterismo y las ciencias ocultas, ya presente en los primeros tiempos del movimiento por la influencia de la Sociedad Thule. Otro clásico es la relación entre el bárbaro régimen y el Grial, hasta el punto de que los miembros de las SS se veían a sí mismos como artúricos caballeros andantes del siglo XX. Su fascinación por las reliquias sagradas y los ritos celebrados en su castillo de Wewelsburg apuntan en esta dirección.

La existencia real de la red Odessa también ha sido largamente debatida; una organización que habría ayudado a escapar a centenares de criminales después de la guerra, sin que fuera nunca posible desmantelarla del todo. Incluso se ha especulado con la posibilidad de que los nazis fuera capaces de fabricar platillos volantes; una hipótesis que algunas fotografías de incierto origen parecen probar. Para acabar de rizar el rizo, se ha llegado también a barajar la posibilidad de que Adolf Hitler no se hubiera suicidado. Según esta leyenda, habría podido escapar hasta llegar a América Latina. Por lo visto, parece que los malos de la historia nos siguen atrapando.

descubridores involuntarios de América? ¿No podría ser que Colón supiera muy bien adónde iba?

La lista es casi interminable: Vlad *el Empalador*, el mago Cagliostro, los cátaros, los templarios, el conde Saint-Germain, Rasputín, el rey Arturo, Juana de Arco, el indio Juan Diego… Son demasiados para un solo libro. Sobre cada uno de ellos se han escrito centenares de páginas, por lo que te invito a visitar la biblioteca más cercana si sientes curiosidad. Pero ya te advierto que en los libros no encontrarás la respuesta definitiva; las investigaciones desarrolladas hasta la fecha no han conseguido aportar suficiente luz sobre ellos. Terreno abonado, por lo tanto, para nuestra querida especialidad.

Figura 2-2:
Interrogantes
sobre la vida
de Colón

De lugares y mapas

Aparentemente la geografía tiene poco de misterioso. Los contornos de la Tierra son los que son y, si nos quedaba alguna duda, herramientas tan populares y generalizadas como Google Maps han acabado por resolverlas. ¿Pero realmente es así? ¿Podemos afirmar que la geografía y la cartografía no esconden ningún secreto? Imagino que ya has respondido que no, y llevas toda la razón.

A lo largo de la historia, los geógrafos han elaborado un conjunto de mapas que a día de hoy rehúyen cualquier explicación. Se trata de cartas que muestran territorios desconocidos para la fecha en que fueron elaborados, pero que, sin embargo, tienen un detalle y una exactitud que todavía nos deja perplejos. ¿Cómo pudieron elaborarlos si carecían de instrumentos de precisión, como los satélites?

De todos los mapas misteriosos, no hay duda de que el más célebre es el del capitán turco Piri Reis. Autor de una abundante y precisa cartografía, Reis elaboró una carta en el año 1523 que, según sus propias palabras, "no posee nadie hoy en día". Y no era para menos.

El mapa muestra los contornos de la Antártida con una precisión inaudita, más propia de un satélite del siglo XX que de un marino del XVI. Pero no es sólo su precisión lo que nos admira; lo realmente sorprendente es que la Antártida no se descubrió hasta principios del siglo XVII, ¡casi cien años después del mapa de Piri Reis!

Los mapas no son los únicos que plantean preguntas sin resolver a la geografía. Un puñado de rincones del mundo, ubicados entre coordenadas bien definidas, parecen poseer un poder inexplicable capaz de hacer desaparecer barcos, aviones y todo tipo de construcciones. El más célebre es, sin duda, el Triángulo de las Bermudas, del que hablaré con más detalle en el capítulo 15. Pero no es el único rincón geográfico que parece esconder una maldición sin respuesta.

El mar del Diablo, ubicado frente a las costa oriental del Japón, ha sido testigo de la desaparición de numerosos buques, sin que a día de hoy se haya encontrado una explicación razonable. Incluso se ha notificado la existencia en esa zona de extraños fenómenos lumínicos; los testigos hablan de un resplandor de origen incierto, que parece surgir directamente del mar. Algo parecido puede decirse de otro rincón cuyo nombre también tiene un origen demoníaco: el Triángulo del Diablo, situado frente a la costa occidental de Sicilia, en el mar Mediterráneo. De nuevo, las noticias de naufragios inexplicables y de instrumental "que se vuelve loco" se repiten. En especial, los submarinos de la Armada francesa no han tenido mucha suerte navegando por esas coordenadas; y ya son varios los buques que se han dado por perdidos.

Mientras se busca una explicación, la geografía habla de zonas con fuertes corrientes o que tienen una orografía especialmente enrevesada, que pueden confundir a los marineros. ¿Pero cómo es posible que durante el siglo pasado, cuando ya se disponía de modernas herramientas de navegación, las desapariciones hayan sido tan numerosas? Por si acaso, evita pasar por cualquier zona que lleve el nombre del diablo en su toponimia.

Una cuestión de fe

Las diversas religiones que se practican en el mundo son terreno abonado para la recolección de enigmas. Y es que la religión, con su combinación de historia y creencia, de hechos reales y dogmas de fe, nos ofrece un listado interminable de misterios por resolver.

Los mapas de los prodigios

No sólo el mapa de Piri Reis parece estar fuera del tiempo. Otros muchos colocan a la geografía frente a un sinfín de interrogantes sin respuesta. El de Hadji Ahmet, dibujado en 1559, nos muestra las costas de América con una precisión sin parangón en los mapas de la época. Los navegantes españoles tardarían aún varias décadas en explorar con detalle aquellas costas. Siempre se ha creído que ellos fueron los primeros en llegar; una hipótesis que el mapa desmontaría.

El de Angelino Dulcert, datado hacia 1339, retrata el mar Mediterráneo con una exactitud fotográfica. Miembro de la prestigiosa escuela mallorquina de cartografía, Dulcert llega a describir también todo el norte marítimo de Europa, desde Irlanda a Rusia, con una gran precisión. ¿Y qué decir del de Ibn Ben Zara, de 1487, que nos revela cómo eran el Mediterráneo, el Adriático y el Egeo antes de que terminara la última glaciación? Sólo una civilización con conocimientos sobre geología más propios del siglo XX sería capaz de hacer algo así. La ciencia no tiene una respuesta clara, y habla de otros mapas perdidos, de copias, de información privilegiada… La enigmología no puede conformarse con tan vagas respuestas.

Los textos religiosos nos hablan de lugares sagrados, de acontecimientos sorprendentes, de personajes con poderes sobrehumanos… ¿Qué hay de cierto en esas historias? ¿Qué es mito y qué es realidad? La enigmología ya puede ponerse a trabajar.

Todas las religiones del mundo tienen sus enigmas. Sin embargo, por formación y tradición, yo me he limitado al estudio de las creencias cristianas. Es la religión que, por decirlo de algún modo, nos pertenece: su cosmología ha marcado la historia de Occidente y no podemos entender nuestro pensamiento sin su presencia. Es la que, además, conozco con una mayor profundidad. Así que dejo el estudio de los enigmas de otras religiones a expertos mejor formados que yo. Por lo que respecta a la tradición cristiana, algunas de las áreas de trabajo propias de la enigmología son las que vas a ver a continuación.

✔ **Reliquias perdidas.** Se trata de objetos que aparecen en las escrituras sagradas y que, por su significado original, han adquirido un poder simbólico capaz de traspasar generaciones y creencias. Algunos de los más célebres son el Grial, la lanza de Longinos, que atravesó el costado de Jesús de Nazaret, o los restos de la cruz.

✔ **Lugares sagrados.** El lugar exacto del nacimiento de Jesús o la ubicación del monte Calvario aún suscitan los más enconados debates entre historiadores, teólogos y geógrafos. Hoy sabemos por ejemplo que la basílica de la Natividad, situada en el lugar en el que —según la tradición— nació Jesús de Nazaret, está en el lugar equivocado.

✔ **Personajes míticos.** ¿Quién fue exactamente María Magdalena? ¿Fue una vulgar prostituta, tal como recoge la versión oficial, o llegó a ser la compañera sentimental de Jesús? ¿Tuvo Jesús hermanos de sangre, tal y como parecen insinuar algunos versículos de los evangelios? ¿Fue Judas un traidor o, por el contrario, se limitó a seguir las órdenes de su maestro?

✔ **Textos apócrifos.** La Iglesia católica considera que sólo hay cuatro evangelios que recojan con fidelidad la vida de Jesús de Nazaret, y que puedan tomarse por lo tanto como "palabra de Dios". Pero lo cierto es que hay muchos más, los llamados *apócrifos*, contemporáneos de los anteriores y que nos ofrecen una visión algo distinta de la vida e intenciones de Jesús.

✔ **Visiones y profecías.** La Biblia está repleta de profecías sobre el futuro, algunas de ellas pendientes de resolución. Más tarde algunos santos, como san Malaquías, primado de Irlanda, se aventuraron a adivinar el futuro… acertando de pleno unos siglos más tarde. Malaquías, en su *Profecía sobre los papas* (del año 1139), adivinó los orígenes y las biografías de los papas, especialmente los de los siglos XIX y XX. Y no ha sido el único.

✔ **Apariciones marianas.** Son muchas la personas que dicen haber visto a la Virgen María y que incluso afirman haber hablado con ella. Según mis archivos, pueden contarse unos 21 000 casos en todo el mundo. Quizá la aparición más famosa sea la de Fátima, en Portugal, acaecida en 1917, pero tampoco pueden olvidarse los casos de Lourdes (Francia) y el misterio que envuelve a la Virgen de Guadalupe (México). ¿Fantasía, realidad o delirio?

Como ves, los misterios asociados a la religión parecen no tener fin. Sin embargo, y a pesar de las múltiples líneas de investigación abiertas, el estudio de estos enigmas siempre encuentra un mismo obstáculo: la Iglesia católica, representada por el Estado Vaticano. Cualquier investigación que ponga en duda el dogma oficial, aunque

Figura 2-3:
Jerusalén,
ciudad
sagrada

esté apoyada por pruebas concluyentes, va a ser rechazada por la Iglesia de forma sistemática. ¿La razón? Algunos dogmas de fe son de obligada creencia para los fieles, por lo que su cuestionamiento se interpreta como un ataque directo a la doctrina cristiana... aunque digan la verdad. Así pues, ¿cuál es la solución? Por lo que sabemos de la Iglesia, sólo hay una opción: dejar pasar unos cuantos siglos.

De platillos volantes

A grandes trazos, se podría decir que la *ufología* es la investigación del fenómeno ovni y de todos los relatos que de ahí se derivan. Si existen, ¿qué son?, ¿quién los ha fabricado?, ¿quién los envía?, ¿qué quieren de nosotros? Aunque casi todo el mundo piensa que un ovni es un platillo volante tripulado por extraterrestres, la realidad nos demuestra que sólo de vez en cuando puede formularse esa hipótesis. Si cada ovni del que se tiene noticia fuera una nave extraterrestre, la Tierra sería el puerto de recreo favorito de las civilizaciones alienígenas. Algo así como el Benidorm cósmico.

Para empezar, la ufología trataría las noticias de *avistamientos* de objetos de variada procedencia y emprendería su posible identificación. Un labor que suele basarse en la recogida de testimonios y en entrevistas personales con testigos. En muchos casos puede atribuirse a los avistamientos una explicación razonable; pueden ser objetos de fabricación humana, como sondas meteorológicas, o fenómenos atmosféricos de la más variada índole. En el caso de no poder identificar su origen, se entra entonces en el terreno de la hipótesis, siempre y cuando el ovni no haya dejado pruebas de su presencia. Si fuera así, si el ovni nos deja un *souvenir*, es ahí cuando pasaríamos a un segundo nivel.

Este segundo escalón pasa por la recogida de pruebas, como fotografías o señales de un aterrizaje, y su posterior certificación. Una vez que se ha probado que no existe manipulación, se puede *verificar* el avistamiento y añadirse a la numerosa lista de expedientes que hay abiertos en todo el mundo.

Es en este punto donde se quedan la mayoría de investigaciones, pero en algunos casos se puede ir más allá. Si el testigo afirma que ha visto a los ocupantes del ovni, hablamos de un *contacto*. Éste puede limitarse a un simple cruce de miradas, pero es posible que vaya más allá: hay testimonios que hablan de intercambios de símbolos y objetos. Por último, si el testigo entra dentro del ovni y establece contacto cercano con sus ocupantes, de forma voluntaria o por la fuerza, estamos ante una *abducción*.

Figura 2-4:
Ovni sobre
San José
de Valderas
(Madrid)
1967

La ufología trata estas cuatro fases de la investigación, pero hay quien quiere ir más allá. La *exopolítica,* por ejemplo, se dedica a estudiar las relaciones entre la especie humana y las distintas civilizaciones extraterrestres. Considera que la Tierra es sólo una pieza más dentro del juego de intereses cósmico y que, desde hace siglos, humanos y extraterrestres tienen relaciones diplomáticas al más alto nivel.

Otra vertiente de la ufología, que ha conseguido atraer a infinidad de curiosos, es la *cerealogía.* Se dedica al estudio de los extraños dibujos que han aparecido en campos de cultivo de todo el mundo, normalmente con forma de círculos, y que sólo pueden contemplarse desde el aire. Si bien muchos de estos fenómenos tienen un probado origen humano, no puede decirse lo mismo de todos. Hay quien considera que son obra de extraterrestres, y que esconden mensajes ocultos. Nosotros, por el momento, suficiente tenemos con encontrarle al fenómeno ovni una explicación definitiva.

En el jardín del misterio

Los humanos nos creemos los amos y señores de la Tierra, y a menudo olvidamos que compartimos el planeta con miles de especies que estaban aquí mucho antes que nosotros. A la hora de la verdad, nuestra querida Tierra no entiende de diferencias entre razas y especies; todos estamos sujetos a sus caprichos. La enigmología, por lo tanto, no puede olvidarse de esos compañeros de planeta: criaturas mitológicas, especies perdidas en el tiempo, plantas con propiedades mágicas… Los enigmas no son una exclusiva de la especie humana.

Dos disciplinas se encargan del estudio de los animales y plantas misteriosos. En primer lugar nos encontramos con la *criptozoología,* que se dedica a estudiar los animales que no se incluyen en las clasificaciones oficiales. Entre ellos tendríamos a aquellos animales mitológicos que quizá no lo son tanto, así como las especies que se creen desaparecidas y que, en cambio, es muy posible que sigan entre nosotros. La lista es casi interminable: unicornios, chupacabras, serpientes marinas, monstruos lacustres, medusas gigantes… pero también otros que han resultado menos míticos, como el calamar gigante o el celacanto, que se creían extintos y que aún pueblan los mares. Por supuesto, no cuentan algunos miembros de la especie humana que, por desgracia, tienen bastante en común con algunas especies de animales.

El término *criptozoología* empezó a usarse a partir de la publicación de *Tras la pista de los animales desconocidos,* libro escrito por Bernard Heuvelmans en 1955 en el que se definía también el concepto de *críptido*, o animal que se escapa de las taxonomías oficiales. A pesar de que la ciencia es muy crítica con la criptozoología, lo cierto es que cada año se descubren nuevas especies de animales, lo que justifica por completo su existencia y su desarrollo, muy notable en los últimos años, por cierto.

Si tienes claro lo que es la *criptozoología,* no te costará imaginar qué es la *criptobotánica*: el estudio de aquellas especies de plantas no catalogadas, bien porque se las considera míticas o bien porque son aún desconocidas. Si tenemos en cuenta que cada año se descubren centenares de plantas no clasificadas hasta la fecha, es fácil entender que la criptobotánica ofrece un campo de trabajo casi ilimitado.

La *Wollemia,* un género de coníferas que se creía extinto desde hace millones de años, fue redescubierto en Australia en 1994. Pasó de ser un fósil, un mito, a una realidad. Más allá de las especies desconocidas —hay desde especies de orquídeas hasta árboles de la sabana—, me interesan especialmente aquellos ejemplares que forman parte de la mitología o la leyenda, sobre todo porque en muchas ocasiones se refieren a especies reales. La *Fuga daemonum,* por ejemplo, que se utilizaba en el medievo para ahuyentar al demonio, no es otra que el hipérico (*Hypericum perforatum*), una hierba de reconocidas propiedades antidepresivas.

No hay que confundir la criptobotánica con el estudio de las propiedades psicoactivas de algunas plantas. Por más misteriosos que sean los efectos de la ayahuasca, que probé una vez personalmente —puedes leer más información en el recuadro gris—, sus características botánicas están bien definidas desde su catalogación como *Banisteripsis caapi*. A pesar de que la criptobotánica busca plantas capaces de engullir mamíferos, incluso seres humanos, su estudio me parece bastante menos arriesgado que el de la ayahuasca o el peyote. Así que toma nota.

La soga del muerto

Culturas indígenas de todo el planeta reconocen que sólo es posible acceder a algunos rincones oscuros de nuestra propia mente con la ayuda de sustancias psicoactivas, de drogas que ponen en contacto estructuras del cerebro que permanecen aisladas las unas de las otras; todo sea dicho, en beneficio de nuestra cordura y sensatez. En América Latina, la ayahuasca, el peyote o el hongo mazateco se cuentan entre las sustancias más utilizadas; todas ellas causantes de potentísimos efectos alucinógenos que llevan a los consumidores a insospechados niveles de conciencia.

El 28 de noviembre de 1989 me encontraba en Brasil grabando el programa *En busca del misterio*, que dirigía el doctor Jiménez del Oso. Durante el rodaje, entramos en contacto con una comunidad llamada Cielo del Mar, que había hecho de la toma de ayahuasca —de la "soga del muerto"— el centro de sus vidas. Tras largas conversaciones, mi colega y yo pudimos experimentar en carne propia los efectos de la droga, sujeta a un estricto ritual y a una meticulosa preparación, en especial en lo referente a las dosis, tomas y las condiciones del entorno.

Los primeros efectos fueron horribles. Fortísimas náuseas que se prolongaron durante horas, acompañadas de un sudor frío y de un malestar general muy acusado. Pero a las dos horas, me empezó a invadir una cierta paz. Me elevé y salí de mí mismo. Mi principal propósito era comprobar los supuestos efectos telepáticos de la planta, y por ello había programado varios experimentos. En el primero de ellos intentaría viajar mentalmente desde Brasil a Bilbao, colarme en la vivienda de unos amigos y descubrir un objeto que ellos habían dejado en el suelo. Más tarde haría lo propio en un domicilio de Madrid.

Dicho y hecho. Volé, llegué a Bilbao y fui capaz de introducirme en la casa elegida, hasta dar con un retrato fotográfico que estaba en el suelo. Después, en Madrid, pude comprobar cómo era capaz de llegar a mi destino sin saber la dirección de la casa de mis amigos. Unas cinco horas después de la toma, noté una mano en mi hombro y me percaté de que la experiencia había terminado. Estaba exhausto y agotado. Al regresar a España, comprobé si las visiones que había tenido durante mi "viaje" se correspondían con la realidad. Y la respuesta fue un rotundo sí; tal como confirmaron mis amigos y colaboradores, había vivido una experiencia telepática completa. Con una vez, por eso, tuve más que suficiente.

El poder de la mente

La parapsicología es una disciplina con un carácter y una tradición tan singulares que merece una mención aparte. Es la más popular de las especialidades relacionadas con la enigmología, y se ocuparía del estudio de aquellos fenómenos del cuerpo y la mente humanos que la ciencia no ha reconocido. Entre ellos enumeraré a modo de ejemplo los que siguen a continuación:

✔ **Telepatía.** La comunicación de pensamiento entre dos personas, sin mediar palabra ni signo entre ellas.

✔ **Telequinesia.** La capacidad de mover objetos con el pensamiento, sin utilizar elemento físico alguno.

✔ **Visión remota.** La contemplación de acontecimientos que ocurren a kilómetros de distancia.

✔ **Precognición.** Lo que conocemos como *adivinación*, o la posibilidad de ver acontecimientos del futuro.

✔ **Retrocognición.** Opuesto al anterior, se refiere al conocimiento de experiencias del pasado sin haberlas vivido o conocido a través de terceros. En algunos casos, se habla de experiencias fruto de una *reencarnación*.

✔ **Vida después de la muerte.** Su nombre lo dice todo, e incluye fenómenos como la resurrección de los muertos y el ritual vudú que convierte a un fallecido en un zombi. Podríamos añadir aquí también las experiencias cercanas a la muerte.

✔ **Experiencias extracorpóreas.** Fenómenos en los que la mente es capaz de abandonar el cuerpo y viajar libremente, como en los viajes astrales o bajo el efecto de algunas drogas.

✔ **Fantasmas y espectros.** El contacto con espíritus de personas fallecidas, que puede realizarse a través de instrumentos (la tabla de *ouija*), de personas (médiums) o directamente (visiones, psicofonías).

Debo apuntar que con la definición de enigmología en la mano, que hace referencia a fenómenos tangibles, la parapsicología seguramente se quedaría fuera del club. Es difícil considerar la telepatía o los viajes astrales como hechos mesurables, como pueden serlo una enigmática pintura rupestre o la desaparición de un barco en alta mar. Como he apuntado en las primeras líneas de este capítulo, la parapsicología se refiere a los misterios de la mente, mientras que la enigmología se dedica a los interrogantes que nos plantea la Tierra y el paso que han dejado en ella los seres humanos.

Es frecuente que las publicaciones especializadas en parapsicología hablen de ovnis y extraterrestres en sus páginas. Desde mi punto de vista no tienen mucho que ver… pero no puedo negar que son disciplinas que suelen ir cogidas de la mano. Aunque creo que hay notables diferencias entre ver un objeto extraño en el cielo y contemplar el fantasma de un ahorcado. Mi criterio me recomienda dejar la parapsicología para otro momento, y centrarnos aquí en los misterios que nos están esperando bien cerca, justo aquí fuera.

¿Y qué dice la ciencia?

Cada una de las especialidades en las que he dividido la enigmología está asociada a una disciplina científica. La criptozoología bebe de la biología; la historia oscura, de la historia a secas; la parapsicología, de la psicología y la psiquiatría; la ufología, de la física, y los enigmas cartográficos, de la geografía. De hecho, cada uno de estos pares asociados suelen compartir técnicas de investigación, por lo que resulta fundamental conocer a fondo la disciplina "oficial" antes de profundizar en su enigmática pariente.

Hemos visto que cuando la criptozoología consigue reunir pruebas suficientes, sus hallazgos pasan a formar parte de las clasificaciones "oficiales" de la biología. Y lo mismo ocurre en el campo de la arqueología o de la historia. Entonces, si esta relación es tan estrecha, ¿qué dice la ciencia sobre la enigmología, con la que comparte tantos métodos e intereses?

La ciencia no considera la enigmología, ni ninguna de sus especialidades, como una hermana de sangre. En el mejor de los supuestos, se trataría de una prima lejana. Al trabajar a menudo sobre hipótesis, y no sobre patrones regulares —a partir de hechos refutados y experimentos repetidos en laboratorio—, la ciencia establece que la enigmología es una *seudociencia*. Antes de que me preguntes qué es una *seudociencia*, te diré, simplificando un poco, que se trata de una disciplina del conocimiento cuyas teorías no pueden comprobarse en el laboratorio, de forma regular y sistemática. Añadiré también que el término *seudociencia* tiene a menudo un carácter peyorativo.

Pero resulta que la enigmología no es la única seudociencia. Son numerosas las disciplinas que se han ganado el prefijo *seudo* y que quedan fuera de los límites impuestos por la ciencia tradicional, a menudo muy celosa a la hora de incorporar nuevos conocimientos e interpretaciones de fenómenos universales. Algunas de las seudociencias más populares son las siguientes:

✔ **Astrología.** La influencia que la posición de estrellas y planetas ejerce sobre la personalidad, hasta el punto de determinar las épocas del año más propicias para determinados comportamientos.

✔ **Frenología.** A partir de la forma y tamaño del cráneo, establece que se pueden definir rasgos de conducta y características de la personalidad.

✔ **Grafología.** Estudia cómo la forma de nuestra escritura revela los rasgos de nuestro carácter. Muy utilizada en la actualidad en procesos de selección de personal.

✔ **Homeopatía.** Práctica medicinal alternativa que propone el uso de sustancias que provocan los síntomas del enfermo, pero a dosis muy pequeñas.

✔ **Numerología.** Propone una interpretación del mundo a partir de los números. De hecho establece que hay números que poseen propiedades especiales, casi mágicas. Pitágoras fue su fundador.

✔ **Psicoanálisis.** Inventado por Sigmund Freud, establece un modelo para entender e interpretar el origen de las emociones humanas. De él se deriva un método terapéutico destinado a tratar personas con problemas psicológicos y emocionales.

Como puedes ver, muchas de ellas forman parte de nuestro día a día y ejercen una notable influencia en nuestra sociedad. La bibliografía dedicada a estas disciplinas, que puedes consultar en cualquier librería, es abundante y suele contar con las firmas de autores de reconocido prestigio.

Pero, sobre todo, lo que me parece digno de mención es que algunas de estas seudociencias han ayudado a mejorar las vidas de millones de personas en todo el mundo, a pesar de no estar bien vistas. Muchas personas, tras pasar por las manos de la psiquiatría convencional y sus cócteles de pastillas, encontraron la ayuda y el bienestar que necesitaban gracias al psicoanálisis. También sé de mucha otra gente que recurre a la homeopatía ante cualquier enfermedad leve, y les funciona una vez tras otra. Y conozco a unos cuantos jefes de personal que usan la grafología en sus procesos de selección, con excelentes resultados.

¿Adónde quiero llegar? Bien sencillo. Visto lo visto, no me parece que las seudociencias sean algo tan malo, por lo que rechazo de pleno el carácter peyorativo que a veces se le quiere dar a la palabra. Muchas de las disciplinas que he enumerado más arriba comparten con la ciencia buena parte de sus métodos, y sólo se apartan del camino oficial cuando no queda más remedio.

Echa un vistazo rápido a las distintas etapas del método científico y lo verás por ti mismo.

- ✔ **Observación.** Se examina el fenómeno y se toman todos los datos relevantes.

- ✔ **Organización.** Es el análisis de los datos obtenidos y su comparación con otros resultados anteriores.

- ✔ **Hipótesis.** Se lanza una explicación que dé respuestas al fenómeno observado.

- ✔ **Verificación.** Aquí se somete la hipótesis a repetidas pruebas, que deben ratificarla.

- ✔ **Tesis.** Tras probar la teoría, se establece una ley universal.

Como ves, el enigmólogo comparte con el científico las tres primeras etapas del método. Sólo lo abandona en el momento de la verificación, porque en la mayoría de casos no hay forma de llevar la hipótesis al laboratorio. ¿Hay alguna forma de saber a ciencia cierta cuál era la función del candelabro de Paracas? Me temo que no… porque no hay forma de meternos en la cabeza de los hombres que lo construyeron; vivieron hace siglos y no nos dejaron testimonios escritos que puedan revelar sus pensamientos.

En otras situaciones, la verificación sólo ha podido realizarse de forma parcial. O sea, sí hay pruebas materiales del fenómeno, pero o bien no son definitivas o bien se contradicen con otros estudios. Es el caso de la Síndone de Turín: algunos trabajos datan la tela en la Edad Media, mientras que otros la sitúan en la Palestina de Jesús. Y algo parecido ocurre con los hombres de las nieves que se reparten por todo el mundo: tenemos huellas y testimonios que afirman haberlos visto, pero no hemos conseguido capturar el cuerpo de ningún ejemplar.

Entonces ¿es la enigmología una seudociencia? Seguramente... pero no por voluntad propia. En el ánimo de todo investigador debe residir la voluntad de probar las hipótesis que plantea, y además de una forma incontestable. En muchas ocasiones nos será imposible hacer esa verificación, por la propia naturaleza del fenómeno, y no tendremos otro remedio que aceptar la etiqueta *seudo*. En otras, las pruebas nos demostrarán que estábamos equivocados; en ese momento deberemos abandonar nuestra hipótesis, por atractiva que nos resulte, y buscar una explicación mejor.

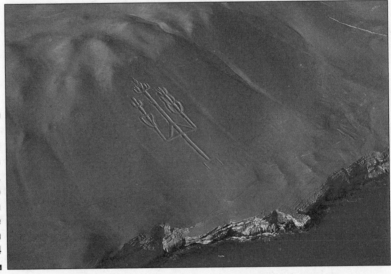

Figura 2-5:
El candelabro de Paracas, un ejemplo de enigma que tratamos en el capítulo 4

Pero si somos capaces de someter nuestra teoría a los test de laboratorio, y conseguimos superarlos con éxito, entraremos de lleno en el terreno de la ciencia. Poco importa que vengamos de una disciplina de reputación "dudosa"; los resultados serán siempre los que hablen por nosotros. Y no sería la primera vez que una de las tan vapuleadas seudociencias abre una puerta desconocida al conjunto del conocimiento, en beneficio de toda la humanidad.

Capítulo 3

Instrucciones de uso

*L*a enigmología toma a la ciencia de la mano para caminar por el sendero del descubrimiento, lo que significa que en la práctica comparten métodos y técnicas de investigación. Cualquier estudio que pretenda ser serio y sentar cátedra deberá seguir los principios del método: la observación deberá ser minuciosa; la documentación, abundante; las hipótesis, razonables, y las pruebas, concluyentes.

Quizá todo esto te suene algo serio y estirado. Parece incluso que sea incompatible aunar cierto rigor académico con la búsqueda de vida extraterrestre o la persecución de Nessie. No le des muchas vueltas; yo te propongo cómo hacerlo.

Fijar el objetivo

Va a sonar tonto, lo sé, pero nunca está de más empezar por el principio: lo primero que se necesita para lanzarse a investigar un enigma es… un enigma. En el capítulo 1 te he descrito a qué me refiero cuándo hablo de enigmas y misterios; exacto, un fenómeno que no podemos comprender con nuestros conocimientos actuales. Puedes escoger como tema de investigación algún caso de los que te presento en este libro. O, mejor aún, te invito a lanzarte al estudio de un enigma que conozcas de primera mano y a que seas tú quien abra una nueva línea de investigación.

En primer lugar, tendrás que comprobar que el enigma existe realmente. Y no me refiero a que confundas un fraude con un enigma. Los fraudes no suelen desenmascararse hasta llegar a las últimas etapas de la investigación, después de realizar las pruebas necesarias. De hecho, todos los fraudes eran enigmas antes de que alguien descubriera el engaño. Así que aquí hablo de algo mucho más sencillo: se trata de averiguar si hay algún tipo de indicio que confirme la existencia del misterio.

Te pondré un ejemplo. En los numerosos foros dedicados a la ufología que hay en Internet puedes encontrar noticias que hablan de avistamientos recientes. Imaginemos que das por buena la información y te diriges al lugar del avistamiento, en busca de posibles testigos. Pero una vez en el escenario nadie parece saber nada. Resulta imposible encontrar una sola persona que afirme haber contemplado el ovni, ni siquiera alguien que se invente alguna historia relacionada. ¿Qué pasa entonces? ¿Se ha esfumado el enigma? No exactamente; más bien te han tomado el pelo. Y te está bien empleado, por seguir fuentes poco fiables y no contrastadas, como pueden ser los foros de Internet. En los primeros años de mi carrera me ocurrió unas cuantas veces, y eso que la idea de Internet todavía ni se nos pasaba por la cabeza.

La parapsicología también es proclive a perseguir enigmas que ni siquiera existen como fraude. ¡Cuántos investigadores se han pasado noches enteras esperando ver alguna presencia fantasmal, perdidos en un caserón supuestamente maldito, sin encontrar nada que justificara su espera! No es que hayan sido víctimas de un fraude; lo serían si hubieran descubierto a alguien cubierto con una sábana y ululando como un búho. Más bien dieron veracidad a una información incierta y siguieron una pista falsa. Antes de lanzarte a la búsqueda de un enigma, asegúrate por lo tanto de que la información que utilizas tiene cierta base.

En la biblioteca

No existe nada peor que meter las narices en un asunto y no saber diferenciar los olores. Dicho de otro modo: uno de los peores defectos del investigador es la falta de información sobre aquello que va a estudiar. El gran antídoto contra la falta de información es, sin lugar a dudas, realizar un buen trabajo previo de documentación. Libros, periódicos, revistas, páginas web serias... Lo que tú prefieras. Todos ellos te ahorrarán más de un patinazo cuando llegue la hora de la verdad.

Así, antes de ponernos con el trabajo de campo, toca visitar la biblioteca. Y no nos vale ir a cualquiera; buscamos aquella que nos permita aclarar algunas dudas previas. Aquí te dejo algunas pistas.

✔ Empieza primero por las bibliotecas generales, que suelen ser públicas. La mayoría tienen sus catálogos disponibles en internet, así que puedes consultar sus fondos sin salir de casa y ahorrar tiempo.

✔ Si investigas un fenómeno localizado en un punto geográfico, acude a las bibliotecas de la zona. Encontrarás publicaciones locales no disponibles en ninguna otra parte, con información recogida de primera mano.

✔ Las bibliotecas de las universidades poseen fondos muy completos y especializados. Algunas de ellas limitan el acceso, y sólo se puede acceder con el correspondiente carné. Ante la duda, pregunta al personal.

✔ Los museos suelen disponer de los fondos bibliográficos más detallados; cuidado, porque no todos tienen biblioteca de acceso público. Sus colecciones van más allá de los libros e incluyen todo tipo de documentos.

✔ No te olvides de los diarios y revistas. Las hemerotecas recogen publicaciones periódicas de todo el mundo, algunas casi imposibles de encontrar. Las de las facultades de periodismo suelen ser las mejores.

✔ Si necesitas documentación original, tendrás que acudir a los archivos. El Ministerio de Cultura gestiona 14, entre ellos los de Indias y la Corona de Aragón. Los ayuntamientos y comunidades autónomas tienen también los suyos propios.

✔ Y no te olvides de las librerías. Las bibliotecas suelen tardar en recibir los títulos más recientes, que sólo podrás encontrar en las tiendas. Muchas de ellas tienen sus catálogos en internet.

Y una vez en la biblioteca, ¿qué se supone que debes buscar? En primer lugar, si hay estudios previos sobre el enigma que estás investigando. Averigua qué tesis propuso su autor y en qué punto dejó la investigación. Tu trabajo deberá ofrecer una hipótesis nueva, presentar pruebas más sólidas que las ya vistas o llevar el estudio un paso más allá. Para repetir lo dicho por otros, mejor quedarse en casa y darle el mérito a quien lo merece.

Si no existe bibliografía alguna sobre el enigma que es objeto de tu investigación, deberás conformarte con material auxiliar. No desesperes. Te proporcionará una buena base teórica, además de ofrecerte pistas sobre el camino que puedes seguir. A menudo, a partir de la investigación de los antecedentes, y no tanto de los trabajos sobre el fenómeno en sí, se encuentran las preguntas que acaban dando en el centro de la diana. Cuántas veces, investigando un tema que me parecía de importancia crucial, he descubierto nuevas líneas de trabajo que han resultado ser más fructíferas que mi idea original. Lo importante es investigar, documentarse, estar bien informado… Sólo las personas bien documentadas se hacen las preguntas correctas.

En el caso de que estés investigando un enigma arqueológico o histórico, te recomiendo encarecidamente que busques las fuentes originales. Las encontrarás en el archivo documental pertinente. Algunos estudios académicos están condicionados por una visión determinada, propia de la época en que se realizó o de los prejuicios del autor, y contienen errores que se han ido perpetuando en el tiempo. Pienso en el descubrimiento de América, por ejemplo, de la cual cada uno de nosotros puede tener una visión sesgada en función de sus intereses. Acude a las fuentes originales y piensa por ti mismo.

Figura 3-1:
En la Biblioteca Colombina, en Sevilla

En el caso de que no encuentres ningún tipo de documentación bibliográfica sobre tu enigma favorito, posibilidad que pongo en duda, sólo podrás obtener información previa si otros expertos te la ceden generosamente. Por desgracia, no todos piensan que el conocimiento es un bien común y que el intercambio de ideas nos beneficia a todos. Acércate a los museos, universidades y profesionales con la mejor predisposición, y no desesperes al encontrar un "no" por respuesta; cuanto más difícil sea el reto, mayor será la recompensa.

Cara a cara

La necesidad de buscar testigos y realizar entrevistas personales va a depender de cuál sea el objeto de nuestro estudio. La ufología, por ejemplo, necesita las declaraciones de los testigos; es muy extraño que un investigador tenga la oportunidad de contemplar un avistamiento con sus propios ojos. En todos los años que me he pasado detrás de los ovnis sólo he visto cuatro y, créeme, he recorrido muchos kilómetros tras ellos. Así que a menudo no nos queda más remedio que escuchar las declaraciones de los testigos e intentar extraer la información que necesitamos. En el otro extremo del espectro, tendríamos los enigmas relacionados con la arqueología, que rara vez se resuelven con declaraciones ni entrevistas... Todas las fuentes testimoniales que nos podían interesar se convirtieron en polvo hace miles de años.

Preséntate como un profesional independiente, no ligado a ningún medio. Quizá decepciones a alguien que quiere salir en el telediario, pero seguro que esa misma persona se sentirá más cómoda y menos presionada; la entrevista se la va a hacer alguien de carne y hueso, no un medio de comunicación al completo. Puedes tranquilizar a tu testigo comentando que ya has oído historias increíbles, que van más allá de la lógica. Pacta con él la posibilidad de mantener el anonimato, tanto el suyo como el de los aludidos. Asegúrale que su vida personal no es cosa tuya, solamente lo que tiene que ver con el enigma en sí. Y deja claro que tú estás ahí para recoger información, no para juzgar a nadie.

Los deberes hechos

Antes de empezar a hacer preguntas, deberías haber elaborado un cuestionario, porque sólo de una buena pregunta sale una buena respuesta. Y para hacer buenas preguntas, hay que haber pensado un poco antes. A ver, es posible que tu intuición y capacidad de improvisación sean un enigma en sí mismas —por su brillantez, claro—. Pero, por si tienes un mal día, te recomiendo que prepares con antelación una lista de preguntas que inviten a dar una información clara y concisa. Detecta cuáles son los puntos de interés del entrevistado, y no te olvides de ningún detalle. Sé exhaustivo. Piensa que, durante el transcurso de una conversación, es muy fácil perder el norte; cualquier revelación inesperada cambiará el rumbo de la entrevista, lo que puede provocar que te olvides de algún tema esencial. Nos ha pasado a todos.

A la hora de preparar tu cuestionario tienes dos opciones. La primera es tener uno estándar, que repites para un mismo tipo de testigos. Es útil cuando tienes que entrevistar a varias personas que han presenciado un mismo fenómeno; incluso puedes elaborar uno más general para una misma materia. Su ventaja principal es que es muy cómodo a la hora de cruzar y comparar los datos entre varios entrevistados. Te obliga a ser metódico, pero también corres el riesgo de perderte los detalles que te ofrece tu segunda opción: el cuestionario focalizado.

Diseñado para cada persona y situación, te llevará más tiempo prepararlo. También te será más laborioso vaciar los resultados y establecer con ellos una hipótesis de trabajo. A cambio, me atrevo a decir que es la única manera de conseguir entrar en detalles, huir de los tópicos y obtener declaraciones únicas, de las que te ayudan a avanzar. Para elaborar un cuestionario focalizado es indispensable un buen trabajo de documentación, de lo contrario todas tus preguntas se quedarán en el tópico. Además, si el testigo nota que estás enterado de lo que ocurre, sabrá que no puede tomarte el pelo con cualquier excusa; no tendrá más remedio que entrar en detalle.

Ya con las preguntas en la mano, déjame que te resuma a continuación algunas de las claves que te permitirán hacer una buena y útil entrevista.

- ✔ Escoge bien el lugar de la entrevista. Una buena opción es hacerla en el mismo lugar de los hechos. Sea como sea, evita las interrupciones. Esto es cosa de dos.

- ✔ Antes de empezar a hacer las preguntas que te interesan, charla con el entrevistado acerca del entorno, de su trabajo, del tiempo… Los preliminares cuentan.

- ✔ Las preguntas de una entrevista suelen empezar siempre por una de estas seis palabras mágicas: qué, quién, cuándo, por qué, cómo y dónde.

✔ El entrevistado no debe verte como un fisgón, sino como la persona con la que se está tomando una cerveza en el bar de al lado.

✔ Escuchar es la clave de una buena entrevista. Tu cuestionario previo es una guía fundamental, pero los detalles interesantes sólo aparecen en una conversación en la que ambas personas están implicadas.

✔ Colócate siempre al mismo nivel del entrevistado. En todo caso, es mejor que piense que eres un poco ingenuo antes que un listillo.

✔ Deja que el entrevistado sea el que responda. No lo hagas por él, ni insinúes una posible respuesta. Ante una cuestión complicada, se agarrará a cualquier cosa que tenga a mano.

✔ Limítate a preguntar sobre tu objeto de estudio. Si aparecen cuestiones personales, comprométete a mantenerlas en privado. Sé de fiar.

✔ Si el entrevistado rehúye alguna pregunta, deja pasar un tiempo antes de volver a hacerla. Y nunca la formules en los mismos términos. Pero no la dejes pasar.

✔ No importa que el entrevistado se "enrolle" en su respuesta mientras conteste a tus preguntas. Después ya separarás el grano de la paja.

✔ Cuantos más detalles exijas al entrevistado, más posibilidades de comprobar la veracidad de su relato. Los mentirosos lo pasan mal cuando los sacan del discurso que tenían pensado.

✔ No olvides plantear lo que llamo preguntas "trampa", es decir, una misma cuestión, planteada varias veces (de forma distinta) a lo largo de la conversación. Si el testigo dice la verdad, siempre responderá de la misma manera.

✔ Antes de despedirte, echa un vistazo a tu cuestionario previo y asegúrate de que no te has dejado nada y de que tienes los datos de contacto del entrevistado.

Una vez realizada la entrevista ya sólo te queda transcribirla, pasarla a limpio. Durante el proceso ya puedes ir detectando cuáles son los ítems —las palabras clave—, que te van a resultar más útiles en tu investigación. Deja pasar un tiempo, y antes de sacar conclusiones date un tiempo de reflexión. El entusiasmo del momento y el ansia por un nuevo descubrimiento nos puede hacer perder el buen criterio y dar veracidad a informaciones que no lo merecen.

Por último, ya sólo te queda *contrastar la información* obtenida. Se trata de una norma básica del periodismo de investigación, quizás un poco olvidada en los tiempos que corren, que exigen una inmediatez bastante enemiga del buen hacer. Para contrastar la información debes encontrar otro testigo, que no guarde relación con el primero, para que te confirme lo que ya te han dicho. O sea, se trata verificar todos los datos obtenidos. Una persona puede mentir al dar su versión, pero es imposible que las declaraciones de dos desconocidos coincidan... a no ser que sean verdad, claro está. Asegúrate, por lo tanto, de que los dos desconocidos realmente lo son, y comprueba que las versiones coinciden. Una información obtenida en una entrevista y debidamente contrastada es tan fiable como la extraída de la más reputada enciclopedia. Si no está confirmada, no deja de ser una opinión. Un rumor.

Sobre el terreno

Soy de los que creen que hay demasiados investigadores de salón; expertos que basan sus trabajos en recopilar la información dejada por otros, como si fueran vampiros. El trabajo de documentación, el que se realiza en bibliotecas y archivos, es de vital importancia dentro de todo el proceso. Pero esto no significa que podamos

Figura 3-2:
El trato personal, fuente de información insustituible

conformarnos con quedarnos en casa y hacer del teléfono o del ordenador nuestros únicos nexos de unión con el exterior. El enigmólogo debe salir a la calle, analizar el fenómeno con sus propios ojos y sacar sus conclusiones. No obstante, no somos arqueólogos ni biólogos. No podemos meter nuestras manos en yacimientos arqueológicos ni ponernos a analizar muestras de tejido con una lupa. Son los especialistas quienes hacen ese trabajo, demasiado complejo como para que podamos dar cuenta de él aquí.

Cuando te desplaces al lugar de los hechos, toma las medidas preventivas habituales en cualquier viaje. Interioriza la geografía, aprende unas nociones básicas del idioma, conoce la costumbres locales y toma las medidas sanitarias oportunas. Está claro que si puedes hacer el viaje en metro no hace falta que te pongas el salacot y te vacunes de la fiebre amarilla. Pero, si bien es verdad que hay algunos misterios que nos cogen cerca de casa —más de los que creemos—, los más suculentos se encuentran en los rincones más perdidos del globo: el desierto del Sahara, la selva del Amazonas, las áridas mesetas del Perú o la siempre convulsa Palestina... Procúrate un buen guía y sigue sus consejos.

Si me preguntas qué es lo que nunca olvido cuando salgo a trabajar, te responderé que unas buenas botas, muchos bolsillos y mi fiel bloc de notas. No necesita baterías, no requiere conexión y no deja de funcionar bajo temperaturas extremas. Procúrate uno, con goma y tapas duras si es posible, y úsalo para recoger la información que creas esencial. El bloc debe contener los datos imprescindibles, así como el registro de aquella información adicional que hayas recogido con otros medios (fotografías, vídeo, grabaciones de voz). La idea es que tu bloc se convierta en una pequeña base de datos, ágil y visual, que te sirva de guía durante el transcurso de toda tu investigación. Debería poder leerse como un mapa del camino que ya has recorrido.

Como no vivimos en el siglo XVIII, tenemos unas cuantas herramientas más que nos van a ayudar a investigar y a dar fe de nuestros hallazgos. Pero ten cuidado, que el hábito no hace al monje. Comprar una cámara fotográfica de 2000 euros no nos garantiza que seamos capaces de sacar buenas fotos. Y llevar encima una grabadora de audio digital no va a conseguir que, por arte de magia, hagamos buenas entrevistas. Lo importante no es el equipo técnico que llevamos, sino el objeto de nuestro estudio y la claridad de nuestras observaciones.

Una entrevista estándar

Te dejo aquí un ejemplo de cuestionario estándar, aplicado en este caso a un testigo del avistamiento de un ovni. Antes de entrar en materia, anota los datos personales del entrevistado, como su nombre, edad, profesión, teléfono, *e-mail*, lugar de nacimiento y residencia.

1) ¿Dónde estaba cuando vio el ovni? ¿Qué estaba haciendo? ¿Le acompañaba alguien?

2) ¿Cuáles eran las condiciones meteorológicas? ¿Recuerda la fecha y la hora?

3) ¿Qué vio exactamente? Describa la forma, color, luminosidad y tamaño. ¿Tenía ventanas? ¿Le recordaba a algo? ¿A qué distancia aproximada estaba del objeto?

4) ¿El objeto se movía? ¿Qué clase de movimiento trazaba? ¿Cambiaba de velocidad?

5) ¿El objeto emitía algún sonido? ¿De qué tipo? ¿Podría describirlo?

6) ¿El ovni tomó tierra? En caso afirmativo, ¿dónde? ¿Qué procedimiento usó para aterrizar?

7) ¿Vio a alguno de sus tripulantes? ¿Salieron de la nave? ¿Qué aspecto tenían? ¿Se comunicaron con usted? ¿De qué forma?

8) ¿Cuánto tiempo duró el contacto? ¿Cómo desapareció el ovni? Antes de hacerlo, ¿el objeto realizó algún movimiento o hizo alguna señal extraña?

9) Durante el avistamiento, ¿tuvo alguna sensación física poco habitual? ¿Sintió un frío o un calor inusuales? ¿Dolor de cabeza?

10) ¿Cree en los ovnis y en la vida extraterrestre? ¿Qué opina de la parapsicología y otras ciencias ocultas? ¿Había contemplado antes un fenómeno similar?

Mira al pajarito

De entre todas las opciones posibles, un equipo para tomar imágenes es una compra inteligente. Otra posibilidad, por supuesto, es pedirle a un fotógrafo que te acompañe. No todo el mundo es capaz de sacar una buena foto o grabar un buen vídeo, y sería una lástima perder la posibilidad de captar un momento decisivo por culpa de nuestra falta de pericia.

Hagas lo que hagas, la fotografía es una prueba documental de gran fuerza, aunque en los últimos años, y debido a los programas de retoque de imágenes, sea mucho más fácil dar gato por liebre. En los tiempos de la fotografía analógica, la existencia de un negativo físico garantizaba que no se había manipulado la imagen después de su obtención. Hoy en día los archivos directamente grabados en una tarjeta de memoria, en el formato original de la cámara, sustituyen al negativo de 35 mm. Son válidos como prueba, pero no tienen la fuerza testimonial de la película clásica.

A la hora de escoger una cámara fotográfica, asegúrate de que pueda captar imágenes de calidad en condiciones de baja luminosidad. Busca un modelo con un amplio rango de obturación y exposición y, si es posible, que pueda tomar imágenes en infrarrojo. El uso del *flash* puede dañar pinturas y grabados, además de eliminar al instante el factor sorpresa. Y cuanto más común y compatible con otras marcas, mucho mejor. En algunos países es francamente difícil encontrar recambios en caso de avería, así que procura que el modelo que llevas pueda repararse en cualquier taller de fotografía y que las ópticas se puedan intercambiar con facilidad.

Desde hace unos años, las cámaras digitales también incorporan la posibilidad de grabar vídeo digital, incluso en alta definición. Si puedes permitirte un modelo que te ofrezca ambas posibilidades, no lo dudes; son una opción excelente para el investigador aficionado. Por un precio inferior a los 2000 euros puedes encontrar cámaras que ofrecen resultados totalmente profesionales, tanto a la hora de hacer fotos como de grabar vídeo, y todo en un mismo aparato. Las ventajas son evidentes.

Acostúmbrate a anotar las condiciones en las que tomaste cada fotografía. Apunta el lugar, fecha, hora y los datos técnicos de la imagen: óptica utilizada, diafragma, velocidad de obturación, filtros y sensibilidad de película (si la hubiere). Cuanto más específicos sean los datos de la imagen, mayor facilidad a la hora de clasificar y archivar.

No querría terminar este apartado sin citar algunas técnicas de gran utilidad a la hora de investigar enigmas, aunque resulten algo caras y complejas. Una es la fotografía infrarroja, capaz de retratar frecuencias que se escapan al ojo humano. Algunas cámaras digitales incorporan un filtro que simula el efecto, mientras que a las analógicas basta con ponerles un rollo de película sensible a este tipo de luz. Gracias a esta técnica, se han podido detectar corrientes subterráneas, alteraciones del suelo, presencia de ruinas, etc.

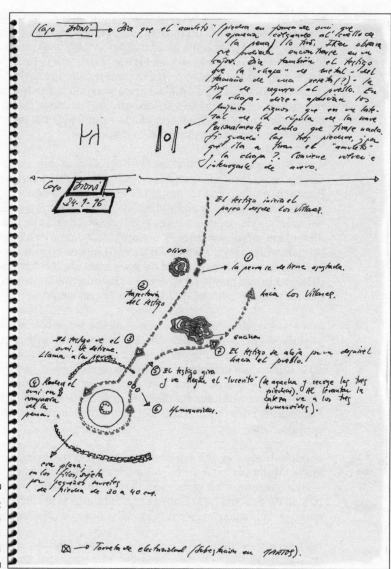

Figura 3-3:
Extractos de
mi bloc
de notas

Recientemente, un equipo de investigadores de la Universidad de Alabama ha encontrado en Egipto 17 pirámides perdidas, más de 1000 tumbas y 3000 yacimientos inéditos usando la técnica de la fotografía infrarroja.

La fotografía aérea también ha resultado especialmente útil. Gracias a la observación desde aviones, helicópteros y satélites se han podido localizar numerosos yacimientos arqueológicos invisibles desde el suelo: habría sido imposible descubrir los misterios de la pampa nazqueña, por ejemplo, si no la pudiéramos sobrevolar. Sin embargo, como contrapartida habría que mencionar su elevado coste, que la convierte en inaccesible para muchos investigadores independientes.

Lo mismo ocurre con los rayos X y la tomografía —la toma de imágenes por secciones, como en un escáner o en una ecografía—, que sólo puede llevarse a cabo en laboratorios por personal especializado. Sin embargo, y a pesar de su coste, su uso es imprescindible a la hora de estudiar objetos y pinturas. El uso de los rayos X ha permitido descubrir grabados y dibujos ocultos bajo una pátina, y la tomografía nos ha revelado que la imagen de la Síndone es en realidad tridimensional. Hallazgos asombrosos que, por desgracia, no están al alcance de todos.

Los sonidos del silencio

Hemos visto ya que una entrevista personal puede llegar a ser la clave de cualquier investigación. Antaño, los periodistas usaban papel y bolígrafo para recoger las declaraciones de un testigo, anotando sólo los ítems clave y los datos imposibles de recordar. Este método tenía claros inconvenientes: era fácil manipular las palabras del entrevistado, perderse muchos detalles importantes y acabar con la muñeca hecha puré.

La aparición de la cinta magnetofónica resolvió muchos de estos problemas, pero añadió otros nuevos: el entrevistado suele cortarse cuando ve que la grabadora está en marcha, y se depende de las pilas y cintas para hacer el trabajo. Más allá de estos pequeños inconvenientes, el uso de la grabadora se volvió imprescindible a la hora de hacer una entrevista. Las encontrarás de dos tipos. Las de cinta, habitualmente en formato *microcasete*, y las digitales, que graban en una memoria interna.

Escoge la que tengas más a mano. Cualquiera de las dos cumplirá bien con su labor. Las de *casete* tienen un manejo más sencillo, en especial a la hora de buscar un punto en la cinta. Las digitales no te lo ponen tan fácil, pero puedes grabar más de mil horas "sin cambiar". Sea como sea, guarda las cintas o archivos de sonido que hayas grabado, sobre todo si contienen información sensible. Es difícil manipular un discurso de voz, por lo que la grabación original suele ser una prueba definitiva ante cualquier acusación de fraude.

El sonido y el poder de la mente

La parapsicología ha dado a las grabadoras de voz una utilidad para la que no habían sido específicamente diseñadas: la captación de *psicofonías*; es decir, de voces o ruidos de origen desconocido que pasan desapercibidos para el oído humano, pero no para los magnetófonos. Los primeros casos están datados hacia 1959, cuando se popularizaron las grabadoras de cinta, pero el fenómeno no se empieza a estudiar en serio hasta que pasan unos años, a mediados de la década de 1960. Konstantin Raudive fue el primer investigador que tomó cartas en el asunto.

Siempre con una aproximación rigurosa, Raudive grabó miles de horas de silencios usando las más variadas técnicas; probó con un micrófono, con varios a la vez, sin micrófonos, a través de la radio... Lanzaba preguntas al viento, en especial por la noche, y dejaba que el silencio respondiera. Al final encontró, entre sus ecos, una serie de voces que solían repetir unos mismos patrones: mezcla de idiomas, ritmo inusual, errores de sintaxis, mensajes entrecortados... Elementos que añadían aún más misterio, pero que no conducían a ninguna respuesta. Otros investigadores se sumaron a Raudive, también en España, donde las psicofonías se popularizaron durante la década de 1980. Germán de Argumosa o mi colega Jiménez del Oso fueron algunos de sus divulgadores. Y el madrileño palacio de Linares, uno de sus centros neurálgicos.

Por supuesto, han aparecido numerosas teorías acerca de la naturaleza de las psicofonías, pero a día de hoy no ha podido comprobarse ninguna. Hay quien habla de ondas electromagnéticas accidentales; otros prefieren creer que son voces en dimensiones paralelas; otro grupo apuesta por el fraude; y una mayoría se decanta por pensar que son voces de personas fallecidas, que tienen algo que decir a los vivos.

Otra explicación tendría que ver con el fenómeno de la *pareidolia*, o la capacidad que tiene nuestra mente para ver significados lógicos

Analógica enigmología

Tal y como ha sucedido con las enciclopedias, la llegada de la era digital ha estado a punto de jubilar las cámaras fotográficas analógicas, las que usaban película de 35 mm y exigían un costoso proceso de laboratorio para revelar las imágenes. Aparentemente, en la era digital todo son ventajas: no se gasta película, en una tarjeta caben miles de fotos, el revelado no es necesario y en condiciones de poca luz se pueden sacar buenas imágenes. Por no hablar de que si una cámara analógica se cae y se abre… Se acabó. Pero, ¿todo juega a nuestro favor?

Los fanáticos del analógico argumentan que la respuesta de la imagen es superior usando negativo tradicional en lugar del digital. Y muchos investigadores, especialmente ufólogos y parapsicólogos, afirman que el negativo de 35 mm es mucho más sensible a las presencias desconocidas que los chips de imagen que llevan las digitales. Lo mismo dicen los cazadores de psicofonías de los magnetófonos de *casete* y de sus versiones actuales, las grabadoras digitales de voz.

Desconozco si la pasión de algunos investigadores por lo analógico está justificada, pero reconozco que el negativo fotográfico tradicional es sensible a determinados tipos de radiaciones, especialmente a dosis elevadas. Lo mismo ocurre con las cintas de *casete* y las radiaciones electromagnéticas. Y también es posible que determinados fenómenos "más allá de lo normal" provoquen una cierta confusión en los chips digitales, fabricados para moverse dentro de unos patrones determinados de ceros y unos. Sean cuales sean tus preferencias, no vayas cargado como un mulo: escoge un tipo y trabaja con él.

y ordenados en estímulos que son totalmente fortuitos, como cuando vemos una figura reconocible en una nube o en los intrincados nudos de un árbol. Cualquier vibración o corriente de aire, defecto de la cinta o interferencia eléctrica puede crear sonidos que, acelerados o repetidos, nos parezcan similares a una voz. Todo podría ser… Así que enciende la grabadora, ponte a grabar el silencio y saca tus propias hipótesis.

A pico y pala

Buena parte de los enigmas recogidos en este libro vinieron de la mano de hallazgos arqueológicos. Yo no soy arqueólogo, y tampoco pretendo serlo. La excavación de yacimientos que puedan tener un valor histórico es cosa de profesionales; requiere conocimientos avanzados y una dedicación exclusiva. Pero no está de más que hagamos un repaso a algunos de los fundamentos básicos de esta ciencia, lo que nos va a permitir entender mejor —o cuestionar— el proceso de investigación de algunos de los mayores enigmas de la humanidad.

La arqueología moderna, con sus métodos y procedimientos, nace a finales del siglo XIX, por lo que todos los descubrimientos anteriores a esta fecha se hicieron siguiendo métodos no muy ortodoxos. Se cavaba sin orden ni sistema, porque lo importante era encontrar piezas de valor, y no tanto anotar dónde y cómo se habían encontrado. El resultado de tanta falta de método es fácil de imaginar: hoy no podemos disponer de datos fiables acerca de los yacimientos arqueológicos excavados antes de finales del XIX.

De hecho, la desgracia es doble, porque lo excavado y manipulado hace siglos ya no puede volver a colocarse en su sitio original. No hay forma de repetir las mediciones que se llevan a cabo cuando se desentierra un objeto, sin las cuales es imposible datarlo correctamente. Podría decirse que excavar un yacimiento es como leer un libro al que se le van arrancando las páginas según se va avanzando.

Con la llegada de las sociedades científicas, se empezó a poner un poco de orden en las excavaciones. Los hallazgos se empezaron a notificar. Antes de cavar, se sondeaban los terrenos. Y se empezaron a seguir planes de trabajo pensados con cierta lógica. Hicieron su aparición el análisis morfológico de las muestras y la estratigrafía, técnicas básicas que siguen aplicándose hoy día. Pero antes de ponernos en materia, por eso, echemos un vistazo a una importante cuestión previa, porque supongo que te preguntarás cómo podemos saber que un vulgar trozo de tierra quizás esconde un valioso yacimiento arqueológico. Aquí van algunas pistas.

✔ En las zonas cubiertas de vegetación, un menor crecimiento de las plantas puede indicar la presencia de restos.

✔ A la inversa, un foso o trinchera bajo tierra hará que la vegetación crezca con más fuerza.

✔ El cambio de nivel de un terraplén, un fenómeno que se aprecia mejor desde el aire, suele estar motivado por la presencia de ruinas.

✔ Allí donde hubo población humana la composición mineral de la tierra cambia. Sólo hace falta analizar la química del suelo y listos.

✔ Las piedras enterradas hacen que la tierra conduzca peor la electricidad. Un estudio eléctrico del suelo revelará cualquier posible anomalía.

Muy bien. Supongamos que ya tenemos localizado un posible yacimiento. Y ahora, ¿qué? Lo primero es sondear el terreno: pequeñas cámaras, ultrasonidos, recogida de muestras, visión por infrarrojos… Las técnicas son variadas y complementarias. Si los resultados de estas primeras catas son positivos, entonces es que ha llegado la hora de ponerse en serio.

El siguiente paso es dividir el yacimiento en sectores y trazar un mapa de coordenadas cartesianas (X-Y-Z), que sirve para poder situar con exactitud cada pedazo de tierra. Así, en el momento en que se encuentra un objeto, se puede anotar cuál es el punto exacto donde se ha efectuado el hallazgo. Para completar el *análisis morfológico* ya sólo queda dibujar el objeto encontrado, medirlo con precisión y proceder a su recogida.

Como imaginarás, retirar un objeto arqueológico es especialmente delicado. A veces los restos están ahí, semienterrados al lado de un muro, y su recogida no tiene ningún misterio. Pero en otras ocasiones el proceso es laborioso. Como ejemplo, la técnica usada en Pompeya para extraer los cuerpos de las personas que murieron por la erupción del Vesubio: los cadáveres, enterrados por la lava, estaban completamente descompuestos, pero durante el proceso dejaron el correspondiente hueco bajo tierra. Al rellenar esos huecos con yeso se pudo obtener una réplica exacta, una especie de estatua real, de la persona en el momento de su muerte. Los resultados fueron espectaculares: las expresiones de terror se podían apreciar todavía en los rostros.

La misma técnica se suele usar para recoger objetos que están hechos de madera, como los instrumentos musicales. Al tratarse de una materia orgánica, la madera se descompone cuando permanece bajo tierra durante siglos. Pero las partes metálicas del objeto —si las hubiere— siguen estando ahí. Gracias a la técnica usada en Pompeya pueden recomponerse las partes perdidas y así recuperar todo el conjunto.

¿Y la fecha?

La datación de un objeto arqueológico determina en buena parte su valor; y es que no es lo mismo tener entre las manos un cáliz encontrado en Palestina hace 2000 años que una réplica de finales de la Edad Media. La fecha es aquí la que dota al objeto de una pátina de misterio, tal y como sucede con el mapa de Piri Reis, la Sábana Santa o la pila de Bagdad, un extraño artefacto de más de 2000 años de antigüedad que, como su nombre indica, es una batería en toda regla, lo que nos obliga a cuestionarnos muchas cosas acerca del descubrimiento de la electricidad.

Cuando se data un objeto, se deben establecer dos cronologías distintas. La primera, relativa, se hace en función del resto de objetos hallados en el yacimiento; es decir, se trata de averiguar qué piezas encontradas son más antiguas y cuáles más recientes. La segunda, absoluta, intenta datar con exactitud la fecha de fabricación del artefacto en sí.

Para establecer una cronología relativa, la arqueología se basa en la *estratigrafía,* una especialidad que analiza la situación de las diferentes capas de tierra y cómo se fueron superponiendo unas sobre otras. Según pasan los años, los asentamientos humanos se van acumulando sobre el suelo, y así puede determinarse qué objetos son más antiguos y cuáles más modernos. A veces, por eso, no es fácil separar dichas capas, sobre todo si un yacimiento ha sido abandonado y ocupado en varias ocasiones, o si hay elementos naturales, como una vía de agua, que se entremezclan con los restos arqueológicos. La estratigrafía se rige a partir de unas leyes básicas, algunas de ellas elaboradas a finales del siglo XVII. Las más importantes son estas cuatro:

✔ Los estratos más antiguos están siempre debajo, mientras que los más recientes están encima. Pero un pliegue demasiado inclinado puede invertir el orden.

✔ Los estratos se depositan siempre horizontalmente, a no ser que se manipulen de forma artificial.

✔ La edad de un estrato es la misma en toda su longitud.

✔ Una especie animal encontrada en un estrato no suele encontrarse en otra; cada era tiene su propia fauna.

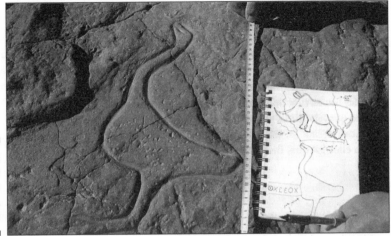

Figura 3,-4:
Grabado en
roca en los
Mathendous,
en Libia

Con estos principios en la cabeza, no resulta difícil decidir qué objetos de entre los encontrados en un yacimiento serán los más antiguos. Si nadie los ha manipulado, serán los enterrados a mayor profundidad. Del mismo modo, si al excavar una tumba se encuentran una serie de objetos junto al cadáver, es lógico pensar que pertenecen a una misma época.

La estratigrafía no es la única técnica de datación relativa. La *palinología*, el estudio del polen de las plantas, también resulta de gran interés a la hora de determinar qué objetos pertenecen a una misma época. Además, es de una gran utilidad a la hora de ubicar geográficamente un artefacto que ha sido encontrado fuera de su emplazamiento original. En el caso de los huesos —humanos o no—, el análisis del flúor presente nos va a ayudar a comparar unos objetos con otros.

Ahora que ya sabemos cómo fechar un objeto en relación con otro, tenemos que averiguar cómo hacer para poner una fecha absoluta a cada uno de ellos. Determinar en qué años se fabricó un objeto no es una tarea sencilla, y para llevarla a cabo tenemos que cambiar de escenario, quitarnos las botas y ponernos la bata blanca.

En el laboratorio

Es posible que hayas oído hablar de algo llamado *técnica del carbo-no-14* (^{14}C), sobre todo si has leído estudios sobre la Síndone, la Sábana Santa de Turín. Seguramente el método del ^{14}C es la técnica de datación más popular de entre todas las utilizadas, pero como bien puedes imaginar no es la única. Echemos un vistazo a todas las que se usan hoy día.

Entre los métodos más tradicionales, y también más curiosos, se encuentra la *dendrocronología*, el estudio de los anillos de los troncos de los árboles. Cada año, los árboles fabrican un nuevo anillo en su tronco, que será más o menos ancho en función de la pluviometría y de las condiciones meteorológicas; similar ocurre también con el coral del fondo del mar. En los objetos fabricados en madera, el estudio de los anillos puede servir por lo tanto para establecer su cronología. Del mismo modo, también puede utilizarse en aquellos yacimientos ubicados en bosques bien conservados. Suele utilizarse como técnica auxiliar.

Otro método biológico es el que estudia las *varvas,* capas de sedimentos que pueden encontrarse en el fondo de los lagos glaciales. Durante el invierno, se deposita una capa fina y oscura; en verano se crea otra que suele ser ancha y más clara. Por lo tanto, cada año completo se forman dos capas de sedimentos en el fondo del lago. Sólo hay que contar, sumar y problema resuelto. Ya te puedes imaginar cuál es la principal pega: sólo puede utilizarse cuando estudiamos yacimientos situados en zonas heladas.

Y, por fin, nos encontramos con el método del *carbono-14* (^{14}C), también conocido como del *radiocarbono*. La técnica, descubierta por Willard Libby en 1949, permite datar con relativa precisión cualquier objeto que tenga menos de 60 000 años. Se basa en un principio químico relativamente sencillo. El ^{14}C es un isótopo del carbono, es decir, un átomo de carbono un poco "pasado de peso" (en concreto, tiene dos neutrones de más), que es radiactivo e inestable. El ^{14}C se encuentra en las capas altas de la atmósfera y se adhiere a los seres vivos.

En el momento en que muere un ser vivo, el ^{14}C empieza a desintegrarse siguiendo un patrón uniforme y establecido. Cada 5730 años, aproximadamente, la cantidad de ^{14}C se reduce a la mitad. Por lo tanto, para datar un objeto, simplemente tendremos que medir la

Métodos especializados

La técnica del ^{14}C no es la única que emplea isótopos para datar un objeto. El método del *potasio-argón* usa el mismo principio, pero aplicado a las rocas y cenizas volcánicas de una antigüedad de hasta 5 millones de años. Como con este método pueden fecharse residuos no orgánicos, el potasio-argón cubre una parte del vacío que deja el ^{14}C, pero es del todo inútil en aquellos restos minerales que no tienen un origen volcánico. Y se repiten los mismos problemas en caso de contaminación.

El método de la *termoluminiscencia* es muy útil a la hora de fechar cerámicas y materiales con restos de cuarzo y feldespato. El método es algo más complejo que el del ^{14}C, así que sólo diré que el análisis consiste en calentar la pieza en una atmósfera de nitrógeno, hasta que el mineral empieza a emitir una luz característica que puede apreciarse midiendo los fotones liberados. La relación entre la temperatura y la luz que emite el mineral es la que proporciona la fecha absoluta, habitualmente con una precisión muy alta.

cantidad de ^{14}C presente y hacer los cálculos oportunos. Bastante sencillo, ¿verdad?

La respuesta sería afirmativa si no fuera por dos graves inconvenientes. El primero, que sólo puede emplearse en aquellos objetos que son orgánicos o tienen restos de seres vivos. O sea, que no sirve para piedras, minerales y similares. El segundo, que cualquier contaminación de la muestra original puede alterar los niveles de ^{14}C y dar al traste con el sistema de datación. Y, además, para hacer la prueba hay que destruir una parte de la muestra; si el objeto es minúsculo, puede ser que nos lo carguemos por completo. Sea como sea, pienso que las ventajas superan los inconvenientes, aunque también se han documentado errores garrafales usando el método del ^{14}C, seguramente por problemas de contaminación.

La lista de las técnicas de laboratorio que se emplean al investigar enigmas y misterios parece no tener fin, lo que cuestionaría aquello de que la enigmología es una disciplina poco seria. Datación por paleomagnetismo, técnicas de microscopía, análisis termográfico, limpieza por ultrasonidos… Un sinfín de procedimientos que van más allá del objetivo de este libro. Si menciono algunos de ellos es porque aparecerán en las páginas que siguen, cuando aborde algunos de los misterios que mantienen a la humanidad encogida de hombros.

Me imagino que ya tienes ganas de que entre en materia y empiece mi repaso personal a más de 35 años de viajes e investigaciones. Está bien. Tus deseos se van a ver atendidos... Sólo tienes que pasar una página y enseguida empieza el viaje.

Parte II
Huellas en el tiempo

—LE ATIENDE EL ESPÍRITU DEL TÓTEM. SI DESEA HABLAR CON MANITÚ, PULSE UNO; SI LO QUE DESEA ES HABLAR CON SHAKURU, PULSE DOS; SI QUIERE HABLAR CON WAKAN TANKA, PULSE TRES...

En esta parte...

*N*uestra historia reciente es terreno bien conocido para los expertos. Sabemos qué pasó en Waterloo, en el desembarco de Normandía o en la corte de Carlos V. Pero ya nos resulta algo más difícil saber qué ocurrió en la España visigoda o en los últimos años del Imperio romano. Si tenemos en cuenta que los primeros homínidos aparecieron en la Tierra hace seis millones de años, queda claro que ignoramos mucho más de lo que sabemos. En esta parte te propongo un viaje al pasado, a la búsqueda de algunas de las civilizaciones y culturas más asombrosas que han pisado este planeta. Las huellas que nos han dejado son auténticas maravillas de la humanidad, pero muchas se resisten a ser interpretadas. Vamos a intentarlo juntos.

Capítulo 4

Señales al cielo

*V*erano de 1974. Como tantas otras veces, recibo en el periódico un teletipo de la agencia EFE. Esta vez, sin embargo, la información es un poco especial: habla de un grupo llamado IPRI (el Instituto Peruano de Relaciones Interplanetarias) que afirma estar en contacto con seres extrarrestres; en concreto, dicen mantener comunicación telepática con habitantes de Ganímedes. Como desde hace un par de años me dedico al fenómeno ovni, el periódico me envía a América del Sur a cubrir la noticia y hacer varios reportajes. Allí, en el Perú, el 7 de septiembre de 1974, tengo el privilegio de contemplar por primera vez dos objetos voladores no identificados. Al observar su forma y vuelo, pienso que su origen podría no ser humano.

Tras informar sobre el IPRI, decido aprovechar mi viaje para conocer el Perú mítico y milenario. Y lo que descubro me deja boquiabierto. Viajo al desierto del sudoeste del país y puedo contemplar con mis propios ojos la planicie de Nazca, en la pampa de Jumana, surcada por centenares de líneas, pistas y enigmáticas figuras que sólo pueden contemplarse desde el aire. A poco más de 200 km, el candelabro de Paracas, una inmensa señal dibujada en la desértica ladera de una montaña, me lanza un mensaje que no sé cómo interpretar. Mis ojos se abren a otras realidades.

Las líneas de Nazca

Desde mi primer viaje, pronto hará cuarenta años, he procurado volver a Perú con regularidad. Y en cada una de mis visitas, como si fuera un rito, he vuelto a caminar por la ocre y árida planicie nazqueña haciéndome las mismas preguntas. ¿Quién decidió construir este gigantesco enigma? ¿Cómo lo hicieron? ¿Y para qué? En pleno siglo XXI, la respuesta se nos sigue escapando. Las hipótesis se contradicen, y ninguna es mejor o peor que las restantes. Todas aportan un rayo de luz, pero ninguna reúne la fuerza suficiente para iluminar la llanura y despejar el secreto. Quizá la palabra adecuada para describir la sensación sea "impotencia": el misterio que tenemos ante los ojos es demasiado importante, y no somos capaces de resolverlo.

En mitad de la nada

Toca situarse. La planicie de Nazca, junto al llamado valle del Ingenio, se encuentra a unos 400 km al sur de Lima, en Perú, en una de las zonas más áridas del planeta. A pesar de que el océano Pacífico se encuentra a pocos kilómetros, la lluvia es prácticamente inexistente. Las precipitaciones anuales no llegan a 1 cm³; de hecho, hay años en que no cae ni una gota. Y todo por la acción de la corriente de Humboldt, que viene desde el Pacífico e impide la formación de las nubes.

El desierto es duro y agreste. Cubierto por una capa de guijarros de un color terroso y rojizo, que se calientan de forma notable durante el día, esconde bajo su superficie una capa de blanco sílice. Sobre ese horno de piedra se crea una bolsa de aire caliente, que se mantiene cerca del suelo, y que impide que el viento silbe sobre la tierra. Gracias a la ausencia de lluvia y viento, las líneas dibujadas en el suelo —llamadas *geoglifos*— se han mantenido en un perfecto estado de conservación durante siglos. Sin embargo, el progreso, llegado bajo las ruedas de los vehículos todoterreno, amenaza en la actualidad su supervivencia. Con la intención de proteger la riqueza incalculable de los geoglifos, la UNESCO declaró la zona Patrimonio de la Humanidad.

A pesar de la actual aridez, hay indicios que nos hacen creer que en el pasado la zona era mucho más fértil, y que, de hecho, la sequía fue la responsable de que los habitantes de Nazca se marcharan hacia otras zonas. En aquel llano al pie de la cordillera, germinó una cultura que hoy no acabamos de comprender, de la que sólo conocemos algunos rasgos generales que ya nos resultan fascinantes. ¿Quiénes eran esos hombres que dibujaron las líneas de Nazca?

Músicos y verdugos

Los responsables fueron los integrantes de las culturas de Paracas y Nazca, en el Perú Antiguo. La primera se asentó en la zona hacia el siglo VIII a. C. y entró en decadencia unos 600 años después. Acto seguido, los nazqueños harían su aparición hacia el siglo I d. C., y permanecerían ahí hasta el año 900, para luego marcharse a otras zonas, quizá movidos por el avance del desierto o por la llegada de otros pueblos desde los Andes.

No parece haber acuerdo sobre la relación entre Nazca y Paracas. Unos creen que una cultura sería la lógica continuación de la otra, sin que mediara un vacío temporal entre ambas. Otros no lo ven tan claro. Sea como sea, lo que sí provoca unanimidad es su singularidad. Las cerámicas policromadas de la cultura Nazca son asombrosas, así como sus conocimientos agrícolas y musicales. Las antaras de los nazcas —las flautas de pan— son las más avanzadas del Perú Antiguo, lo que los convierte en los mejores *luthiers* precolombinos. Junto a las antaras, los arqueólogos han encontrado también tambores e instrumentos de viento, similares a trompetas, lo que nos confirma su desarrollo cultural.

Los nazca eran un pueblo poco dado a los jefes. Los sacerdotes ocupaban el escalafón más alto dentro del grupo, y posiblemente no existía un gobierno como tal. Creían en varios dioses y, como la mayoría de culturas precolombinas, mantenían un arraigado culto a la muerte. Los cadáveres se momificaban y se enterraban en postura fetal, vestidos con las mejores ropas y acompañados de valiosos objetos. Algunos cadáveres eran decapitados para fabricar vasijas con las cabezas momificadas. Se vaciaban y se cosían, para exhibirse a continuación como si fuera trofeos o amuletos. Incluso en su refinada cerámica son frecuentes los dibujos de cabezas separadas del cuerpo.

Tenemos por lo tanto a un pueblo politeísta, amante de la música y de los rituales, preocupados por las lluvias y la fertilidad de sus tierras, expertos ceramistas… y aficionados a momificar cabezas. No está mal, la verdad… Sabemos unas cuantas cosas. Pero nuestros

Figura 4-1:
Vista aérea
de las
pistas de
Nazca

conocimientos se quedan muy cortos cuando echamos un vistazo a la planicie del desierto; al lienzo donde aquellos hombres nos dejaron su obra maestra.

Crónica de un descubrimiento

A día de hoy es difícil ponerse de acuerdo sobre la fecha en la que se hicieron los geoglifos. Los arqueólogos más conservadores hablan del siglo I y los atribuyen a la cultura Nazca, pero otros se remontan mucho más atrás y los relacionan con la de Paracas. Persis Clarkson y Gary Urton, de las universidades de Winnipeg (Canadá) y de Nueva York, respectivamente, fechan las líneas hacia el 500 a. C.

Las primeras referencias históricas sobre las líneas datan de 1537, y son obra de Pedro Cieza de León, un conquistador que acompañó a Pizarro por todo el Perú. Cieza habla de "signos en algunas partes del desierto que circunda Nazca". En esa misma época, otro español, el soldado Francisco Hernández, acampa durante una semana en la zona y escribe en su diario: "Los indios trazaban grandes líneas en el suelo". Y unos años después, en 1586, el corregidor Luis de Monzón se dirige al virrey y le cuenta lo siguiente: "Antes de que los españoles dominaran a los incas, en tiempos antiquísimos, un pequeño grupo de otro tipo de gente, a la que llamaban los *viracochas*, llegó a esta tierra [...]. Y obedeciéndoles, los indios los siguieron e hicieron caminos que hasta ahora se pueden ver, largos como una calle, a cuyos lados construyeron varios muros bajos". Luis de Monzón habla ya de los viracochas, un tema que dejaremos para más tarde. Lo que ahora nos interesa es la antigüedad de las líneas, que estaban ahí desde mucho antes que desembarcaran los españoles.

Con la llegada del siglo XX y el desarrollo de la aeronáutica se pudo descubrir la verdadera magnificencia del tesoro de Nazca. Fueron los primeros pilotos peruanos, durante la década de 1920, los que dieron la voz de alarma sobre tan insólito paisaje. Y ya a partir de 1926, Paul Kosok abrió el camino a centenares de investigadores, que han dibujado mapas, han sobrevolado toda la extensión y han barajado múltiples explicaciones acerca del significado de las líneas. De todos ellos, destaca una mujer, María Reiche, que dedicó su vida a las líneas de Nazca y que fue la primera en trazar un mapa que recogía todos los geoglifos. Hoy, en muestra de reconocimiento, el aeródromo de la ciudad de Nazca lleva su nombre.

Figuras en la pampa

¿Y qué encontraron María Reiche y el resto de arqueólogos? Un conjunto de 200 geoglifos que representan distintas figuras, con una longitud que oscila de los 400 m a "tan sólo" una veintena. Los dibujos están hechos con una precisión geométrica asombrosa; las líneas son perfectas y los ángulos exactos. No hay correcciones.

Junto a los dibujos, surcan la pampa centenares de pistas de muy distinta longitud; todas ellas son igualmente precisas y organizadas. Incluso en las pistas más largas, la rectitud de las líneas es prodigiosa. En total, los geoglifos se extienden por una superficie árida de unos 500 km². Y, claro está, sólo pueden verse bien desde el aire, a una altura ideal de 200 m, y preferentemente durante las horas en las que el sol está más bajo.

¿Y en qué consisten esos 200 geoglifos? ¿Qué dibujaron los habitantes de Nazca? Animales, dibujos geométricos, figuras humanas... De entre las 200 figuras reconocibles, aquí tienes una selección de las más sorprendentes.

✔ **La araña**. 46 m de longitud, con los ocho brazos alargados por pares.

✔ **La fragata**. 135 m, similar a un gran pájaro de vientre ancho.

✔ **El colibrí**. 110 m, alas de vistoso plumaje y pico largo.

✔ **El mono**. 90 m, con una vistosísima cola enrollada en una espiral.

✔ **La ballena**. 62 m, podría ser quizás un cachalote o una orca.

✔ **La garza de cuello de serpiente**. 280 m, con un cuello larguísimo en zigzag.

✔ **Las manos**. 47 m, abiertas y en actitud de ofrenda.

✔ **El astronauta**. 30 m. Sólo puedo describirlo como una figura de tipo humano, con botas, traje y casco, que levanta la mano derecha como si nos saludara.

Todas las figuras se caracterizan por una estilización máxima. Los brazos y piernas se alargan hasta el extremo, más allá de cualquier realismo. Los picos de las aves, las patas de los animales y los brazos de los insectos se extienden como si fueran carreteras o pistas

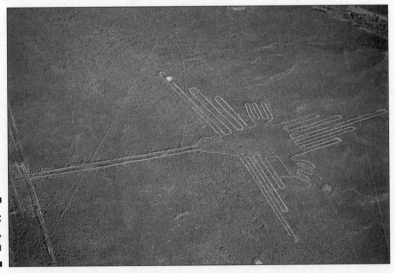

Figura 4-2:
El colibrí,
de 110 m

de aterrizaje. E insisto, sólo pueden contemplarse desde lo alto; en el llano no hay elevaciones. Llegados a este punto la pregunta entonces es doble. ¿Cómo se pudieron trazar con tal exactitud? ¿A quién iban dirigidos los geoglifos?

Pintar en la arena

No parece haber muchas dudas a la hora de determinar cómo se grabaron las líneas de Nazca. El visitante del desierto se da cuenta enseguida. La roja capa de guijarros que cubre la llanura desaparece con un barrido. Al rayar la rojiza superficie del desierto —rico en hierro— aparece de inmediato una blanca capa de sílice. Y el contraste de colores da vida a los formidables geoglifos. No hacía falta tener una tecnología muy avanzada.

¿Y para trazar los diseños? ¿Cómo ponían orden a las líneas? ¿Cómo las trazaban sin equivocarse? ¿Y cómo controlaban que el resultado fuera el deseado? Esos hombres, que sepamos, no podían volar... ¿Entonces? ¿Acaso los dioses les indicaban desde los cielos el trazo correcto? Sólo podemos lanzar hipótesis, pero la mayoría de expertos se inclinan por otorgar a los nazqueños unos conocimientos geométricos muy avanzados, lo que se sumaría a una capacidad de trabajo y organización encomiable.

Según esta teoría, los habitantes de Nazca habrían marcado las líneas y los ángulos en el suelo con cuerdas y estacas. Seguramente seguían un modelo hecho a escala, como si fuera el plano de un arquitecto, que habían dibujado antes con suma exactitud. Haciendo los cálculos oportunos, trasladaban las distancias y los ángulos al tamaño deseado y los dibujaban en la tierra. Usaban las cuerdas como si fueran una regla y las estacas como los vértices de cada figura. Y, a partir de aquí, cuestión de organización. Suena sencillo... o quizá no tanto.

Pero ¿y los nativos? ¿Ellos qué dicen? Como habitantes del lugar desde hace siglos deben tener su propia opinión. Al acercarme a ellos y lanzar la pregunta, la respuesta fue siempre la misma: los viracochas.

Los dioses alados

Luis de Monzón, en el siglo XVI, ya hablaba de ellos. ¿Los viraco-chas? ¿Quiénes eran? Ante mi pregunta, los indios señalaron al cielo y exclamaron: "¡Dioses! ¡Dioses que volaban!". Y añadieron: "Dioses que llegaron a Tiahuanaco y trajeron el arte y la agricul-tura… Dioses que enseñaron cómo dibujar las líneas y figuras…". Parece evidente que ningún científico apostaría por la versión de los indígenas.

Pero yo sí quiero darles voz. La tradición peruana dice que, hace mucho tiempo, sobre la pampa, descendieron unos seres que po-dían volar. Los viracochas. Dioses llegados del este, cargados de bondad, que llevaron la paz, la concordia y el progreso a la región. Y fueron esos dioses quienes dibujaron las primeras líneas y figu-ras. Después, los indígenas, los hijos de los viracochas, siguieron su ejemplo y aprendieron a dibujar en la arena. Así lo dice la tradición, que concluye avisando que algún día los viracochas regresarán a Nazca.

¿Fueron entonces dioses alados? ¿O los nazqueños con cuerdas y estacas? Cada uno es libre de creer lo que quiera. Las respuestas

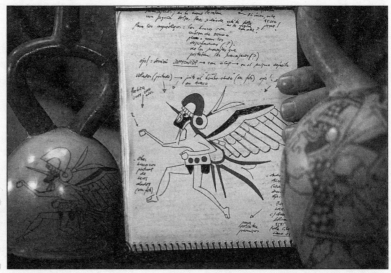

Figura 4-3:
Los
viracochas

están ahí. Cuál escogemos depende del espíritu de cada uno de nosotros. ¿Cuál era su función? Todavía hoy es un misterio.

Cartas sin destinatario

Tras 75 años de investigaciones, las hipótesis que tratan de explicar las figuras y pistas se suceden sin cesar. El primero en establecer una teoría fue Paul Kosok, en 1926. Afirmó que los geoglifos eran la representación de las trayectorias de sol, de la luna y los planetas. En otras palabras: el mayor libro de astronomía del mundo.

Para María Reiche, la matemática alemana, se trataba de una especie de calendario. Un formidable almanaque en el que las figuras reproducían constelaciones, y las líneas y pistas marcaban solsticios y equinoccios. Nazca ofrecería la configuración de las constelaciones, tal y como fueron observadas desde aquellas latitudes australes hace unos 1500 años. La hipótesis sonaba bien, pero otro científico, Gerald Hawkins, demostró con cálculos informáticos que la teoría de Reiche no era correcta.

Hay visiones para todos los gustos. Otro eminente investigador de las líneas, Tony Morrison, pensó que las líneas eran caminos sagrados, que unían una red de templos. ¿Pero dónde están entonces esos supuestos templos? ¿Y qué decir de las teorías que hablan de indígenas sobre globos aerostáticos? ¿Y de efectos de potentes alucinógenos? Incluso hay quien afirma que los nazqueños las hicieron por puro aburrimiento… A mí no me suenan muy convincentes.

En los últimos años, han surgido nuevas hipótesis. Henri Stierlin habló de un gigantesco telar, una idea tan extraña como descabellada. Por otro lado, el hidrólogo Stephen Mabee y el arqueólogo Donald Proulx han afirmado que estos cientos de imágenes serían simples marcadores de aguas subterráneas. Pero lo cierto es que sólo cinco de los geoglifos coinciden con fuentes de agua. Cinco de entre varios centenares… Eso tampoco explica el misterio.

Mención aparte merece la tesis del suizo Erich von Daniken. Sin duda una de las más extrañas, pero que ha calado en el imaginario colectivo. Según Daniken, el llano sería una pista de aterrizaje para naves extraterrestres. Lo cierto es que, vista desde el aire, la pampa nos recuerda a uno de nuestros modernos aeropuertos. ¿Pero alguien se imagina unas naves extraterrestres que necesiten pistas para aterrizar, como si fueran aviones comerciales? ¿No podrían tomar tierra en cualquier lugar? ¿Iban a necesitar líneas para orientarse?

¿Y cuál es mi versión? Me inclino por prestar atención a la opinión de los indígenas. Esos dioses alados, los viracochas, no resultan tan distintos de nuestros ángeles cristianos. Seguramente los geoglifos son mensajes a los dioses. Quién sabe si tributos, ofrendas u oraciones. ¿Y fueron esos dioses reales? ¿Surcaron los cielos hace miles de años? Ahí la ciencia se echa a un lado del camino, y deja paso a la propia fe. Quien quiera creer, que lo haga.

El tridente de arena

Dejamos atrás Nazca y subimos por la carretera Panamericana hacia el norte, a unos 200 km, al epicentro de la cultura de Paracas. Allí, en la costa norte de un pequeño cabo, rodeado de piedras y arena, encontramos un geoglifo que asombra a cualquiera que lo ve. Tuve oportunidad de contemplarlo por primera vez hace casi cua-

La bruja de la pampa

Así llaman los indígenas a la alemana **María Reiche**. Hace años tuve la fortuna de conversar con ella, y llegué a volar en su compañía sobre el gran jeroglífico. El trabajo de esta matemática, que consagró cuarenta años de su vida al estudio, limpieza y conservación de las líneas, es sencillamente admirable. Yo la he visto barrer literalmente el desierto, despejando de piedras los surcos que forman las figuras. La investigaciones sobre la pampa de Nazca se dividirán algún día entre "antes y después" de María Reiche.

Su unión con la llanura fue total. En un accidente perdió uno de los dedos de la mano. Algo que no la importunó demasiado: curiosamente, las figuras de la pampa de Nazca suelen tener sólo cuatro dedos. Dibujó los primeros y mejores mapas de las líneas. Y tomó fotografías que aún hoy son un icono de la región. Siempre defendió la hipótesis que habla de un método de predicción astronómica, con una intención agrícola y meteorológica. Y siempre reaccionó con contundencia contra aquellos que sostenían que las líneas las habían hecho los extraterrestres.

tro décadas, y aquella formidable primera impresión aún no se ha borrado. Cada vez que vuelvo allí, las mismas preguntas pueblan mi cabeza. ¿Qué representa? ¿Quién lo hizo? ¿Para qué?

Una descripción

El candelabro (o tridente) de Paracas se encuentra en la ladera de un montículo que da al mar. Sólo puede verse, por lo tanto, desde el aire o desde un barco que navegue por el golfo, y no hay manera alguna de intuir su forma desde tierra. Nos recuerda a un candelabro de un pie y tres brazos, con los extremos adornados por grabados. Sus medidas son espectaculares:

✔ Tiene una longitud máxima de 183 m.

✔ El ancho es de 54 m.

✔ La anchura de los brazos es de 3,2 m.

✔ La profundidad de los surcos es de entre 1 y 1,2 m.

✔ En la base tiene un rectángulo de 20 m x 14 m.

A simple vista, la gigantesca imagen parece elaborada con la técnica del vaciado. Alguien extrajo la arena en la ladera de la montaña y procedió a un férreo prensado de las paredes. La atmósfera de salitre que envuelve la colina donde se encuentra el candelabro ha actuado como un aglutinante, apelmazando y endureciendo la arena que lo rodea, como si fuera un barniz. Así, aunque los vientos de la zona son fuertes, la imagen ha permanecido visible pese al paso de los siglos.

Al excavar en el interior de los brazos, el investigador se encuentra con una sorpresa. A unos 15 cm de la superficie la arena desaparece y surge una capa blancuzca, de naturaleza cristalina, muy habitual en la región. Este sedimento tiene un brillo cegador y una superficie muy lisa. Es fácil imaginar que, en el pasado, el candelabro podía presentar un brillo y un color mucho más llamativos que en la actualidad. Podía muy bien parecer un candelabro de plata (véase figura 2-5, en el capítulo 2).

En dirección a ninguna parte

El tridente nos plantea varias preguntas, desgraciadamente sin una respuesta clara. La primera tiene que ver con su antigüedad. ¿Cuándo se dibujó el geoglifo? No hay respuesta. No existen documentos ni referencias históricas. Por cercanía, podríamos pensar que es coetáneo a las líneas de Nazca, lo que nos llevaría a hace unos 2000 años. Sin embargo, la forma e inspiración del tridente no guardan mucha relación con los geoglifos del valle del Ingenio. Así que todo son puras especulaciones.

La segunda pregunta también resulta obvia. ¿Cuál es su utilidad? Una de las teorías más difundidas —y también aceptada— es la que sostiene que el tridente apunta directamente hacia las líneas de Nazca, como una especie de señal de tráfico que marcara la dirección hacia un gran aeropuerto extraterrestre. Ya conoces mi opinión sobre la tesis que relaciona los geoglifos nazqueños con los ovnis, así que no hace falta que te diga qué pienso sobre semejante invento. A pesar de mis reticencias decidí comprobarlo por mí mismo.

Con la ayuda de la brújula, descubrí que la línea principal del tridente marca hacia el norte. Para ser exactos, unos 348 °. Teniendo en cuenta que en esa zona la desviación magnética se calcula en unos 7 ° hacia el este, los cálculos nos dicen que la dirección exacta de la figura es 355 °. Efectivamente, muy bien orientada hacia el norte, pero sin la menor relación con Nazca, Cuzco o la mítica Machu-Picchu, que estarían a unos 135 ° al sur. Al trazar una línea recta siguiendo el brazo principal, uno se pìerde hacia el interior de América Latina, sin pasar por ningún punto de interés enigmológico. Por lo tanto, hipótesis descartada.

Otras teorías hablan de un símbolo religioso, sin mayores detalles. Otros buscan una relación numérica entre sus proporciones, pero no han encontrado resultados satisfactorios hasta la fecha. Para un tercer grupo, estaríamos ante el dibujo de una constelación: la Cruz del Sur. Por último, los más morbosos hablan de rituales y sacrificios humanos. El eje principal del tridente apunta directamente hacia la isla Blanca y el archipiélago de las Chincha. Una zona donde se han encontrado momias de mujeres jóvenes decapitadas, en lo que parecerían sacrificios religiosos; un hallazgo que podría hacernos pensar en un hipotético carácter mágico de la isla Blanca. De ahí que el tridente apuntara hacia ella.

Un rudimentario faro

Pero para los expertos todas las explicaciones anteriores son de dudosa utilidad. Hay algo, sin embargo, en lo que todos coincidimos. Por sus dimensiones y ubicación, con una inclinación de 40 ° con respecto al mar, parece que el candelabro esté hecho para ser visto desde la distancia. En los días claros, la figura puede verse hasta 20 km mar adentro.

¿Es por lo tanto un faro singular? ¿O una señal indicadora? Y si lo es, ¿de qué? Como hemos visto, el eje principal del tridente marca la línea norte-sur con una exactitud propia de una brújula. Los navegantes, por lo tanto podían usar la referencia del candelabro para orientarse frente a una costa que carece de accidentes geográficos destacables. Es una hipótesis razonable... pero imposible de comprobar. No podemos estar dentro de la cabeza de los hombres que lo construyeron.

Y la arqueología oficial, ¿qué dice? La idea que logra más aceptación sugiere que se trata de un signo de carácter astronómico, lo que para mí no significa gran cosa. Si lo fuera, ¿a qué constelación haría referencia? ¿A la ya citada Cruz del Sur? ¿Y por qué dibujarlo de un modo que sólo resulta visible desde el aire o desde el mar? De nuevo, no hay respuesta.

Líneas por todas partes

Sin lugar a dudas, las líneas de la planicie de Nazca son los geoglifos más famosos del mundo. Han inspirado novelas, ensayos, cómics e incluso aparecen en más de una película hollywoodiense. Quizá sean los más espectaculares y mejor conservados del mundo, pero no son los únicos. En el mismo continente sudamericano encontramos infinidad de dibujos tan elaborados como los nazqueños. Y, mucho más cerca de nosotros, en el antiguo Sahara español, aparecen formas y figuras que nos recuerdan a las de la pampa. Incluso en nuestra querida Europa, al sur de Inglaterra, nos encontramos con un geoglifo verdaderamente sorprendente, y que hace sonrojar a más de uno. Hablamos del famoso gigante de Cerne Abbas en Dorset.

Las piedras de Ica

En mi primer viaje a Perú también descubrí el enigma de las llamadas *piedras de Ica*, a las que dediqué mi primera obra *Existió otra humanidad* en 1975. Se trata de una colección de 11 000 piedras grabadas, recogidas durante décadas por el doctor Javier Cabrera en el desierto de Ocucaje, y que muestran unos altorrelieves asombrosos. Hombres de grandes cráneos y con manos de cuatro dedos que vuelan sobre pájaros mecánicos; representaciones de los continentes antes de separarse; operaciones quirúrgicas avanzadas como cesáreas y trasplantes de órganos; hombres y dinosaurios compartiendo escenas de caza… Indicios que nos llevan a creer en la existencia de "otra humanidad" que habría poblado la Tierra decenas de miles de años antes que nosotros.

Resulta imposible datar las piezas, pero se cree que algunas de ellas, encontradas dentro de tumbas precolombinas, tienen una gran antigüedad. Sobre el resto, de origen incierto, se desconoce su fecha exacta de elaboración. Debido a esta falta de datos concretos, la ciencia siempre se ha mostrado escéptica con respecto a las piedras y las considera un fraude. Efectivamente, algunas de las piezas analizadas por investigadores independientes mostraban signos de haber sido manipuladas con un instrumento similar a un taladro eléctrico. Pero, por el contrario, otras parecen haber sido realizadas con medios muy primitivos, lo que certificaría su antigüedad. A la espera de un análisis completo de las 11 000 piedras, el enigma sigue pendiente de conclusión.

La Nazca olvidada

No hace falta alejarse mucho del valle del Ingenio para seguir encontrando geoglifos ante los cuales sólo podemos encogernos de hombros. A unos 25 km al norte de la ciudad de Nazca, entre los arenales de Palpa, Ica y Ocucaje, encontramos alrededor de 300 figuras dibujadas en la tierra. Hagamos un repaso a las más llamativas.

✔ **La huella de la serpiente**. Más de 10 000 orificios de 1 m de profundidad y 90 cm de diámetro grabados en la tierra, como si una serpiente gigante se hubiera deslizado por cerros y laderas dejando la huella de su rugosa piel.

✔ **La tarjeta perforada**. Una sucesión de puntos en forma de aspa, excavados a lo largo de 15 columnas o líneas paralelas.

✔ **Los gigantes**. Unos seres coronados con plumas o antenas, que alzan los brazos ante el espectador. Entre ellos, el llamado *rey de Palpa,* de gigantescas dimensiones.

✔ **La estrella de San Javier**. De 64 m de longitud y una forma que nos recordaría un helipuerto: un círculo enorme, con un aspa en medio.

✔ **El otro colibrí**. Pariente cercano de su hermano nazqueño, tiene una longitud de unos 50 m.

✔ **Líneas y pistas**. Cientos de carreteras idénticas a las del valle del Ingenio, algunas con una longitud de 14 km. Su trazado, como siempre, recto e impecable.

De nuevo, me asaltan las mismas dudas. Pero lo que sí puedo reconocer es la grandeza del tesoro que el Perú guarda grabado en su tierra. Un verdadero patrimonio de la humanidad que corre peligro de desaparecer por la acción del hombre. Es urgente que se controle el acceso a las figuras y se emprendan tareas de restauración en los geoglifos. En Nazca y Paracas poco a poco se van adoptando medidas en esta dirección. Pero en Palpa, en la Nazca olvidada, queda mucho trabajo por hacer.

Algo parecido ocurre en los desiertos del norte de Chile, a más de 1000 kilómetros de la capital, Santiago, y no muy lejos de la frontera con el Perú. Allí, en los altos de Ariquilda, encontramos más geoglifos: pistas larguísimas, figuras humanas, gigantescos sapos, rebaños de llamas, espirales, flechas…

Y si nos dirigimos hacia Iquique, hacia el temible desierto de Atacama —el más seco del mundo—, nos topamos con el famoso gigante de Tarapacá, mejor conservado y protegido. Un geoglifo colocado en la ladera de una montaña, con longitud de unos 86 m, y que nos muestra una figura de aspecto humano, con brazos y piernas. En la cabeza lleva un tocado, y su expresión podría calificarse de amistosa, con los brazos abiertos. De nuevo, la arqueología habla de "un significado religioso", sin más detalles. Sólo sabemos que es una maravilla más, que se suma a un inacabable repertorio de dibujos con una singularidad propia.

La mayoría de dibujos y figuras chilenos no se elaboraron raspando el suelo, al estilo Nazca. Están hechos a partir de la acumulación de piedras de origen volcánico, de entre 10 y 50 cm de diámetro. Los guijarros se colocan como si fueran mosaicos, lo que hace destacar vivamente su color con respecto al fondo original. Sin embargo, y a

pesar de las diferencias en su elaboración, las figuras parecen estar inspiradas por el mismo patrón. Figuras enormes, con múltiples significados, y dirigidas al cielo. Cualquiera pensaría que una gigantesca cultura pobló en un pasado muy remoto el sur del Perú y el norte de Chile, compartiendo una misma cosmología y similares rituales. Los detalles, otra vez, se nos vuelven a escapar.

En un desierto más cercano

Los geoglifos no son patrimonio exclusivo del desierto sudamericano. En otra de las zonas más secas y hostiles del mundo, en el antiguo Sahara español, nos encontramos con otra colección de dibujos simbólicos de incierto significado. Son, sin embargo, casi desconocidos para el gran público, y de momento no se han hecho estudios serios al respecto. La noticia de su existencia llegó a mí gracias a los pilotos de Ejército del Aire español, que prestaban sus servicios en aquella zona de África a mediados de la década de 1970, poco antes de que abandonáramos el territorio y lo dejáramos en manos marroquíes. Aquellos pilotos descubrieron extrañas formaciones de tierra en parajes cercanos a El Aaiún, Lehmeira, Musa, Sallat, Aseraoui, Chabien y tantos otros pueblos, a las que bautizaron con el nombre de *moscas* y *bumeranes* por su forma.

Las moscas se asemejan a estos insectos, con dos enormes alas, de puntas redondeadas, separadas por una especie de canal recto y provistas de una cabeza oscura y mal definida. Según los cálculos de los pilotos, las dimensiones de las moscas nunca sobrepasan los 50 m.

Los bumeranes, en cambio, son gigantescos. Algunos alcanzan 1,5 km de longitud. En las fotografías tomadas desde los aviones se observa una zona central oscura y casi triangular, de la que parten líneas estrechas y larguísimas. Una estructura muy similar a la del arma de los aborígenes australianos.

Al encontrarse en pleno de desierto, y en zona conflictiva, la localización de las figuras no es fácil. A pesar de disponer la ubicación de algunas de ellas, las dunas del desierto han terminado por cubrirlas, dificultando las tareas de reconocimiento. Lo que sí se sabe es que no corresponden a formaciones naturales o a caprichos del terreno. Están fabricadas con enormes piedras oscuras y con una clara intención; los bumeranes, por ejemplo, mantienen una orientación rígida hacia el poniente. ¿Para qué?

La población nativa, los saharauis, tienen una única respuesta cuando son interrogados sobre los geoglifos. Siempre hablan del pasado remoto; "pertenecen a nuestros antepasados", afirman. ¿Y con qué intención? ¿Por qué, de nuevo, figuras que sólo pueden contemplarse desde el aire, como si fueran mensajes a una presencia superior? Será cuestión de internarse en el Sahara e investigar de primera mano este enigma, con la esperanza de encontrar más respuestas que en la planicie del Perú. Estás invitado a ser tú el próximo.

Y con el mazo dando

¿Y la no tan vieja Europa? ¿Qué tiene que aportar al misterioso mundo de los geoglifos? En los últimos años se ha hablado mucho de los círculos de cosecha. Dibujos circulares sobre campos de cultivo que aparecen de la noche a la mañana. Hay recogidos fenómenos de este tipo en todo el mundo, pero son especialmente frecuentes en el sur de Inglaterra. Al tratarse de un enigma reciente, hablaré de ellos más adelante, cuando trate de ufología, en la Parte V. Ahora prefiero que nos vayamos más atrás en el tiempo, pero sin movernos mucho del sitio; nos quedamos en el sur de Inglaterra.

Unos 200 km al sudoeste de Londres, en el condado de Dorset, nos encontramos con un pequeño pueblo de origen medieval llamado Cerne Abbas. Al llegar, es imposible no dirigir la mirada hacia un enorme dibujo grabado en una ladera adyacente al pueblo. Se trata de un geoglifo de 55 m de altura, llamado *El Gigante* o el *Hombre Rudo*, que fue grabado sobre la ladera de un monte cubierto de césped. Para realizarlo, sus autores rasparon la tierra, lo que hizo aflorar una capa blanca que contrasta vivamente con el verde del monte. Aquí no estamos en el desierto, sino en una de las zonas más húmedas de Europa. La línea es blanca como en Perú, pero el fondo es de un verde intenso.

¿Y qué nos muestra el geoglifo? La figura de un varón, corpulento, que blande un mandoble de unos 37 m de largo, en actitud imponente. Por si fuera poco, y quizá para acabar de marcar su presencia, el gigante de Cerne Abbas nos ofrece su miembro viril en estado de erección. Por discreción me guardaré las medidas de tan voluminoso atributo. Sólo diré que hace esbozar una media sonrisa a todo aquel que lo ve por primera vez.

Como ocurre en el Perú, no hay acuerdo acerca de su fecha de construcción. Las primeras referencias escritas datan del siglo XVII, pero todo nos hace pensar que el geoglifo llevaba ahí desde mucho antes. Hay quien piensa que dataría de finales del primer milenio y sería obra de los sajones llegados desde el oeste. Para los lugareños, en cambio, es una figura que siempre ha estado ahí, y por eso le atribuyen un origen neolítico. A decir verdad, el aspecto del gigante nos recuerda mucho al de un hombre primitivo.

Tampoco parece haber unanimidad respecto al sentido ni intención del gigante. Algunos expertos hablan de una deidad sajona. Otros de un origen celta. Hay quienes ven a una versión local de Hércules, el dios griego. E incluso un grupito piensa que es una caricatura del revolucionario inglés Oliver Cromwell. Yo lo dudo bastante… Sin lugar a dudas la figura nos remite a un pasado remoto que no podemos acabar de descifrar.

Ante la falta de respuestas oficiales, me decanto de nuevo por escuchar las opiniones de los habitantes de Cerne Abbas. Ellos, lógicamente, no hablan de viracochas ni de dioses alados. Para los lugareños el gigante representa un antiguo dios de la fertilidad, de origen precristiano, al que se le atribuyen propiedades mágicas. En concreto, la tradición dice que las mujeres que tienen dificultades para quedarse embarazadas deben acudir al monte y tocar al gigante; la parte que ellas escojan, por supuesto. Los habitantes del pueblo nombran decenas de casos de mujeres que no podían concebir y que, tras encomendarse al Hombre Rudo, se quedaron embarazadas y dieron a luz. Yo no soy quién para ponerlo en duda y, en todo caso, me parece una hipótesis que no hace daño a nadie. Más bien todo lo contrario.

Capítulo 5

Una tribu de astrónomos

Me tengo que remontar otra vez a la década de 1970, al momento en que empecé mi carrera como investigador de enigmas. La curiosidad me llevaba a seguir múltiples pistas a la vez; algunas de ellas antagónicas, y otras demasiado enigmáticas para ser descifradas en el momento. Las páginas de mi agenda se llenaban de temas sin respuesta, de posibles líneas de investigación, de tareas que pedían un estudio más exhaustivo… Y en medio de toda aquella vorágine, oí hablar por primera vez de un increíble incidente ocurrido en Mali, en pleno corazón de África.

Aquella historia parecía desafiar toda lógica. Al este de Mali, una etnia —los *dogon*— atesoraba unos conocimientos astronómicos inauditos desde hacía muchos siglos. Conocían la existencia de estrellas que no habían sido "descubiertas" en Occidente hasta bien entrado el siglo XX. Sabían de su composición y características. ¿Cómo podía ser? Según los propios dogon, hace muchos siglos, los primeros miembros de la etnia tuvieron un encuentro múltiple con seres llegados del espacio. Esos seres, parecidos a un pez, les ofrecieron sus conocimientos. Y desde entonces los guardan como el más preciado tesoro.

En aquel momento no pude dedicar mi tiempo y esfuerzo al estudio de los dogon y su mundo cosmológico. Tendría que esperar unos cuantos años para poder hacer las maletas y emprender el viaje, y así comprobar con mis propios ojos qué había de cierto en aquella historia fascinante. Aquí tienes la crónica de aquel viaje que colmó todas mis expectativas.

Preparar el equipaje

Antes de coger el avión, quise reunir toda la información disponible sobre los dogon y su preciado tesoro. Tal y como ya comenté en el capítulo 3, no hay nada peor que meter la nariz en un asunto y no saber reconocer los olores. Así que busqué dónde se encontraban los orígenes de la historia que había llegado a mis oídos y enseguida me topé con un nombre, Marcel Griaule; el investigador que divulgó al mundo la existencia de esta prodigiosa etnia.

Vida de un pionero

Todo empezó en 1931, cuando este antropólogo francés, Marcel Griaule, miembro de la Sociedad Africanista del Museo del Hombre de París, recibió el encargo de estudiar el conjunto de los pueblos sudaneses. Aprovechando el viaje al África subsahariana, llegó a penetrar en la región oriental de Mali, la tierra de los dogon. Allí, al interesarse por las costumbres y tradiciones de aquella gente, los ancianos de la tribu decidieron revelarle los secretos más preciados de su pueblo. Griaule, al oír aquello, no supo qué pensar; no pudo hacer más que sacar el bloc y tomar nota.

Los dogon le hablaron de unos seres llegados del cielo y que decían proceder del sistema de Sirio. El francés no entendía nada. Aquella gente era analfabeta y vivía prácticamente aislada. No podían saber qué era Sirio. Pero no sólo conocían la existencia de aquella estrella. También le hablaron de otros dos soles, compañeros de lo que hoy conocemos como *Sirio A*. Le hablaron de órbitas, tiempos de traslación, densidades y otras características. Griaule, intrigado, sólo podía hacerse una pregunta: ¿Cómo habían aprendido todo aquello?

A su regreso a París, el antropólogo indagó sobre la existencia del sistema Sirio y sobre la veracidad de los conocimientos de los dogon. En los archivos encontró aquello que buscaba. En 1834, el astrónomo Johann Bessel, tras largos periodos de observación de la brillante Sirio, llegó a una conclusión: Sirio tenía una compañera, tal

Figura 5-1:
Marcel
Griaule,
descubridor
del enigma
dogon

como decían los dogon. Una estrella mucho más pequeña y pesada que alteraba la órbita de la reina del firmamento.

Casi 30 años después, en 1862, y ya muerto Bessel, el óptico estadounidense Alvan Clark consiguió verificar el hallazgo. Gracias a un telescopio con lentes de 47 cm de diámetro, Clark acertó a ver un pequeño punto luminoso junto a Sirio A. Fue el nacimiento oficial de la estrella Sirio B, tan pequeña que el brillo de su hermana mayor había impedido hasta entonces su contemplación. Los dogon no disponían de esta tecnología… ¿Cómo lo sabían, entonces?

Lecciones de astronomía

Con la llegada del siglo XX, la astronomía iría conociendo más y más cosas sobre Sirio B, y todos los descubrimientos coincidían con lo avanzado por los dogon. En 1915 los científicos descubrieron que Sirio B era una estrella muy caliente, con una irradiación térmica tres veces superior a la de nuestro sol. Se calculó su diámetro, de unos 42 000 kilómetros, y también su órbita: unos 60 años para dar la vuelta completa a la gigantesca Sirio A. Todos los cálculos de los astrónomos no hacían más que confirmar lo que los dogon afirmaban saber desde hacia siglos.

Pero, de entre todos los hallazgos de los científicos, uno destacaba sobre los demás: la densidad de Sirio B. La hermana pequeña de Sirio A tiene una fuerza de gravedad tal que un metro cúbico de su material pesa 71 000 t. Una barbaridad. Si un ser humano pudiera vivir en la estrella, su estatura no alcanzaría el centímetro. Un perfecto ejemplar de lo que los astrónomos denominan una *enana blanca*. De nuevo, los dogon ya lo sabían.

Por fin, en 1970, Iriving Lindenblad, del Observatorio Naval de Washington, conseguiría la primera fotografía de Sirio B. En ella, la enana blanca aparece como un tímido e insignificante punto blanco, casi eclipsado por Sirio A, diez mil veces más brillante. El pueblo dogon volvía a tener razón. Cuando Griaule supo por primera vez de los dogon, la enana blanca aún no había sido estudiada… Era imposible que nadie de Occidente les hubiera hecho llegar la información. Y, aun así, ellos ya lo sabían.

Tras su descubrimiento, Griaule volvió varias veces a Mali. En una de ellas, en 1946, lo acompañó Germaine Dieterlen, etnóloga y secretaria de la Sociedad Africanista. Durante cuatro años, los investigadores franceses peinaron el país dogon, extendiendo sus investigaciones a las etnias vecinas de los bambara y los bozo de Segú, y a los minianka de la región de Kutiala.

Al regresar a Francia, en 1951, Griaule publicó un artículo en el que sintetizaba todo lo que había aprendido de los dogon y concluía que "en ningún momento se exploró el problema de cómo unos seres que no poseen ninguna clase de instrumentos han podido averiguar la marcha y otras características importantes de unos astros que son prácticamente invisibles". Ni Dieterlen ni Griaule eran ufólogos ni creían en los ovnis. Ellos era antropólogos, investigadores de las formas de vida humana, y se limitaron a recoger unos testimonios, sin indagar en el cómo ni en el porqué.

Había llegado el momento de que tomara el relevo y me adentrara en el país dogon, a la búsqueda de unas respuestas que parecían esquivas.

El viaje al país dogon

Mali está en el corazón del occidente africano. Con una extensión de 1,24 millones de km², es una región vastísima que abarca áreas de desierto y de sabana. El clima es tropical árido, con una temperatura media de 31 °C en abril. Como en el resto de África occidental, la época de lluvias marca el latir económico y social del país. La capital, Bamako, con unos 200 000 habitantes, se encuentra a 700 km de la costa más cercana. Su aeropuerto es la principal puerta de entrada al país, y ahí, precisamente, me encontraba yo, dispuesto a viajar hasta el corazón de Mali en búsqueda de respuestas.

De espaldas al secreto

Al pisar las calles de la bulliciosa Bamako e iniciar las primeras pesquisas, una cierta decepción me empezó a invadir. En la capital nadie parecía saber nada de los conocimientos de los dogon. Tras pasear por sus calles, no tardé en comprender el porqué. Este pueblo multirracial, alegre y hospitalario tiene una preocupación más importante: sobrevivir.

- ✔ De sus casi 10 millones de habitantes, dos terceras partes viven en la más extrema pobreza.

- ✔ En las zonas rurales el salario medio mensual no llega a los 30 euros. En las ciudades, un funcionario puede ganar algo más, unos 60 euros.

- ✔ El índice de analfabetismo ronda el 73 %.

- ✔ La mortalidad infantil, sobre todo en las aldeas, alcanza el 60 %.

- ✔ Y los adultos tienen una expectativa de vida de 35 a 40 años.

La malaria, la tuberculosis, la meningitis y las infecciones afectan a una amplia mayoría de la población. El tracoma, una infección de los ojos, ha dejado miles de ciegos… y podría curarse sólo con antibióticos. A pesar de la miseria que azota el país, sus habitantes no renuncian a la esperanza. El 60 % de la población tiene menos de 20 años; se confía en ellos para que hagan que el país salga adelante.

Aunque lo que vi en Bamako no me dejó indiferente, los motivos de mi viaje al corazón de África eran otros; no había tiempo que perder. El país dogon se encuentra en el centro de Mali, decantado al este, cercano a la frontera con Burkina Faso. En total, tres días de viaje desde la capital.

A través de Mali

La temporada de lluvias ya tocaba a su fin, pero no podía confiarme. Los caminos todavía podían convertirse en torrenteras o cenagales de la noche a la mañana. Tampoco ayudaban las temperaturas, de unos 40 °C al amanecer, ni la humedad del 90 %. Pese a las dificultades, ardía en deseos de llegar a la gran falla de Bandiagara e interrogar a los dogon.

Atravesamos tierras donde imponentes hormigueros de cuatro metros de altura flanqueaban los caminos. Termiteros en los que se abandona a los niños que nacen albinos; moles que las etnias de Mali asocian a la ablación del clítoris. Para ellos, desde la antigüedad, la presencia del órgano del placer femenino sólo conduce al nacimiento de niños deformes. Más adelante, al hablar con los dogon, aclararé el porqué de esta superstición.

Cruzamos el territorio bobó. Una etnia de 150 000 individuos conocida por la elaboración de máscaras rituales y la cría de perros. De ellos se dice también que tienen tendencias caníbales. Y es que cada año, en esta zona, desaparecen dos o tres personas… y todos coinciden en apuntar cuál es su destino.

Al fin, al atardecer, llegamos a Ségou, ciudad en la que asistiría a un fenómeno inconcebible en pleno siglo XXI, la existencia de un pueblo de esclavos, los bellah. En Ségou viven los que han sido liberados por sus dueños y señores, los tuareg. El resto, unos 300 000, permanecen en situación de esclavitud en el desierto de Mali, Níger, Libia y Argelia. Son los parias de los parias. Como salario, sólo reciben la comida y el "honor" de servir a los señores del desierto.

Tras dejar Ségou, pasamos Mopti y llegamos a Djenné, ciudad con 2200 años de historia y punto de reunión de la mayor parte de las etnias del país. En los días de mercado, todos comercian y se relacionan: se pactan matrimonios, se exhiben riquezas, se oyen más de cincuenta dialectos… y se admira la mezquita más famosa de la nación. Una edificación construida íntegramente con barro de la sabana, enriquecido con estiércol, paja, espinas de pescado y agua del Bani, afluente del Níger. Un monumento que debe ser remodelado cada año, al concluir la estación de lluvias. Un templo al que no podemos acceder los no musulmanes y que recibe al fiel con dos puertas: una para ricos y otra para pobres. Otra vez la religión confunde los términos.

Finalmente, llegué a mi gran objetivo: el país dogon. Un territorio marcado por un acantilado de 200 km, paralelo al Níger, que tiene una altura de 300 a 600 m. Un país rocoso, aplastado contra una falla, en el que viven casi medio millón de personas que gozan de un microclima único en la zona. Las lluvias son abundantes y la vegetación es generosa: baobabs, acacias, mangos, ceibas y tamarindos.

En cuanto llegué al territorio y vi a los primeros dogon, me percaté de su aspecto inconfundible, con un aire muy seguro de sí mismo. La etnia tiene dos tipos básicos: los altos y musculosos, de cabeza y ojos redondos y nariz grande; y los más pequeños y numerosos, el dogon rechoncho, de hombros anchos y poderosos, cabello ensortijado, pómulos altos y ojos rasgados y maliciosos.

Muchos suelen llevar perilla, caminan tranquilos y con un ritmo regular, y son tremendamente ágiles cuando tienen que encaramarse por el acantilado. Las mujeres, no muy altas en su mayoría, lucen

Figura 5-2:
La mezquita
de Djenné

un talle arqueado, como consecuencia de las cargas que transportan cada día sobre la cabeza. Al verme, se me acercaron parlanchinas y alegres, pero pronto se apartaron y dejaron paso al varón, en señal de sumisión. Los dogon querían saber qué estaba haciendo yo, un blanco, en medio de su país. Había llegado el momento.

Investigación en marcha

¿Por dónde empezar? Hay cientos de pequeñas aldeas junto a la falla que marca el país dogon. Cientos de posibles principios, también cientos de errores que era fácil cometer. Ante la duda, decidí seguir los pasos que Griaule tuvo el valor de señalar. Me iba a dedicar sobre todo a las aldeas más pequeñas.

El pueblo dogon

Lo primero que necesitaba aclarar era el origen real de este pueblo. ¿Llevaban allí miles de años? ¿Llegaron quizá de otras latitudes? Historiadores y antropólogos no terminan de coincidir. Ni siquiera ellos, los dogon, lo saben con certeza.

La hipótesis más razonable apunta hacia el antiguo reino de Ghana. Allí, hacia el año 1040, la invasión de los almorávides debió de propiciar el éxodo de numerosas etnias que no deseaban convertirse al Islam. Los dogon serían una de esas tribus. En sus leyendas antiguas se menciona siempre un enemigo a caballo y muy numeroso —los árabes, quizá— que los expulsó de su emplazamiento original.

Cuando los expulsados llegaron a la gran falla, se encontraron con que otro pueblo ya habitaba aquellas tierras: los telem. Se trataba de unos pigmeos que se adornaban con pinturas rojas y que vivían en unas casas singulares, construidas en las paredes de la gran falla. Para acceder a ellas, los telem se servían de largas cuerdas que colgaban desde lo alto del acantilado y que llegaban hasta la sabana. Sea como sea, con el paso del tiempo, los dogon acabaron dominando la región, y reconvirtieron las casas de los telem en graneros y tumbas.

Hoy ocupan unas 700 aldeas, de las cuales 570 tienen menos de 500 habitantes. En total son unos 450 000, que se agrupan sobre todo en la ciudad de Bandiagara. Las aldeas carecen de agua, luz y servicios básicos, y sólo se puede acceder a ellas en todoterreno o a pie. El 90 % de los hombres son polígamos, y el 80 % del total de la población es analfabeta. La historia que tenían que contarme, sin embargo, no estaba escrita en ningún libro. Se había transmitido oralmente de padres a hijos, y de hijos a nietos. Había llegado el momento de encontrar a uno de esos testigos de la tradición.

El encuentro

Reconozco que iba cargado temores con respecto a los dogon. Tanto en los escritos de Marcel Griaule y Dieterlen, así como en los relatos de otros especialistas, se pone un especial énfasis en las grandes dificultades que encontraron para desvelar el secreto de los dogon. Todos hablan de un enconado secretismo y de una desconfianza general. Ante mi sorpresa, nunca me topé con esa hostilidad en mi viaje por el país.

Mi primer contacto con uno de los ancianos y depositarios del secreto, Pangalé Dolo, fue de lo más cordial y enriquecedor. Pangalé vivía en Sangha, junto al acantilado, y era nieto de uno de los principales informadores de Griaule, el pionero antropólogo francés. De

Figura 5-3:
Con
Pangalé
Dolo

su abuelo recibió buena parte de la información que iba a compartir conmigo.

Al preguntarle por el origen de los conocimientos de su pueblo, Pangalé no tuvo ningún problema en empezar el relato. No supo fechar con exactitud el primer encuentro con aquellos seres del espacio, los *nommos*. Pero por sus palabras, pude deducir que situaba el contacto en los años iniciales de su asentamiento en la falla; es decir, hará unos mil años. En cuanto al lugar, Pangalé y el resto de ancianos se mostraron unánimes: en el lago Debo, al noroeste de Bandiagara. Allí, a plena luz del día, unos dogon recién llegados a sus nuevas tierras presenciaron un suceso que los cambiaría para siempre.

El legado de un pueblo

El día del primer contacto apareció una estrella en el cielo azul. Un bola de luz que los dogon llamaron *ie-pelu-tolo*, la estrella de la décima luna. Los ancianos la describieron como una luz cambiante, inmóvil y silenciosa. De repente, aquella estrella empezó a lanzar unos rayos rojos, que formaron un círculo parecido a una mancha de sangre. De ellos, brotó una segunda luz que giraba sobre sí mis-

Figura 5-4:
Representación
gráfica de los
nommos

ma; un objeto que se acercó a tierra muy lentamente y en mitad de un gran estrépito. Al llegar al suelo, la esfera cambió de forma y se transformó en una especie de cesta, con una base cuadrada y una abertura circular en la parte superior. Algún anciano habló de una pirámide de cuatro caras, con un largo cuerno en lo alto y escaleras de seis peldaños en cada costado.

En medio de un ruido ensordecedor, la nave empezó a descender para posarse en la tierra. De su base salían unas enormes llamaradas, que quemaron plantas, animales y hasta seres humanos. Los presentes se echaron atrás, aterrorizados. El arca se quedó suspendida, sin llegar a tocar el suelo, y nuevamente cambió de color: se volvió blanca y silenciosa. En ese preciso instante, junto a la todavía humeante arca, vieron aparecer a un extraño animal. Sujetó el arca con cuerdas y la fue arrastrando hasta una hondonada cercana. Poco después una extraña lluvia llenó el agujero de tierra, convirtiéndolo en un lago, de manera que el arca flotó como una enorme piragua. El animal, que describieron como un caballo metálico, desapareció.

A estas alturas del relato, no pude hacer otra cosa que hacer un alto y pedir un descanso. Lo que aquellos ancianos me contaban me resultaba demasiado familiar. Después de más de 35 años dedicado a la investigación del fenómeno ovni, no pude evitar encontrar muchas semejanzas entre aquella historia y los testimonios que he recogido a lo largo de mi carrera.

Aquella estrella de la décima luna podría ser lo que llamamos una nave nodriza o porteadora. De ella partió un vehículo más pequeño, una nave de exploración que al acercarse al suelo cambió de forma y color. Este fenómeno es común en los avistamientos ovni. Y el animal metálico al que hacen referencia muy bien podría ser un robot o un vehículo autopropulsado. Una especie de sistema de enganche a la nave que les permitió establecerse en una zanja, que a continuación llenarían de agua. Tal y como Pangalé me explicaría más adelante, aquellos seres dependían del medio acuoso para sobrevivir.

La coherencia del relato era asombrosa; encajaba a la perfección con lo que había oído cientos de veces en avistamientos ovni. Sin embargo, los dogon no podían conocer los detalles de la carrera espacial, las historias de platillos volantes y las abducciones por seres pequeños y grises. No mantenían contacto con Occidente en la época en que Griaule los visitó. Aquel relato les tenía que haber llegado desde un pasado remoto, lo que me dejó completamente asombrado. Sólo pude pedir que siguieran hablando.

Los visitantes

Pangalé, que llevaba el peso de la narración, prosiguió con su relato. El arca se encontraba posada sobre las aguas, tranquila, y los dogon allí presentes no podían entender qué estaba ocurriendo. En ese momento, el arca se abrió, y de ella salieron los dioses. Ocho, según me contó Pangalé, aunque otros testigos hablan de ocho parejas. Su aspecto era casi aterrador. Eran mitad hombres y mitad peces. La parte superior, cabeza y tronco, se asemejaría un poco a la de un ser humano. Pero el resto, de cintura para abajo, era propio de un pez. Eran verdes.

En la boca tenían 40 dientes bien afilados. Carecían de orejas y, para escuchar, colocaban las manos, palmeadas y con sólo tres dedos, sobre unos minúsculos orificios laterales. Las sienes les brillaban y los ojos, rojos, se encendían en la noche, iluminando el terreno con dos haces de luz. En el cuello lucían unas arrugas pronunciadas, parecidas a un collar. No eran precisamente los reyes de la belleza intergaláctica.

Yo insistí. Quería más datos sobre aquellos hombres-pez. Pangalé simplemente repetía que eran mitad hombre y mitad pez, sin poder decirme más. Se señalaba las clavículas, indicando que los dioses, precisamente, respiraban por ahí. Otros ancianos precisaron un poco más: aseguraban que los nommos inspiraban por el vientre y espiraban por los hombros. En lo que todos coincidieron fue en afirmar que aquellos seres vivían en un medio acuoso. Así, los dogon decidieron llamarlos *di tigi*, dueños y señores del agua, y les mostraron un respeto no carente de temor.

La descripción física de aquellos seres era precisa y tenía sentido. Seres anfibios, que respiraban con un sistema similar a unas branquias, y que gozaban de un tronco y cabeza desarrollados. Ocho "dioses" que abandonaron su arca y se dirigieron a un asustado pueblo recién llegado con una intención no del todo clara. Su irrupción en las vidas de los dogon podría considerarse asombrosa de por sí, pero lo que aquellos seres, los nommos, iban a compartir con ellos iba a ser aún más fascinante; lo suficiente como para seguirnos provocando admiración y sorpresa muchos siglos después.

Otros seres anfibios

Los nommos no son los únicos hombres-pez de los que se tiene noticia en la antigüedad. Quizás el más famoso sea el dios Oanes, descrito por Beroso en su *Historia de Babilonia* (290 a. C.). Beroso, sacerdote del dios Baal, asegura que Oanes era uno de los personajes destacados de un grupo de criaturas anfibias que enseñó los rudimentos de la civilización a los babilonios. Esos seres se llamarían *annedoti*, mitad hombres mitad peces, y habrían vivido en el fondo del golfo Pérsico, en un palacio que tenía la capacidad de volar.

También los filisteos adoraron a un dios anfibio: Dagón, representado con cabeza y tronco humanos, pero con una larga cola de pescado. Una entidad que terminaría derivando en el dios Neptuno. En el norte de África apareció igualmente otra criatura anfibia, Proteo, que se asemejaba a un viejo del mar. Tenía la facultad de cambiar de forma, presentándose en ocasiones como un ser humano normal. La tradición asegura que, durante el día, este hombre-pez se refugiaba en el mar, evitando así los rigores del sol. Y en Japón, los arqueólogos se quedaron asombrados al descubrir en Tokomai unas pequeñas estatuillas que parecen representar a seres anfibios. Estas figurillas, denominadas *dogu*, han sido datadas en el año 600 a. C.

El mensaje del arca

A lo largo de aquellos días, poco a poco, fui ganándome la confianza de Pangalé y del resto de los ancianos e iniciados. Según nuestra amistad de consolidaba, los dogon fueron revelándome otros secretos, los más delicados; los que componían el conjunto de las enseñanzas de los nommos; un material reservado sólo a aquellos que daban muestras de ser capaces de comprender su significado.

Informe confidencial

Los nommos, según el relato de los ancianos, bajaron a la Tierra para enseñar y, de alguna manera, *evangelizar* a los hombres. Aquellos ocho dioses se quedaron en nuestro planeta y convivieron con los dogon. Les mostraron cómo cultivar la tierra, cómo moler el grano, cómo fabricar arados y herramientas, cómo fundir metales y cómo adornarse los cuerpos con pinturas. Pero sus intenciones no resultaron ser siempre tan benéficas.

Los nommos, de vez en cuando, capturaban a los dogon y los some-
tían a un cruel suplicio que acababa con su vida. Les introducían su
lengua bífida por la nariz y entonces, poco a poco, les chupaban la
sangre de sus cuerpos hasta dejarlos completamente secos. Los dogon, acabado el proceso, caían muertos. El pánico por los ataques
llegó a ser tal que, cuando veían que los nommos de acercaban, los
dogon se escondían en bosques y cuevas, huyendo de ríos y lagos,
el hábitat natural de aquellos crueles visitantes.

Los ataques nommos me recordaron a otros sucesos similares,
acaecidos en nuestros días, y sobradamente conocidos por los
investigadores ovni. La única diferencia entre lo narrado por los
dogon y lo sucedido hoy es que las víctimas actuales son siempre
animales. Al insistir en el asunto de los asesinatos, los ancianos
afirmaron que fueron cientos, quizá miles, los hombres, mujeres y
niños exterminados por los nommos siguiendo el procedimiento de
la lengua bífida.

Pero, como decía un poco más arriba, no todos los contactos entre
los nommos y los dogon fueron siempre tan salvajes. Aré Guindo,
una especie de sacerdote del grupo, me contó que los nommos, al
descender a tierra, seleccionaron primero a los dogon más sabios
y prudentes y se los llevaron al arca. Pero no les metieron la lengua
por la nariz para chupar su sangre. Durante tres meses los nommos
los adiestraron y les revelaron muchos secretos, en lo que sería una
abducción en toda regla. Idéntica a la de tantos testimonios recogidos por mí mismo acerca del fenómeno ovni.

Al retornar a las aldeas, aquellos hombres volvieron como superhombres, como hombres santos. Y sus vecinos decidieron llamarlos
hogon. Hoy, de hecho, los sacerdotes de la tribu, como Aré Guindo,
llevan el título honorífico de *hogon*.

Sirio B, la pequeña estrella

Pero, sin lugar a dudas, lo que ha atraído hasta el país dogon a decenas de investigadores, como yo mismo, son los avanzados conocimientos astronómicos de los que hace gala este pueblo. Así que
dediqué toda mi atención a los descubrimientos de los dogon sobre
la estrella Sirio B. Y me hice la misma pregunta que Griaule: ¿Cómo
podían saber que esta enana blanca es una de las estrellas más pequeñas del firmamento?

La respuesta fue siempre la misma: los nommos fueron los informantes. Los hombres pez dijeron proceder del sistema de Sirio. Ese era su hogar. Y los dogon, fieles a las explicaciones de sus señores, bautizaron a Sirio B como *po tolo*, es decir, "pequeña estrella".

La segunda gran cuestión resultaba igualmente apasionante. ¿Cómo podían saber los dogon que Sirio B es una de las estrellas más pesadas del firmamento? Y los dioses, al parecer, les explicaron que *po tolo* o Sirio B está formada por *sagala,* un material tan pesado que todos los seres terrenales juntos no pueden levantarlo. Según los actuales cálculos astronómicos, una caja de cerillas repleta con materia de esta estrella pesaría 1250 kg.

Estamos, en efecto, ante una enana blanca. Una estrella cuya densidad es 65 000 veces superior a la del agua. Un astro formado por un material difícil de concebir en el que los átomos aparecen prensados. En medio de esta cascada de datos increíbles, los dogon volvieron a sorprenderme.

Al preguntarles acerca de la órbita de Sirio B, los dogon trazaron unos certeros dibujos que siempre contenían una elipse. Algo similar a un huevo. Colocaron a la estrella grande, Sirio A, decantada hacia uno de los extremos —hacia un foco— de la elipse. En otras palabras, los dogon me decían que el movimiento orbital de Sirio B con respecto a Sirio A seguía las leyes de Kepler sobre el movimiento de los planetas. Como recordarás, Kepler determinó que los planetas no giran alrededor del sol en órbitas circulares perfectas, sino en trayectorias elípticas. ¿Cómo podían saber los dogon acerca de focos, elipses y demás leyes astronómicas?

Los dogon dijeron saber también que Sirio B gira sobre mí misma y que lo hace en un periodo de un año. Cuando consulté a los astrónomos occidentales, ninguno supo darme detalles al respecto. Nadie conoce todavía el periodo de rotación de Sirio B. Los científicos tampoco saben de las afirmaciones que los nommos hicieron a los dogon.

Según esos seres venidos de Sirio, en el espacio hay otros mundos, también habitados. Nosotros nos hallamos, según dicen, en la cuarta tierra. En la tercera viven los hombres con cuernos. En la quinta, los hombres con cola; y en la sexta, los hombres alados.

Los dogon conocen también la estructura es espiral de la Vía Láctea, nuestra galaxia. Y hablan de mil millones de sistemas solares,

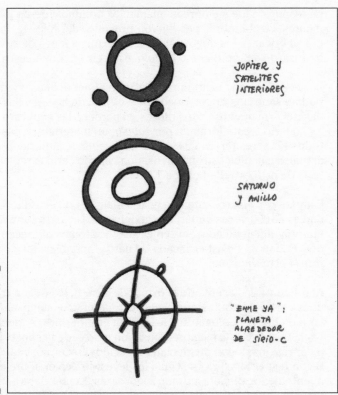

JOPÍTER Y
SATÉLITES
INTERIORES

SATURNO
Y ANILLO

"EMME YA":
PLANETA
ALREDEDOR
DE SIRIO-C

Figura 5-5:
Júpiter,
Saturno y
emme ya
o Sirio C,
según los
dogon

semejantes al nuestro. Conocen los ciclos y movimientos de Júpiter,
y también sus cuatro satélites interiores, que no fueron descubiertos por Galileo hasta 1609. Me hablaron de Saturno y sus anillos;
fueron capaces de dibujármelos. Del zodíaco, y del calendario lunar.
E incluso aseguran también que Venus, al principio, era rojo. Un to-
rrente de conocimientos que no sabía cómo asimilar… Y aún fueron
más allá en sus explicaciones.

El sol de las mujeres

En las secretas tradiciones dogon se habla también de una tercera
estrella, perteneciente al sistema de Sirio. La llaman *emme ya* o "el
sol de las mujeres". Es muy probable que esta tercera estrella a la

que se refieren sea Sirio C. Otra vez, un dato que va más allá de toda lógica.

Y es que no fue hasta 1995 cuando los astrónomos franceses J. L. Duvent y Daniel Benest la localizaron definitivamente. Sirio C es, además, una enana roja. Tal como decían los dogon, el sistema de Sirio está efectivamente integrado por tres soles o estrellas. Este hallazgo de la astronomía moderna bendecía definitivamente, y sin querer, el gran secreto de este pueblo.

Al preguntar a los dogon sobre el origen de su hallazgo, la respuesta fue siempre la misma: se lo dijeron los dioses, los nommos. Unos visitantes venidos de un lugar remoto que, hace mil años, compartieron con un pequeño pueblo africano un conjunto de conocimientos que les debieron resultar incomprensibles. Muchos años después la ciencia ha ido corroborando, una a una, cada pieza del tesoro de los dogon. Pero, para los miembros de la tribu, el contacto con esos seres fue mucho más allá. Acabó configurando su forma de vivir y pensar, sus rituales y su mundo imaginario.

Cosmogonía dogon

La huella que los nommos dejaron en esta tierra puede apreciarse incluso hoy, más de mil años después del crucial encuentro. Todos los aspectos de la vida de esta etnia de Mali hacen referencia, de una u otra forma, al legado que dejaron aquellos visitantes venidos desde Sirio. Desde la orfebrería hasta el sistema de discusión y reunión, todas las facetas de la cotidianidad se vieron afectadas por la visita de los hombres-pez.

Una coqueta tradición

Los dogon recuerdan con sus adornos y joyas algunas de las características físicas de aquellos seres anfibios. Las mujeres, por ejemplo, lucen dos piedras rojas en las aletas de la nariz, rememorando así el color de los ojos de los nommos. Otras se abren las sienes con pequeñas heridas y portan diademas de piedras verdes y collares de perlas, tratando de imitar los orificios y las arrugas de los supuestos dioses; aquellas extrañas branquias que les permitían respirar en el agua.

Asimismo, los anillos de cobre que lucen en los dedos índice, corazón y anular son otro recuerdo del aspecto físico de los nommos. Las manos de los visitantes presentaban un abultamiento en las articulaciones, y sólo tenían tres dedos. En cuanto a los pies, jamás portan adornos porque, sencillamente, los dioses carecían de ellos.

La fiesta del sigi

La fiesta más solemne del pueblo dogon conmemora el día del remoto encuentro con los seres anfibios y el descenso del arca. Se celebra sólo cada 60 años, de forma que hay muchos dogon que no podrán participar jamás en ella. La explicación de tan dilatado intervalo de tiempo entre fiesta y fiesta hay que buscarlo en el cielo: la estrella Sirio B necesita ese periodo para dar una vuelta completa a Sirio A.

La fiesta se conoce como el *sigi*. Durante ella, se baila frenéticamente y sin descanso. Se bebe cerveza de mijo y se exhiben hasta 28 tipos distintos de máscaras, todas alusivas a los dioses. Algunas, de hasta 3 m de altura, sirven para reflejar los movimientos del arca en su descenso. Otra de las máscaras —la *kanaga*— me llamó poderosamente la atención. Según algunos de los dogon, su forma tiene que ver con el símbolo que el arca lucía en su panza: una especie de letra "H". Para otros, esa H es el vínculo que une a los vivos con los muertos.

Para mí estaba claro. Tanto las máscaras *sirigi*, las que recuerdan el descenso del arca, como las *kanaga*, con su singular H, no son otra cosa que la viva manifestación de algo que impactó al pueblo dogon y que ha permanecido en su memoria colectiva. Por un lado, el extraño movimiento de la nave al descender y, por otro, el emblema o símbolo que lucía en su fuselaje.

La última fiesta del *sigi* se celebró en 1967. Esto quiere decir que la próxima tendrá lugar en 2027. Gracias a este enorme intervalo entre celebraciones, pude comprobar que la fecha que los ancianos me habían dado como la del posible encuentro con los nommos era cierta. En cada una de estas fiestas, los dogon confeccionan cestas y tinajas especiales, destinadas a la comida. Decidí ir al lugar donde guardan las tinajas y hacer las cuentas yo mismo. Pues bien, la suma de todas ellas —elaboradas, como digo, cada 60 años— nos sitúa en el siglo XII. Los ancianos hablaban de los siglos X u XI. Poco

Figura 5-6:
La máscara
kanaga
recuerda al
arca de los
nommos

nos importa un baile de unos cien años… Lo que quedaba claro es
que el universo simbólico de los dogon es casi milenario; nacido en
una época en que Sirio B no existía para la raza humana.

La casa de la palabra

Como he apuntado durante mi relato, hablar de los nommos con los
dogon es una cuestión solemne para aquellos iniciados que guardan
la información. Por eso, muchas de nuestras conversaciones tuvieron lugar en la _toguna_, o "casa de la palabra". Una especie de templo
en el que se reúnen a diario sólo los varones para dialogar y tomar
decisiones. Una especie de sala de conferencias; cómo no, inspirada
también en aquel remoto encuentro con los hombres pez.

Ocho son sus pilares, en recuerdo de los ocho nommos que los
visitaron por primera vez. Y ocho deben ser también las capas de
mijo que forman el techo. Un recubrimiento situado a sólo un metro
del suelo. ¿Por qué? Así se lo recomendaron aquellos visitantes de
Sirio: de esta forma, al no poder ponerse de pie, nadie podía irse sin
que las discusiones hubieran terminado en paz.

De ufólogo a hogon

Incluso el poder que un hombre tiene sobre la etnia parece que viene infundido por los dioses. Ya he comentado, al hablar de las abducciones, que el hombre santo de la tribu se conoce como *hogon*, en recuerdo de aquellos escogidos que entraron en el arca y aprendieron de primera mano el saber de los nommos. El *hogon* es una mezcla de hechicero, médico y guía espiritual; el dogon más respetado y temido. Suele haber uno en cada tribu. Testigo de tradición, lleva un vida muy distinta a la del resto de sus compañeros de etnia.

✔ Siempre vive solo.

✔ Nunca se lava.

✔ Una gran serpiente sagrada acude a lamerlo, transmitiéndole la fuerza vital y la sabiduría.

El origen de la ablación

La cantidad de información que los nommos revelaron a los dogon es ingente; no hay aspecto de la vida que quede al margen… para bien o para mal. Los hombres pez hablaron también de *Amma*, el señor de todas las cosas, el gran Dios. Por lo visto, los extraterrestres también necesitan de la existencia de una presencia superior; y esa necesidad nada tendría que ver con el conocimiento tecnológico alcanzado. Esta existencia de un ser único y sustentador de todo lo creado choca de frente con las religiones animistas de esta parte África, donde los dioses se cuentan a cientos.

La modernidad de *Amma* es bastante relativa, vista desde una perspectiva occidental. Es un dios único, como ocurre en las grandes religiones del mundo, pero según la tradición es el responsable de que se practique la ablación del clítoris a las mujeres; la mutilación de su órgano sexual. Según la leyenda, el Dios, *Amma*, quiso tener hijos con la Tierra, pero la presencia de los termiteros —para los dogon, un símbolo del clítoris— dificultó el acoplamiento. Podría decirse que los termiteros le pinchaban los riñones y que el dios no pudo ponerse cómodo. Así, por culpa de un mal revolcón, la Tierra parió un zorro. Vista la experiencia del dios Amma, los dogon afirman que, para garantizar que los hijos de una mujer estén sanos y bien formados, resulta necesario extirpar el clítoris. La historia puede tener su gracia; la realidad, no.

✔ Nunca abandona su casa, excepto para ir a la casa de la palabra.

✔ Le debe servir la comida una joven que no haya tenido la menstruación.

✔ Es el responsable de las lluvias y de las buenas cosechas.

Debido a mi interés por su cultura y a mis conocimientos sobre el fenómeno ovni, que ellos asociaban con el arca de los nommos, más de un dogon me apuntó con el dedo diciéndome que yo era un *hogon*. Para ellos, aquellos hombres que conocen los secretos del arca —un ovni— tienen que ser necesariamente hombres santos. Nada más lejos de la realidad…

Pero su confusión me confirmaba definitivamente lo que para mí ya estaba claro. Hace mil años, unos seres del espacio que dijeron proceder de Sirio aterrizaron en África. Y revelaron a los hombres una información imposible para su tiempo. De otra forma, me resulta difícil entender cómo los integrantes de esta etnia, analfabetos en su mayoría, pueden saber de estrellas hasta hace poco desconocidas para la ciencia.

Para mí, todo encaja. Al enseñarles fotos de ovnis, los dogon las reconocieron. Afirmaron que se trataba de objetos muy similares al arca. Y repitieron de nuevo que yo era un *hogon*, que por ese motivo las tenía. Estoy seguro de que no soy un hombre santo… del mismo modo en que creo en la veracidad de la historia de los dogon. Los detalles coinciden a la perfección con centenares de relatos modernos recogidos por investigadores ovni. Estos son los hechos y las pruebas; tú eres quien decide cuál es la respuesta que hace que todo encaje.

Capítulo 6

Pascua, el ombligo del mundo

- -

En este capítulo

▶ La leyenda rapa nui

▶ Los moais y otros prodigios

▶ El poder la fe

- -

Quien se sigue aferrando a una visión occidental, ésa que coloca a Europa en el centro de todos los mapas, seguro que piensa que la isla de Pascua podría ser muy bien el fin del mundo. Para empezar, está en el océano Pacífico; un océano que a los europeos nos queda muy lejos; de hecho, el primer occidental que llegó a la isla lo hizo en 1722. Y aunque pertenece administrativamente a Chile, se encuentra a miles de kilómetros de cualquier costa continental. Hacia el este, hacia Chile, no se ve tierra en 3680 km. Australia, hacia el oeste, queda a 9250 km, y la distancia con España es difícil de asumir: unos 13 500 km. Si no se trata del lugar más perdido de la Tierra, poco le falta para serlo.

Pero a pesar de las enormes distancias, todos hemos oído hablar de ella y de sus *moais*, esas enormes estatuas de piedra que pueblan la isla. Seguro que nos suena incluso un nombre en lengua indígena, *rapa nui*, con el que genéricamente se denomina a su cultura autóctona, compuesta de un universo simbólico riquísimo, que aún hoy nos plantea un buen puñado de misterios sin respuesta.

¿Quiénes son esos nativos rapa nui? ¿De dónde llegaron? ¿Cómo construyeron y movieron los moais? ¿Quién les enseñó a labrar la tierra con técnicas avanzadas? Después de visitar la isla en cinco ocasiones y de escuchar atentamente lo que me contaron sus pobladores, creo que he podido sacar mis propias conclusiones. Te invito a que me acompañes en un fascinante viaje a través de su cultura, durante el cual quizá descubras que la isla de Pascua, lejos de ser un lugar perdido del mundo, bien podría ser el centro de éste.

Las raíces de un pueblo

Mucho se ha escrito y difundido sobre la isla de Pascua y sus colosales estatuas, los moais. Pero creo que esa amplísima bibliografía no ha resuelto las grandes incógnitas que envuelven todavía a la isla, llamada por sus primeros habitantes *Te Pito O Te Henúa*; una expresión que podríamos traducir por un elocuente "el ombligo del mundo".

En mis primeras visitas, todas mis investigaciones habían tomado como referencias los criterios científicos oficiales. Unas hipótesis que me parecían contradictorias y superficiales. En mi último viaje, obedeciendo a mi intuición, decidí escuchar la voz del pueblo. ¿Qué cuenta la tradición? ¿Qué dicen los ancianos pascuenses? ¿Cuál es su versión?

Un rey sin reino

Para los pascuenses, para los rapa nui, la historia de su pueblo, que se ha transmitido de padres a hijos, no ofrece la menor duda. Todo empezó con un rey sabio y prudente. Se llamaba Hotu Matu'a y su primitivo reino, que no era aún la isla de Pascua, recibía el nombre de Hiva Marae Renga. Allí vivía feliz, arropado por su pueblo y su esposa, hasta que un día ocurrió algo para lo que no estaban preparados: las mareas dejaron de retroceder y la línea del mar subió inundando las tierras. A razón de 40 cm por año, aquel pacífico reino empezó a desaparecer bajo las aguas.

El desesperado rey envió diferentes expediciones en busca de nuevas tierras donde poner a salvo a su pueblo. Pero todas las islas cercanas se encontraban habitadas. Fue entonces cuando el mago y sacerdote Hau Mala tuvo la visión de una isla, situada hacia el este, que todavía estaba deshabitada. En sueños, el gran dios Make Make cogió al mago y se lo llevó a tres islotes que se alzaban muy cerca de esa nueva tierra prometida, desde donde pudo adivinar el futuro de su pueblo. Se cuenta que el mago, en su viaje místico, llegó a pisar la isla con sus propios pies. Al despertar, el sacerdote acudió a su rey y le anunció la buena nueva.

La tierra prometida

Hotu Matu'a ordenó que siete exploradores partieran hacia el nacimiento del sol. Tal y como dijo el mago, tras días de navegación encontraron la isla. Incluso encontraron sus pisadas en las rocas de uno de los volcanes. Pero lo que vieron no les gustó en absoluto: se trataba de un lugar pedregoso, casi sin vegetación, y azotado por vientos huracanados. Al regresar a Hiva, a su isla amenazada, intentaron convencer al rey para que olvidara el sueño del hechicero. Pero Hotu Matu'a, confiando en su dios, zarpó de Hiva en dos grandes canoas.

En una viajaba el rey con trescientos hombres escogidos y en la otra, con la reina, iban las mujeres. Como equipaje: semillas, animales, un moai y la historia de Hiva, recogida en 69 tablillas de madera. Unas leyes escritas en un código que sólo podían entender los sacerdotes e iniciados. Tras 66 días de navegación y no pocas calamidades, aquel pueblo avistó por fin el que iba a ser su nuevo hogar.

Tras rodearla y decidir cuál era el mejor lugar para desembarcar, aquel rey puso el pie sobre una de las playas y bautizó la isla como "el ombligo del mundo". Y con él desembarcaron también la caña de azúcar, el plátano, las aves de corral y la memoria colectiva del viejo reino, aquellas 69 tablillas. En las canoas, además, viajaba el símbolo que ha perdurado hasta nuestros días: el moai.

Según los ancianos de Pascua, así empezó la verdadera historia de la isla. Una migración obligada que se remontaría, quizás, al siglo V d. C. Los rapa nui establecen esta fecha basándose en la lista de reyes que sucedieron al mítico Hotu Matu'a, y que ellos conservan con nitidez en la memoria colectiva. En total, dicen que la isla ha sido gobernada por 64 reyes; si calculamos una duración de 25 años por regente, nos acabamos remontando al año 400.

Hay arqueólogos que piensan que el desembarco es más reciente, pero todos coinciden en afirmar que la isla se encontraba deshabitada cuando llegaron los primeros pobladores. No es de extrañar, porque la única tierra que puede observarse desde la isla de Pascua es… la Luna.

El continente perdido

Al escuchar la historia de aquel rey sabio, la primera duda que nos asalta es si realmente existió aquel país llamado Hiva. No hay manera de saberlo, pero han aparecido ciertas hipótesis al respecto. A finales del siglo XIX un investigador inglés, James Churchward, dijo haber encontrado unas tablillas en India que podrían confirmar dicha idea. Sin embargo, no se refirió a aquella tierra como Hiva, el topónimo rapa nui, sino como Mu, el continente perdido: una fabulosa extensión de tierra que habría ocupado un triángulo situado entre Hawái, Fiyi y la isla de Pascua. Años más tarde, en 1921, el estadounidense William Niven se topó en México con un hallazgo similar. Más tablillas que hablaban de una tierra en medio del océano Pacífico.

Para la mayor parte de los científicos esta posibilidad es pura fantasía. Pero para los pascuenses, en cambio, la existencia de Hiva fue real. Así lo dice su tradición oral y aquellas 69 tablas con toda su historia, que sitúan al continente perdido hacia el sudoeste, a dos meses de navegación. De hecho, en la isla hay un impresionante grupo de moais que, según los rapa nui, apunta directamente en la dirección del continente perdido. Están hacia el oeste y, para mi sorpresa, son los únicos que están mirando hacia el mar. Los llaman "los siete exploradores" y recuerdan a aquellos siete audaces súbdi-

Las tablillas rongo-rongo

La tradición nos cuenta que Hotu Matu'a y su pueblo llegaron a Pascua con 69 tablillas de madera, en las que se narraba la historia de Hiva, la isla madre. Unas tablillas, o "maderas parlantes", grabadas con 150 signos básicos y con las que podían componerse más de dos mil lecturas. Un formidable tesoro que se perdió en el siglo XIX, con la llegada de la civilización occidental a la isla.

Hoy sólo quedan 24 de esas tablillas, repartidas por los más importantes museos del mundo. Su valor es incalculable. En ellas, sin duda, se explican muchos de los enigmas que todavía envuelven la isla de Pascua. Pero de momento no somos capaces de descifrar su significado.

Los grabados *rongo-rongo* son el único sistema de escritura conocido en toda Oceanía. Aún no se sabe si se trata de un alfabeto, de jeroglíficos o de otro tipo de símbolos. Algunos investigadores han asociado algunos símbolos *rongo-rongo* con el miembro sexual masculino, pero ha sido imposible confirmar ninguna hipótesis. Sólo se ha podido apreciar que hay algunos grupos de símbolos que se repiten… y poco más. Somos incapaces de dotarlos de un significado. Por desgracia, el secreto contenido en esas tablillas se nos sigue escapando.

tos de Hotu Matu'a que se echaron al mar para confirmar el sueño del hechicero. Los moais apuntan hacia las proximidades de Nueva Zelanda; exactamente, rumbo 254.

Los antropólogos, sin embargo, no están de acuerdo con la versión de los rapa nui. Para ellos la migración debió proceder de algún punto más cercano, como las islas Marquesas, situadas hacia el noroeste. Otros sugieren que no, que llegaron desde las costas del Perú o de India. Pero los isleños niegan estas hipótesis, y repiten su versión de que Hiva era parte de un continente más grande, que ocupaba buena parte del Pacífico. Un continente perdido. ¿El legendario Mu?

Los moais, símbolo de Pascua

Repartidas por toda la isla, estas estatuas son el símbolo de Pascua y uno de los tesoros arqueológicos más famosos del mundo. La

Figura 6-2:
Con los siete
exploradores

UNESCO ha declarado a los moais Patrimonio de la Humanidad, por lo que cada año atraen a miles de turistas, que llegan hasta esta isla perdida en mitad del Pacífico con la única intención de verlos con sus propios ojos. Los moais les devuelven una mirada impasible desde hace siglos, que provoca en el visitante un sinfín de interrogantes. Intentaré darte la respuesta a algunos de ellos. ¿Quién los hizo? ¿Con qué técnicas? ¿Y para qué?

La primera piedra

Para dar con la primera de estas impresionantes estatuas, tenemos que volver al relato del éxodo del rey Hotu Matu'a y del resto de su pueblo. Según la tradición, el rey sabio gobernó durante 20 años, los más prósperos y brillantes de la historia de la isla. En ese periodo se inició, probablemente, la construcción de los moais más antiguos, pero el primero —e inspiración del resto— provenía de aquel continente perdido, como si fuera otro exiliado más. Hoy nadie sabe cuál de los moais es el primero, y se cree que fue destruido.

La arqueología ha catalogado alrededor de mil moais. Cuatrocientos se hallan enterrados o sumergidos en las aguas que rodean la isla.

El resto, unos seiscientos, se alzan sobre un total de 101 altares, llamados *ahus*, estratégicamente repartidos por el interior y, sobre todo, por el perímetro costero. Tienen una altura que ronda los 4 m, y un peso que oscila entre las 20 y las 30 t.

Mucho se ha especulado sobre el origen de los moais. He llegado a oír que los construyeron los extraterrestres, e incluso que Hotu Matu'a y su prole llegaron con las estatuas desde la Atlántida. Yo creo que la verdad no pasa por ahí… Los moais pueden encerrar muchos misterios, pero nada tienen que ver con seres llegados del espacio.

Las pruebas de su origen las encontramos al este de la isla, en las faldas de un viejo volcán, el Rano Raraku. Aquí se han contado hasta 396 estatuas, algunas de ellas en fase de construcción, lo que me lleva a pensar que aquí se encontraba la cantera de los moais. La confirmación definitiva llegó cuando, junto a sus restos, se encontraron también los *toki*, unas rústicas herramientas de basalto con las que se labraban las estatuas. Está claro, por lo tanto, que los moais no vinieron de Marte, sino que fueron obra de los rapa nui.

Problemas de identidad

La arqueología oficial no lo tiene muy claro, pero los pascuenses no albergan duda acerca de cuál es el significado real de los moais. Se trataría, sencillamente, de la representación de reyes o personajes notables de la comunidad. Estos escogidos encargaban en vida la construcción de su figura, que los artesanos empezaban a trabajar directamente en la cantera. Al terminarla la dejaban caer por una pendiente y la encajaban en una fosa, donde se remataba la espalda. Una vez colocada allí sólo había que esperar a que el propietario falleciera.

Cuando esto ocurría, el moai era trasladado al lugar elegido y alzado sobre el altar. Era entonces cuando los artesanos procedían a la fase culminante: abrían las cuencas oculares y engastaban en ellas unos ojos de coral blanco con pupilas de escoria roja. Esa mirada terrorífica era la señal: el difunto tomaba posesión del moai y su poder se difundía a través de dicha mirada. Ese poder, que los nativos llaman *mana*, alcanzaba así a todos sus súbditos y familiares; por esta razón todos los moais —menos "los siete exploradores"— miran hacia el interior de la isla.

Si tienes en mente la imagen de un moai, quizá recuerdes que algunos llevan una especie de tocado en la cabeza. Y es que, según la categoría del difunto, las estatuas se adornaban con un *pukao*; una suerte de moño o sombrero elaborado con escoria roja y que constituía el emblema de la estatua. No todos los moais lo llevan, lo que nos hace pensar que la arcaica sociedad rapa nui tenía una estructura de clases bastante rígida; ni después de la muerte los hombres llegaban a ser iguales.

Unas líneas antes he escrito, como quien no quiere la cosa, que "el moai era trasladado al lugar elegido y alzado sobre el altar". Supongo que, mientras leías, te habrá pasado una sencilla pregunta por la cabeza: "¿Cómo eran capaces de desplazar aquellas piedras hasta el lugar elegido y levantarlas hasta darles el aspecto escogido?". Pesaban entre 20 y 30 t… e incluso hay noticias de algunos de mayor tamaño: en la costa norte nos encontramos con un ejemplar que mide casi 10 m y pesa 85 t; y en la cantera, a medio terminar, un moai habría llegado a pesar 250 t y medido 22 m. Los sombreros, los *pukaos*, pesan entre 7 y 8 t, y no se colocaban

Figura 6-3:
La silueta
de un moai
con su
pukao

hasta que la estatua estaba terminada. ¿Cómo podían mover seme-jantes masas de piedra si no conocían ni la rueda ni las aleaciones de metales?

La fe mueve pedruscos

Durante décadas el problema del desplazamiento de los moais ha mantenido ocupados a investigadores de todo tipo. Algunos cientí-ficos, como Mulloy, Schwarz, Love o Thor Heyerdahl, se han esfor-zado en demostrar que el citado transporte no es, en realidad, un problema tan misterioso. Sus hipótesis hablan de trineos de madera sobre el que descansarían las estatuas; cuerdas, rodillos y caminos de paja por los que los rapa nui empujaron los colosos de piedra hasta su lugar definitivo.

A mí, personalmente, estas hipótesis no me convencen. Como ocurre con las pirámides de Egipto, este supuesto arrastre habría exigido cientos, quizá miles de hombres. Demasiados para una cultura como la rapa nui. Además, el uso de cuerdas amarradas al cuerpo de piedra habría dañado irremisiblemente al moai; las es-tatuas están hechas de palagonita, un mineral de origen volcánico bastante dúctil y frágil. De hecho, en 1982 se pudo comprobar la fragilidad de este material. Con motivo de una exposición sobre Pascua celebrada en Osaka (Japón) se decidió trasladar a uno de los moais. A pesar de la extrema cautela y de la precisión del ins-trumental usado, las sogas utilizadas en la mudanza marcaron la piedra para siempre.

Pero, a pesar de la evidencia, la teoría oficial sigue hablando de cuerdas y rodillos de madera como medio de transporte de las es-tatuas. ¿Por qué, entonces, ninguna de las estatuas presenta mues-cas o rozaduras? La respuesta, para mí, está clara… Porque no se usaron instrumentos de madera para el desplazamiento. ¿Y cómo lo sé? Bien sencillo: simplemente miré a mi alrededor y pregunté a los ancianos de la isla.

Al observar el paisaje que me rodeaba, pude apreciar que en la isla no hay bosques. No existe ni una sola fuente de donde obtener la madera. Los ancianos se lo han repetido a los científicos de todas las maneras posibles, pero no hay forma de que les hagan caso. Cuando les pregunté, me lo volvieron a repetir: "En la isla nunca hubo bosques".

De hecho, los vulcanólogos y palinólogos —los expertos en polen, que volverán a aparecer en el capítulo 9— les dan la razón. Hace unos diez mil años, la isla padeció la última gran erupción volcánica. El Maunga Terevaka, al norte, entró en actividad, y los ríos de lava arrasaron Pascua, sofocando cualquier resto de vegetación. Cuando Hotu Matu'a llegó a la isla, el único arbusto presente era el toromiro, de apenas 1,30 m de altura y unos 30 cm de diámetro. Del todo insuficiente para construir estructuras de madera con las que mover los moais. Entonces ¿qué responden los ancianos cuando se les pregunta sobre el problema? Una sencilla palabra que ya he citado antes se convierte de nuevo en la respuesta: el *mana*.

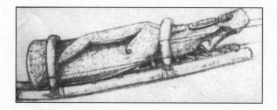

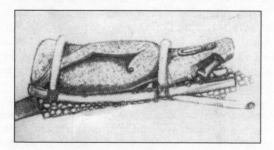

Figura 6-4:
Las hipótesis no me convencen

El poder de los dioses

La ciencia no acaba de dar una respuesta satisfactoria al misterio del movimiento y elevación de los moais. En cambio, los habitantes de la isla de Pascua repiten una y otra vez que todo se debe al mana. El *mana* era un poder sobrenatural que emanaba del dios Make Make, una criatura que descendió de los cielos y se instaló en la mítica Hiva. Allí, aquel ser venido de los cielos se mezcló con las hijas de los hombres, y de ahí nacieron los viejos héroes y los reyes más nobles; entre ellos, Hotu Matu'a. Todos aquellos elegidos, hijos de los dioses, gozaban de un poder sobrenatural que les permitía hacer milagros. Ese poder era el mana.

A pesar de los peligros que podía implicar la posesión de semejante fuerza sobrehumana, los reyes y sacerdotes siempre emplearon el mana en beneficio de su pueblo. Al intentar concretar en qué consistía exactamente, los rapa nui a quienes pregunté no supieron darme detalles. Todos, sin embargo, coincidieron en que era como una energía que modificaba personas y cosas.

Cuando el rey extendía sus manos hacia el mar, peces y tortugas se multiplicaban, abasteciendo a sus súbditos. Al hacerlo con semillas o plantas, las cosechas prosperaban. Cuando Hotu Matu'a o sus sacerdotes extendían sus manos hacia los moais, las estatuas que aún estaban en la cantera se levantaban y se desplazaban por el aire. Es decir, el mana producía un movimiento por telequinesia, un fenómeno muy estudiado por la parapsicología que consiste en el desplazamiento de objetos con el pensamiento, sin utilizar herramienta física alguna. Algo así como una versión pascuense del cristiano "la fe mueve montañas".

Gracias al mana, según los nativos de Pascua, pudieron moverse los moais que hoy pueblan la isla. Y también las enormes piedras que componen el altar de Vinapú, un *ahu* bastante diferente a los que se conservan a lo largo de la isla. Su estructura es grandiosa, y el peso y pulido de los bloques que lo integran no tiene mucho que ver con los del resto de altares. Está hecho a partir de bloques de basalto perfectamente escuadrados, soldados entre sí. Unos bloques de piedra que pesan más de 10 t...

¿El mana otra vez? Ésa es la explicación del pueblo rapa nui. Una fuerza mental capaz de mover la piedra y acelerar las cosechas. La ciencia, evidentemente, rechaza la hipótesis por una falta total de pruebas. Pero lo cierto es que tampoco se atreve a ofrecer una

El *ahu* Tongariki

Se trata del mayor altar, o *ahu*, de los levantados en Pascua, y se calcula que data de los siglos IX o X de nuestra era. Situado al sur de la isla, tuvo que ser restaurado en su totalidad a finales del siglo XX; en 1960 un *tsunami* que arrasó la isla se llevó las estatuas hacia el interior, algunas a más de 100 m de su emplazamiento original. Después de un laborioso trabajo de restauración llevado a cabo por las autoridades chilenas, en la actualidad el *ahu* se eleva a una altura de unos tres metros, cuando se cree que antes sólo tenía uno o dos. Sobre él, 15 moais de variadas formas y tamaños con una altura media de 10 m y un peso que ronda las 60 t. Uno de ellos, que lleva el tocado característico —el pukao—, alcanza una altura mucho mayor, de 14 m desde la base. El *ahu* Tongariki bien podría ser un auténtico templo de los moais.

teoría sólida que explique cómo se levantaron moais y se coronaron con los *pukao*. Como tampoco sabe muy bien qué decir ante los conocimientos tecnológicos y científicos de los que hacían gala los rapa nui, inauditos para el siglo V d. C. Mientras la ciencia no desarrolle una explicación sólida y completa para explicar estos enigmas, somos libres para escoger la hipótesis que más nos convenza.

Los otros secretos

La verdad es que Hotu Matu'a y los primeros pobladores del "ombligo del mundo" —llegaran desde donde llegaran— trajeron consigo una cultura tan esmerada como desconcertante. Ya sabemos que podían mover y levantar esculturas de piedra, hechas de una sola pieza y de más de veinte toneladas. Pero más allá de los célebres moais, aquel rey y sus súbditos eran portadores de otros secretos y extraordinarios conocimientos.

El parto submarino

Según la tradición rapa nui, la esposa de Hotu Matu'a, que se llamaba Vakai, dio a luz a su primer hijo nada más llegar a la isla de Pascua. Pero aquel parto, siguiendo la costumbre de Hiva, no se produjo siguiendo el método que consideramos normal. Vakai dio a luz en el agua de la playa, en una primera versión del parto submarino que hoy se practica en maternidades de todo el mundo. Siguiendo el ejemplo de la reina, las mujeres rapa nui empezaron a hacer lo propio: se sentaban en una piedra rectangular, de forma que el agua las cubriera hasta el pecho, y así daban a luz a sus hijos.

¿Cómo sabían de las ventajas de esta forma de alumbrar? Bien entrada la primera mitad del siglo XX, y a título experimental, en algunos países nórdicos se decidieron a practicar este tipo de parto. Comprobaron que, dentro del agua, tanto la madre como el niño experimentan un menor sufrimiento. Los cambios de presión del feto son casi inapreciables, así como los índices de salinidad y las diferencias de temperatura.

Esta costumbre se perdió con la llegada a Pascua de la civilización occidental. También desapareció otro ritual insólito, originario de la madre patria, de Hiva. Según los rapa nui, llegado el momento del parto, se trasladaba a las embarazadas a la ciudad sagrada de Orongo. Una vez allí, los sacerdotes recogían el líquido amniótico, que los reyes y reinas utilizaban después para el cuidado de la piel y la fertilización de las tierras. Hoy las propiedades regenerativas del líquido amniótico están ampliamente reconocidas, pero en aquellos tiempos no se sabía nada sobre ellas. De nuevo, los rapa nui se adelantaban al mundo, y no sería la última vez.

Milagrosos invernaderos

Como hemos visto ya al hablar de la composición de los moais, sabemos que la isla de Pascua es de origen volcánico. Un terreno hostil, pedregoso, azotado de forma casi permanente por los vientos alisios y con un manto vegetal de apenas medio metro. Y, sin embargo, los rapa nui consiguieron hacer crecer en la isla la caña de azúcar, el ñame, el plátano, el taro y el camote. ¿Cómo lo lograron? La respuesta no podía dejar de sorprendernos: usaron técnicas agrícolas avanzadas.

Al llegar a la isla, los primeros pobladores construyeron decenas de invernaderos, a los que llamaron *mana-vai*. De esta forma, las inclemencias y la agresividad de la isla no fueron obstáculo para los recién llegados. Los mana-vai estaban excavados en el terreno, y podían llegar a tener hasta 2 m de profundidad y 20 o 30 m de longitud. Un lugar que mantiene un especial microclima y que permite el crecimiento de todo tipo de frutos y hortalizas. Un concepto demasiado avanzado para el siglo V d. C.

Aquella pequeña civilización, compuesta sólo por unos miles de miembros, gozaba de una cultura y conocimientos que no tenían nada que envidiar a los de otras culturas del mundo. Pero, poco a poco, aquel esplendor instaurado durante el reinado de Hotu Matu'a se fue apagando hasta convertirse en un recuerdo. ¿Qué ocurrió con la mítica cultura rapa nui? ¿Por qué ha quedado aparcado su legado?

El principio del fin

El esplendor de los pascuenses se extendió hasta el siglo XIII. Hasta esa fecha se habían construido más de mil moais. Pero, de repente, todo aquel periodo dorado en el "ombligo del mundo" terminó. Según la leyenda, la culpa fue de otro grupo étnico ajeno a los rapa nui, que llegó a la isla unos cien años después del rey Hotu Matu'a. Aquella segunda oleada humana recibió el nombre de *Hanau-eepe,* y estaba compuesta por unos individuos corpulentos que se mezclaron poco a poco con los rapa nui.

Los recién llegados se instalaron en la zona del Poike, y allí vivieron durante siglos a cierta distancia de los pobladores originales. Pero en el año 1680 estalló un conflicto entre ambas etnias, y se libró una cruenta guerra civil. Según los relatos de los ancianos, todos los *Hanau-eepe* fueron exterminados. La isla no se recuperó jamás de aquella guerra, que dejó mucho dolor y sufrimiento entre las tribus que se consideraban herederas de Hotu Matu'a.

Heridos por el sacrificio que había implicado la guerra, una parte del pueblo se levantó contra su rey, y atacó sin piedad los símbolos del poder, los moais. Muchas estatuas fueron derribadas y mutiladas, y así se han quedado hasta el día de hoy. Nadie ha tomado todavía la decisión de levantar las estatuas y devolverlas a su lugar original, como si fuera imposible olvidar la decadencia en la que cayó aquella fascinante cultura.

Por desgracia, el declive de aquella cultura llegó más lejos aún. En 1722, el navegante holandés Jakob Roggeveen descubrió la isla, un día en que se celebraba la Pascua de Resurrección —de ahí su nombre—. Así, oficialmente, la cultura occidental llegó a aquel remoto rincón del Pacífico. Años después, los mercaderes de esclavos llegaron a la isla y se llevaron a una gran parte de su población para que trabajara en el Perú. En 1877, la población de Pascua sumaba sólo 111 personas. Actualmente según la *wikipedia* casi llegan a los 4000 habitantes.

Los mercaderes de esclavos no distinguieron entre sabios, sacerdotes, nobles o campesinos. Buena parte de la aristocracia de la isla desapareció en aquellos barcos, para encontrar la muerte años después en las guaneras peruanas. No sólo desaparecieron las personas, sino también el secreto del lenguaje de las tablillas rongo-rongo.

Hasta hoy, el secreto de aquel código permanece sin resolver. Quizás algún día podamos darle una explicación. Mientras tanto, y a pesar del daño que ha sufrido la isla, Pascua sigue conservando la huella y la magia de aquel pasado remoto, en el que un rey bueno y justo colmó a su pueblo de bienes. Pascua, hoy, es una puerta abierta a la imaginación. Una de las puertas "a otra realidad" más sagrada y benéfica con la que todavía puede contar el ser humano.

Figura 6-5:
Moai caído
en la guerra
contra los
Hanau-eepe

Capítulo 7

Los "cabezas redondas"

*P*ensar en un Sahara verde, surcado por ríos y rico en vergeles, donde las fieras compartían el agua con los primeros asentamientos humanos, puede sonar hoy a un bonito sueño que a todos nos gustaría haber vivido. El hombre del siglo XXI sólo ha conocido este horno abrasador como una región desolada, donde las precipitaciones anuales apenas rondan los 100 mm³; demasiado poco para que la vida se desarrolle con plenitud. Al contrario, en ese gigantesco arenal la vida sólo puede pelear, de forma dramática y desesperada, por sobrevivir y no desaparecer.

La temperatura media durante el día ronda los 50 °C, con picos que pueden alcanzar tranquilamente los 60 °C. Por la noche, un frío gélido y seco convive con el cielo más hermoso que pueda contemplarse desde la Tierra, en el que las estrellas se pisan las unas a las otras sin dejar sitio a la oscuridad. El Sahara es un gigante rojo, negro y amarillo, que atesora sus escasos oasis como si fueran las joyas más codiciadas. Es un lugar donde pocos se atreven a adentrarse, y en el que sólo moran los hombres que han nacido en él.

Pero hace miles de años, ese bonito sueño al que me refería, en el que animales y plantas convivían con el agua y con los hombres, quizá no estaba tan lejos de la realidad. El Sahara era un lugar muy distinto del que ahora conocemos; poco tenía que ver con la imagen actual de un lugar yermo y desolado. Por el contrario, reunía las condiciones óptimas para la vida y el desarrollo humano en todos los ámbitos: agricultura, ganadería e incluso la creación artística se daban cita en el actual territorio del desierto más grande del mundo.

En este capítulo te propongo un viaje a través del árido desierto del Sahara, que nos transportará hacia un pasado donde las piedras y la arena aún no formaban parte del paisaje. Nuestro destino final será el Tassili argelino, donde se encuentran algunas de las pinturas rupestres más antiguas del mundo. Testimonios de ese tiempo desaparecido en el que el Sahara era verde... y guardianes también de un enigma que no deja de interrogarme. En mitad de las escenas de caza y los dibujos de los más variados animales, el retrato de unos seres de cabeza enorme, los *cabezas redondas*, que visten unos trajes que me recuerdan al de los astronautas actuales. ¿Quiénes eran esos seres? ¿Qué querían decirnos los hombres que los retrataron? ¿Cómo pueden aparecer en pinturas de hace 10 000 años? Para encontrar la respuesta hay que empezar dando el primer paso de un largo viaje.

Figura 7-1:
Un cabeza
redonda

El Sahara verde

Con una superficie de 9 000 000 km², el Sahara es el desierto más grande del mundo. Se extiende a través de diez países del norte de África, y abarca desde el océano Atlántico hasta el mar Rojo, cruzando el continente. Por eso, nuestro viaje no empieza en ninguno de estos países, sino en un punto muy lejano en nuestro pasado: los tiempos de la última glaciación, hace 20 000 años.

Un largo invierno

Durante esa última glaciación, que terminó hace 14 000 años, lo que hoy es el Sahara vivió una fase hiperárida, más seca incluso de lo que es hoy día. Hacía tanto calor que el desierto se hinchó, arrasando y destruyendo todo cuanto encontraba a su paso. Así lo testifican las dunas fosilizadas de Niamey o Zinder, que nos revelan que durante esa fase hiperárida el desierto avanzó más de 300 km al sur de los límites actuales. Pero hace 13 000 años todo cambió.

En ese momento, los hielos de la última glaciación empezaron a retirarse. El motivo no es otro que el cambio en el ángulo de rotación de los ejes de la Tierra. Durante el último millón de años, nuestro planeta ha oscilado de los 23 grados habituales a picos de 22 y 25 grados, en ciclos de 41 000 años. Estos cambios del eje, como puedes imaginar, provocan importantes oscilaciones térmicas. Así, durante ese millón de años nuestro mundo registró cuatro demoledoras glaciaciones.

La última de ellas cubrió la mayor parte de Norteamérica y Europa, y se quedó a las puertas de lo que hoy es Londres, París y Moscú. Escandinavia quedó cubierta por una capa de hielo de 2 km de espesor. En Estados Unidos, los glaciares formaron una costra de kilómetro y medio que llegó incluso a los fértiles valles de Ohio y Misuri. Pero, como decía, hace 13 000 años el hielo empezó a retroceder y le dio una buena oportunidad al mundo.

Un inmenso jardín

En el momento en que la tierra ganó terreno al hielo, los frentes polares se reactivaron con fuerza, y enviaron humedad desde el norte hasta el Mediterráneo. Y otro tanto sucedió con los benéficos monzones, que soplaron cargados de lluvia desde el golfo de Guinea. En el norte de África, las aguas subterráneas ascendieron y los lagos entre las dunas se multiplicaron por millares. Los ríos reaparecieron, y así el Sahara volvió a la vida.

En los macizos montañosos brotaron decenas de manantiales, antaño secos y consumidos, que, poco a poco, fueron bañando el gran desierto y lo transformaron en un jardín. Algunos de los ríos que surcaron el actual Sahara llegaron a ser tan anchos como el Amazonas: el Ighargar nacía impetuoso en el sur y recorría casi 2000 km, formando un lago enorme en el actual Gran Erg Oriental, un desierto de dunas de arena al sur de Túnez. Otros ríos, como el Saura, que nacía en el Atlas, se unía al Tamanrasset para desembocar fértil y generoso en el Atlántico. El Tilemsi bañaba el Níger, y el Tafassasset, el sur del Sahara y Chad.

Espoleada por el caudal de los ríos, la vida surgió imparable. Arenales, montañas y *wadis* (torrentes secos la mayor parte de año) se quitaron de encima el negro, el rojo y el amarillo, y dieron paso al verde de la sabana. Esa explosión vital es bien conocida por los científicos, que la bautizaron como el *Gran húmedo holocénico*; uno de los periodos más fértiles que se recuerdan. Así, el Sahara se convirtió en algo que hoy cuesta trabajo de imaginar: un auténtico paraíso. De esa época procede, justamente, el nombre de nuestro destino final, el Tassili, que significa "meseta entre ríos".

Los satélites ven el agua

La idea de un Sahara verde, que a muchos puede sonar a fantasía, ha sido sobradamente ratificada por la ciencia. El transbordador *Columbia*, por ejemplo, y los satélites artificiales que orbitan la Tierra nos han proporcionado imágenes que no admiten discusión. Desde 180 km de altura se ven perfectamente los cauces secos que dejaron los ríos, los *wadis*, y que se cuentan por millares.

Gracias a las imágenes infrarrojas, que detectan cualquier pequeño cambio de temperatura en un cuerpo o superficie, se ha demostrado que, bajo las actuales y ardientes arenas, existió toda una red de ríos y lagos conectados entre sí. El uso del radar también ha confirmado la presencia de ese regadío de 7000 km^2. Lo que resulta imposible ver desde la Tierra, no lo es desde el espacio.

El zoológico sahariano

Con la lluvia y la vegetación, animales de todo tipo se acercaron a aquel vergel en búsqueda de comida y agua. Así lo atestiguan centenares de grabados en las paredes rocosas de Libia, Argelia, Mali, Níger, Mauritania y Marruecos. Uno de los lugares que conserva una de las mejores colecciones de este tipo de grabados está al sudoeste de Libia, en la zona de los Mathendous y los Akakus. Hacia allí me dirigí. En una cadena de peñascos y rocas de 15 km, me encontré con miles de grabados que tienen entre 10 000 y 12 000 años. Grabados de todos los tamaños, algunos de ellos minuciosa y bellamente pulidos en su interior. Pruebas irrefutables de la vida que allí se daba cita hace miles de años. Saqué mi bloc y empecé a hacer un inventario de las especies que encontré en los Mathendous y otros yacimientos de la región.

- ✔ **Jirafas.** Conté hasta ocho especies diferentes. Recordarás que es un animal cuya dieta básica está formada por hojas de acacia, y que necesita kilos de forraje al día. No habría podido sobrevivir si no hubiera existido agua y comida suficiente.

- ✔ **Rinocerontes.** Un animal especialmente exigente con el agua. Los dibujados tienen cuernos de un metro de longitud y cabezas de 80 cm, características propias de *Ceratotherium simum*, el rinoceronte blanco africano.

- ✔ **Elefantes.** Encontré grabados de todos los tamaños, en los cuales son frecuentes las escenas de caza. Consumen alrededor de 100 litros de agua al día, por lo que no habrían sobrevivido si no hubiera existido un Sahara verde.

- ✔ **Cocodrilos.** En el Mathendous, un grabado de hace 12 000 años nos muestra un adulto de 2,5 m seguido de una cría. La fidelidad del dibujo nos remite al *Crocodylus niloticus*, que necesita del medio acuoso para sobrevivir.

- ✔ **Hipopótamos.** Más aún que los cocodrilos, los hipopótamos necesitan vivir dentro del agua. En el Messak, en pleno horno sahariano, se han encontrado unos 60 grabados de estos animales.

- ✔ **Felinos y antílopes.** Los unos no pueden vivir sin los otros. Así, leones, leopardos, panteras y toda suerte de felinos grabados hace 9000 años aparecen en las paredes del desierto de Libia. También antílopes como el órice, la gacela y el búbalo.

✔ **Animales extintos,** como el uro y el búfalo antiguo, ancestros de algunas especies actuales. El primero fue un bóvido de grandes cuernos conocido como *Bos primigenius*. El segundo, un animal enorme con cuernos de más de 3 m. Fueron grabados hace 10 000 años.

La realidad de un paraíso en el Sahara hace unos 10 000 años parecía más que demostrada, por más que hoy sólo nos quede un tenue recuerdo de lo que fue. Me dijeron que en Zeliaf podría ver con mis propios ojos las huellas que dejó aquel paraíso, y no dudé en desviarme de mi ruta y visitar la zona. No es fácil imaginar el actual Sahara como un floreciente jardín, como tampoco lo fue acostumbrarse a la presencia de 21 lagos, perdidos y sujetos entre un océano de dunas. El agua es salada, y nace de una red de misteriosos manantiales subterráneos, que da a los lagos un transparente color turquesa.

Con sorpresa, descubrí en las aguas de aquellos lagos ejemplares de peces tropicales, del género *Chromys* en concreto. Peces que, por sus características y habitual distribución geográfica, no deberían estar ahí. Pero, si lo están, se debe a una sola razón: son los supervivientes de lo que un día, hace 12 000 años, fue un paraíso. El Sahara, en fin, nos grita desde los cuatro puntos cardinales que su pasado fue rico y esplendoroso. Entonces, ¿cómo se convirtió en el desolado paisaje que todos conocemos hoy?

Figura 7-2:
¿Jirafas en el Sahara? Wadi Mathendous, Libia

El parque se cierra

El proceso por el que aquel vergel desapareció fue tan lento y progresivo como el que convirtió aquel arenal en un jardín. Los expertos no terminan de ponerse de acuerdo, pero todo parece apuntar hacia una fatídica fecha, más o menos hace unos 8000 años. A partir de ese momento, todo volvió a cambiar otra vez. Los monzones perdieron fuerza y las lluvias se hicieron más esporádicas. Los ríos, antaño generosos, fueron secándose ante la desesperación de un mundo habituado al verdor y la abundancia.

Unos 2000 años después, el fantasma de la sed alcanzaría el territorio que hoy ocupa Egipto. Sólo las regiones del norte de África continuaron recibiendo la bendición de las lluvias; mientras, el resto del Sahara ya empezaba a parecerse a un desierto. Hace 5000 años el desastre ya era imparable. El caudaloso río Igargar se secó, y con él los grandes lagos del Erg Occidental, en la actual Argelia. Las lagunas se convirtieron en salinas. Los pueblos humanos que vivían de la caza y la agricultura, y que se habían acumulado en las riberas, empezaron a abandonar la zona. Dejaron como testimonios de aquel tiempo pasado miles de grabados como los que ya he descrito. Del jardín ya quedaba muy poco; los vientos abrasadores y la progresión de la arena se comieron la sabana y el manto vegetal desapareció.

El Sahara se convirtió definitivamente en un desierto hace unos 4500 años. Los poblados fueron abandonados, y los pozos, cegados. Una franja de 5000 km de largo, desde el Atlántico hasta el mar Rojo, y de 3000 de ancho, desde el Atlas al Sudán, fue engullida por el amarillo, el rojo y el negro. Sólo los vegetales xerófitos, especialmente adaptados a los climas secos, hundieron sus raíces en una tierra que nadie quería. El Sahara miraba al cielo, pero las lluvias se habían ido. Y así ha sido hasta la fecha presente, cuando no caen más de 100 mm^3 de precipitación al año.

Rumbo al Tassili

Gracias al viaje por Libia había podido comprobar con mis propios ojos las huellas de un pasado en el que el desierto cedió terreno y dio paso a un mar de vida. El Sahara era un paraíso habitado por vegetación de todas clases y por una variada fauna que convivía con asentamientos humanos prósperos y estables. Tras echar un vistazo a los grabados que así lo confirmaban, había llegado el momento de centrar mi atención en los antiguos pobladores de aquel vergel. Y, para reunir la información que necesitaba, ningún lugar mejor que el Tassili, al sur de Argelia, en cuyas montañas se esconden algunas de las mejores pinturas rupestres del mundo. Vivos retratos de las gentes que poblaron, hace miles de años, las tierras de un Sahara verde. Un conjunto pictórico que bien podría disputarle a Altamira el título de "la Capilla Sixtina del arte rupestre".

La puerta del infierno

Ante la dureza de la expedición que iba a comandar, tuve que prepararme a conciencia. Tras una pequeña parada técnica en Argel, me dirigí al Djanet, situada a unos 20 km de la meseta del Tassili. Se trata de una pequeña población, asediada por las sedientas arenas, donde pude encontrar todo lo necesario para emprender la marcha. Allí se concentran habitualmente las expediciones que pretenden visitar y estudiar las pinturas. En las oficinas del parque nacional se obtienen los correspondientes permisos y, en definitiva, se planifica el trabajo y los itinerarios.

Contraté al obligado guía y a los necesarios porteadores, y me abastecí de provisiones para un viaje de dos semanas. El Tassili es, hoy por hoy, un lugar al que no pueden llegar los vehículos a

Figura 7-3:
La meseta
del Tassili

motor. No hay carreteras ni pistas de ningún tipo. Sólo los drome-
darios y los asnos están capacitados para ascender por los abrup-
tos y empinados senderos. Sin embargo, los animales que encontré en Djanet sólo admitían llevar carga, y no personas. El viajero,
si quiere llegar a las cuevas donde se encuentran las pinturas, sólo
puede hacerlo a pie.

Entrar al desierto

El macizo del Tassili se encuentra al sudeste de Argelia, al norte
de Djanet, en pleno desierto del Sahara. Más que una línea de
montañas, consiste en una vastísima meseta que tiene una altura
de entre 1200 y 1500 m. La elevación máxima alcanza los 2254 m
en la cara sur. Te resumo sus características más distintivas a continuación.

- ✔ La meseta abarca una extensión de 350 000 km².

- ✔ Su nombre, Tassili N'Ajjer, significa "meseta de los Ajjer", los
tuareg del este.

- ✔ El Tassili recibe entre 20 y 30 mm³ de lluvia al año. Es una de
las zonas más secas del desierto del Sahara.

- ✔ El macizo está compuesto de arenisca, que tiene que soportar
la agresión de fuertes vientos.

- ✔ En la actualidad es un parque nacional.

- ✔ No hay vegetación, excepto un pequeño bosque de cipreses
milenarios en la región de Tamrit.

- ✔ La temperatura máxima en verano es de 42 °C. Las mínimas en
invierno rondan los 5 °C.

- ✔ La meseta está despoblada. Los últimos nómadas la abandonaron en 1975.

Al salir de Djanet no me podía imaginar que la expedición iba a ser
más dura de lo previsto, en especial la ascensión a la meseta. Durante más de seis horas, bajo temperaturas que sobrepasaban los
40 °C, tuvimos que hacer frente a una violenta inclinación del terreno y la agresividad de barrancos y desfiladeros.

El tortuoso camino nos obligaba a desviar constantemente la reata
de asnos. Los animales, bajo el peso de los fardos, caían una y otra
vez. El guía, que sabía a lo que iba, terminó dirigiéndolos por una

senda más larga y menos penosa. Aun así, dos de los asnos cayeron fulminados por el esfuerzo. Esa misma noche se los comerían los chacales.

Por último alcanzamos la cima y se abrió ante mí la meseta del Tassili. Una gigantesca plataforma de piedra azul y cobre, cuarteada por el calor y totalmente estéril. Una región tan grande como media Andalucía, y que alberga algunas de las mejores pinturas del Neolítico y del Paleolítico Superior. En total, unas 15 000. Evidentemente no disponíamos de tiempo para verlas todas, así que seguí los consejos de Ambes Hocine, el director del Parque Nacional del Tassili, que me recomendó no dejar de visitar tres localizaciones básicas: Jabbaren, Sefar y Tamrit.

Los pioneros del Tassili

El Sahara guarda en su seno una de las mejores colecciones mundiales de arte rupestre, que son testimonio directo de la riquísima vida que un día se dio cita en el desierto. El primer descubrimiento tuvo lugar en el Atlas, hacia 1847, cuando se encontraron algunas pinturas de tipo naturalista. En 1850 el explorador alemán H. Barth encontró los grabados de un cazador enmascarado y dos bueyes en el Messak libio. Por esas fechas, Henri Duveyrier menciona por primera vez los grabados de los akakus, en el sudoeste de Libia. Los carros de Anaï, pintados y grabados en las rocas, causan sensación entre los científicos.

Fernand Foureau descubrió las primeras pinturas del Tassili en 1892. Pero tuvieron que pasar unos cuantos años más, hasta 1932, para que un aventurero, el teniente coronel Burth d'Annelet, cruzara por fin la meseta. Ese mismo año, el etnólogo alemán Leo Frobenius tomó muestras de las pinturas por primera vez. Ya en 1935 se produjo la primera expedición en la que participó el naturalista Henri Lhote, que se convirtió en el principal divulgador de las singulares pinturas que esconden las cuevas del Tassili. En 1938, en una visita al yacimiento de Jabbaren, Lhote vio por primera vez los cabezas redondas. Después de buscar financiación durante años, en 1956 Lhote dirigió por fin dos expediciones al corazón del Tassili para hacer calcos de los frescos, lo que ocasionó gravísimos deterioros en las pinturas. A pesar de los daños, en 1958 se inauguró una gran exposición en París con los calcos de Lhote, quien dedicó el resto de su vida a difundirlas por todo el mundo.

Ya en lo alto de la meseta, los guías recomendaron plantar el campamento base cerca de Jabbaren, a unos 15 km de las pinturas, por cuestiones de logística y seguridad. Eso significaba que cada día, entre la ida y la vuelta, íbamos a andar un buen par de horas. Si quería estudiar las pinturas iba a tener que sudar la gota gorda. Iba a merecer la pena.

Frente a los gigantes

Antes de todo gran viaje resulta fundamental hacer otros más pequeños para preparar bien el terreno. En el caso que nos ocupa, antes de hacer las maletas y dirigirme hacia el sur de Argelia, me fui a París a visitar el Museo del Hombre. Allí se guardan unos 2000 calcos de las pinturas del Tassili, realizados a finales de la década de 1950 por el naturalista francés Henri Lhotte. Desgraciadamente, el trabajo de copia de Lhote se llevó por delante buena parte de los originales.

Para copiar los frescos, integrados básicamente por hierro, arcillas y esquistos, se frotaron con brochas y esponjas, eliminando así la capa de polvo natural que los protegía. Después, con el fin de reavivar los colores, Lhote los humedeció, lo que formó una capa blanquecina y opaca que precipitó sal y silicatos sobre las frágiles imágenes. Al final del proceso se había cargado los dibujos originales. Ya me habían advertido de que buena parte de las pinturas del Tassili estaban muy dañadas, y por eso decidí verlas primero en París. Allí observé los dibujos con toda nitidez y detalle, lo que me sirvió para tomar una buena cantidad de esbozos preparatorios.

El "Gran dios marciano" y sus 6 m de altura. El "dios con orantes" y los seres con escafandras. Individuos con los trajes hinchados… Lhote no dudó en bautizar con sugerentes nombres lo que vio. Me preguntaba si, ya en el Tassili, coincidiría lo dibujado por el francés con lo que habría en las paredes. Y aunque buena parte de los frescos mostraban señales del daño recibido, nada de lo que contemplé desmerecía en absoluto las expectativas creadas. Las pinturas respondían a lo calcado por Lhote; los cabezas redondas no eran ningún invento.

Me quedo sin palabras

Para la mayoría de científicos a quienes consulté antes de empezar el viaje, las pinturas del Tassili, los *cabezas redondas*, son sólo una misteriosa manifestación artística de los hombres del Neolítico: figuras con máscaras o deformaciones simbólicas del cuerpo humano. Llevaba esa idea en la cabeza, y estaba preparado para interpretar así los dibujos que me iba a encontrar. Pero la realidad dio al traste con mis prejuicios y rápidamente tuve que rendirme ante la evidencia.

Cuando el guía de la expedición se detuvo ante aquella gran pared y alzó la mano izquierda, me miró muy sonriente y anunció: "Los cabezas redondas". Y recuerdo que en aquel primer contacto con las pinturas me quedé mudo. Durante muchos minutos permanecí inmóvil junto a las pinturas, sin saber dónde mirar. ¿Qué representaban aquellas imágenes?

Después de treinta años en la investigación del fenómeno ovni, no puedo ni debo escudarme en rodeos, tapujos o paños calientes. Me gusta ser claro. Aquello que vi eran astronautas; seres no humanos llegados del espacio y que, evidentemente, necesitaban de escafandras para poder desenvolverse en nuestra atmósfera. Individuos llegados a la Tierra hace 9000 o 10000 años, quién sabe para qué.

Sé que muchos dudarán de mi aseveración, y que creerán imposible que aquellos hombres del Neolítico pintaran a sus extraterrestres visitantes en las paredes de una cueva. También sé que cualquier observador mínimamente informado y con una mente abierta pensará que mi teoría no es tan descabellada. A ambos grupos debo decirles que un pequeño detalle empezó a ratificar mis suposiciones. Una y otra vez conté los dedos de las manos de aquellos cabezas redondas. No cabía duda: tenían cuatro. En cambio, en los paneles próximos, que reflejaban escenas domésticas, de pastoreo o caza, los artistas siempre pintaron a hombres y mujeres con cinco dedos. ¿Por qué, entonces, un gigante con cuatro dedos?

Cuando observé con detalle las escenas domésticas a las que hacía referencia, me di cuenta del realismo de las imágenes. Aquellos artistas no inventaron ni se dejaron llevar por la imaginación. El trabajo es riguroso y casi perfecto: manos, pies, tocados, vestimentas, arcos, arreos… Todos son impecables y no les falta ni un detalle. Da la sensación de que aquellos hombres pintaban lo que veían. Entonces ¿por qué pensar que al dibujar los cabezas redondas los autores se dejaron llevar por la imaginación? ¿Por qué los arqueólogos siguen defendiendo que aquellos dibujos son simbólicos, cuando los contiguos no lo son? Para mí está claro. Si pintaron individuos con cascos, antenas, trajes, guantes y botas es porque así los vieron, y así los dibujaron.

Retrato de un cabeza redonda

Los cabezas redondas aparecen mezclados con otros individuos de aspecto totalmente humano; incluso comparten espacio con animales de diversas especies. Además del detalle de los dedos, muchos otros rasgos de los dibujos resaltaban las diferencias entre los cabezas redondas y sus colegas terrícolas.

✔ **Arrugas del traje.** Aparecen dibujadas con gran exactitud, en muchas de las pinturas de los cabezas redondas. Los hombres en cambio, van en taparrabos o completamente desnudos.

Figura 7-4:
Detalle de
un cabeza
redonda

✔ **Trajes de una pieza.** Conté más de cien figuras que llevan un traje de una pieza; un diseño totalmente insólito en la prehistoria. Los autores dibujaron incluso el detalle de la unión del casco con el traje, para dejarlo sellado herméticamente.

✔ **Escafandras.** El rasgo más distintivo de las pinturas son, claro está, sus cabezas redondas. Resultan idénticas a los casos usados por rusos y estadounidenses en su carrera espacial. Muestran la misma desproporción que la que nos ofrece un cuerpo con un casco en la cabeza.

✔ **Botas y guantes.** Las figuras también llevan botas y guantes... ¿Hace 9000 años? Los arqueólogos afirman que son "elementos rituales o religiosos", pero las figuras humanas no los llevan.

✔ **Ingravidez.** Algunos de los cabezas redondas, enfundados en sus trajes, parecen levitar en estado de ingravidez. Es muy posible que sus trajes les permitieran regular presión y gravedad, como hacen los de los astronautas.

Por más que me empeñé en encontrar una explicación lógica y racional a lo que estaba viendo, dentro de la estricta ortodoxia científica, no fui capaz de hallarla. Cuando pensaba en rituales tribales o religiosos como una posible hipótesis, no sabía explicar los dibujos que tenía ante mis ojos. No hay noticia de trajes o máscaras similares en toda la zona; tampoco se han encontrado restos que justifiquen la hipótesis "ritual". En cambio, si pensaba en unos astronautas, todo encajaba a la perfección. La contemplación de una nueva pintura apoyaba aún más mi teoría.

Abducciones prehistóricas

Se trata de una de las pinturas más célebres y significativas del Tassili que, lamentablemente, hoy se encuentra muy deteriorada por culpa de los calcos de Lhote. Está fechada hace 8000 o 9000 años, y podría titularse perfectamente *El secuestro* o *La abducción*. A partir de los dibujos del naturalista francés y de mi propia observación, puedo describirla como el vivo retrato de lo que tantas veces me han descrito como una abducción extraterrestre, el secuestro de un humano por parte de un alienígena.

En la pintura vemos a un ser con escafandra, a un cabeza redonda, que está ligado por un tubo a un objeto ovoide que descansa sobre el suelo. El objeto está perfectamente dibujado con una doble línea y muestra unas extrañas luces o llamaradas en su interior. El cabeza redonda porta algo a la espalda, que se parece mucho a las mochilas que llevan nuestros astronautas. Lo asombroso de la pintura es que este ser arrastra a cuatro mujeres desnudas —el detalle no deja duda— hacia el interior del objeto ovoide. Las mujeres, por su tipo, parecen ser de raza negra, y una de ellas lleva a un niño en brazos.

Ya me perdonarás, pero yo no sé interpretarlo de otra manera. Veo a un cabeza redonda, vestido con un traje espacial, unido por un tubo a su nave. Arrastra hacia ella a cuatro mujeres de distintas edades, que parecen mostrar una cierta resistencia a entrar. Una descripción que encaja a la perfección con los relatos que he oído de abducciones extraterrestres. Si aún quedaba alguna duda del origen no humano de los cabezas redondas, esta pintura acaba por despejarla. Por eso recomiendo a los más escépticos que sigan leyendo.

El Gran dios marciano

Quizá la imagen más simbólica de entre todas las que se encuentran en la meseta sea la llamada el "Gran dios marciano", situada en Jabbaren. Cuando el guía me llevó ante él, una profunda decepción me invadió por dentro: la gran pintura, de 6 m de altura, estaba casi destruida. Sólo quedaba parte de la escafandra y algunas líneas que insinuaban sus anchos y poderosos hombros. De nuevo, Lhote y su fatídico calco de las pinturas.

Al margen de esta triste realidad, el examen de la imponente figura, que llevé a cabo sobre la misma pintura y a partir de los calcos de Lhote *el destructor*, vino a ratificar cuanto he expuesto. Aquí, de nuevo, aparecen las arrugas, perfectamente trazadas sobre el tórax. También el perfil del traje, hinchado y de una sola pieza, y la perfecta unión con el casco; un sistema de enganche que el artista subrayó con cinco líneas. A todas luces, parece la representación de un ser de gran talla que impresionó y aterrorizó a los hombres prehistóricos. No en vano, Jabbaren significa "gigante".

Pero el "Gran dios marciano" no es el único gigante que aparece pintado en el Tassili. A pocos kilómetros, en Sefar, se encuentra otra pintura igualmente emblemática, aunque menos conocida: el "dios con orantes". Dos secuencias de ella me fascinaron especialmente.

Figura 7-5:
El dios con
orantes

Primero, el dios en sí, y luego, unos cabezas redondas que aparecen
a su lado.

El primero tiene una altura similar al "Gran dios marciano", pero
muestra unas protuberancias a la altura de los codos. ¿Se trata
de cuatro brazos o de adornos rituales? ¿Qué clase de mitología reconoce a un ser como el "dios con orantes"? ¿No estarían
pintando aquellos hombres lo que veían, como en las escenas
domésticas o de caza? A su lado, el cabeza redonda lleva su habitual traje, cinturón, casco, y se encuentra en una posición horizontal, como si estuviera en ingravidez. Asimismo, el cierre de
los guantes sobre las muñecas es de una exactitud asombrosa,
como las arrugas que aparecen en el brazo izquierdo. ¿Podían
controlar la gravedad los cabezas redondas, y eso explicaría su
posición en esta pintura?

Sé que estoy entrando en el terreno de la especulación, porque
no hay forma humana de adivinar qué intentaban representar las
figuras del Tassili. Nos encontramos en la prehistoria, antes de que
existiera ninguna fuente escrita, y los hallazgos arqueológicos encontrados en la zona tampoco aportan pista alguna que nos ayude
a descifrar los frescos. La única certeza que tenemos sobre las pin-

turas hace referencia a la fecha en que se realizaron; ahí la ciencia sí tiene una respuesta.

Antigüedad garantizada

Durante mi estancia en Argelia visité a varios arqueólogos expertos en la región, y todos coincidieron en afirmar que las pinturas de los cabezas redondas son las más antiguas de la zona. Estas pinturas aparecen siempre con una pigmentación más pálida y desgastada que las de los frescos más recientes. Además, gracias a la espesura de los pigmentos y a su composición orgánica, han podido datarse siguiendo la técnica del carbono-14.

Los pigmentos utilizados para realizar las pinturas estaban compuestos de hematita (el rojo), goetita (el amarillo), partículas arcillosas (silicatos de aluminio), óxidos de hierro (el ocre), yeso y anhidrita (el blanco), negro de origen animal y caseína de la leche. Estos materiales se reducían a polvo y diluían en agua utilizando, quizá, leche, sangre o clara de huevo como materiales aglutinantes. Los artistas conseguían así una materia pegajosa que se adhería a la pared con facilidad.

Figura 7-6:
¿Medusas
voladoras?

Gracias a la composición de los pigmentos, el carbono-14 pudo determinar que las pinturas de los cabezas redondas se remontan a hace 9000 años, en plena época del Sahara verde. Sin la presencia de la leche y de otras proteínas de origen animal, habría sido del todo imposible hacer la datación. Esa fecha es el único dato científico que tenemos sobre las pinturas del Tassili. Sabemos cuándo y cómo se hicieron, pero no sabemos qué representan; son un mundo aparte dentro del arte rupestre. La postura de la ciencia, que habla de rituales religiosos o tribales, ya ha quedado clara. Quizá sea ya el momento de que escuches mi opinión.

Lo que ven mis ojos

Sé que la ciencia sonreirá burlona, pero, cuando las pruebas son tan abrumadoras, su tradicional escepticismo no me importa lo más mínimo. Yo pienso que, en pleno Sahara verde, hace 9000 años, una o varias civilizaciones no humanas tomaron el centro del jardín, en el corazón del Sahara, como base de operaciones. En aquella época, el desierto no era un arenal, sino posiblemente la zona más templada y fértil del planeta.

Escafandras, antenas, trajes hinchados, botas, guantes y naves posadas en tierra son testimonios demoledores para los que conservan la mente abierta. Es muy posible que esos hombres del Neolítico, cuya civilización era aún muy básica y limitada, tomaran por dioses a aquellos seres; de ahí los enormes tamaños de las pinturas que los representan.

No sabemos cuánto tiempo estuvieron los cabezas redondas en la Tierra, ni cuál fue la intención de su visita. Lo único que sí podemos afirmar es que, hace unos 4500 años, con la desertización, tanto los cabezas redondas como las etnias humanas que vivían en el Sahara emigraron. Los primeros, a un destino desconocido, lejos quizá de nuestro planeta. Los segundos emprendieron una migración que los llevó hacia los extremos del desierto, al norte y al sur; incluso más allá de las costas de África. Un ejemplo podrían ser los guanches, pobladores originales de las islas Canarias, que tienen su origen genético en los pueblos del Sahara y del norte de África.

Así pues, ¿rituales religiosos y posibles bailes tribales? ¿O, por el contrario, visitas de extraterrestres y abducciones hace 9000 años? Me he limitado a presentarte los hechos, tal y como los he contemplado con mis propios ojos. Visto lo visto, a mí no me quedan dudas. A partir de aquí, eres sólo tú quien decide.

Parte III
Cuestión de fe

—¡OOOPS! ¡LO QUE SE VA A REÍR CUANDO LE CUENTE COMO
TENÍA YO COGIDO EL PAPEL CON EL BOCETO DE SU TATUAJE!

En esta parte...

Cada uno es libre de creer en la idea de Dios o de no hacerlo. Hay quien piensa que fueron los hombres quienes inventaron a Dios, mientras que otros creen lo contrario, que fue Dios quien nos puso sobre la Tierra. De cualquier modo, lo que resulta innegable es la huella que las grandes religiones han dejado sobre el mundo, hasta el punto de regir el día a día de millones de personas. Aunque las religiones se sustentan en un conjunto de creencias irracionales, la fe, cada una de las grandes tradiciones del mundo está plagada de mitos, reliquias y relatos que se empeñan en probar la existencia real de sus grandes misterios y personajes. ¿Realmente Jesús de Nazaret vivió en Palestina? ¿Resucitó de entre los muertos? ¿Qué poder esconde el Grial? En esa frontera entre el mito y la realidad es donde habitan los enigmas religiosos, el territorio que vas a explorar en las próximas páginas.

Capítulo 8

La Sábana Santa

No concibo ninguna forma de empezar esta parte que no pase por tratar uno de los mayores misterios científicos de nuestro tiempo, que aúna como pocos el mito, la tradición religiosa y la modernidad. Un enigma que se cruzó en mi camino en 1975, en medio del frenesí de los comienzos, y al que me he quedado enganchado sin remedio. Un misterio que, a nivel personal, me ha permitido redescubrir la figura de Jesús de Nazaret.

Llevo treinta y cinco años estudiando la Síndone de Turín y, en ese dilatado tiempo, tras acumular cientos de datos, he llegado a la íntima conclusión de que el famoso lienzo de lino no sólo es auténtico, sino que, sobre todo, contiene la imagen de Jesús de Nazaret. Sé que los más escépticos pondrán en duda mi afirmación. Seguramente estarán pensando en que los análisis de carbono-14, realizados en 1988, determinaron el origen medieval de la tela al datarla entre los años 1260 y 1390. Según el radiocarbono, es imposible que la Síndone sea auténtica.

Pero los análisis de carbono-14 no han sido los únicos realizados sobre la tela. El resto de estudios y análisis corroboran la teoría de que la Sábana Santa es auténtica, con una precisión y exactitud tales que ponen en duda la eficacia del radiocarbono. Esta técnica, como hemos visto en el capítulo 3, no es infalible, sobre todo cuando la muestra está contaminada. Más allá de los análisis científicos y de las pruebas, acercarse a la Síndone es también acercarse a la figura de Jesús de Nazaret y al misterio de su pasión y muerte. Un relato que empieza hace casi 2000 años, en la capital de Tierra Santa, Jerusalén.

Historia de una tela errante

Para aquellos que no estén muy versados en historia religiosa, recordaré que Jesús de Nazaret, según nos dicen los evangelios, fue apresado por los soldados romanos después de celebrarse la Última Cena. Y no porque Jesús se hubiera enfrentado directamente a la autoridad de Roma, que en aquellos tiempos era la dueña y señora de Judea, sino más bien porque los sacerdotes judíos, el poder establecido, temían la creciente popularidad del nazareno entre los fieles. Temerosos de perder la influencia que tenían sobre la población, los sacerdotes del templo presionaron a Poncio Pilato, el gobernador romano, para que apresara a Jesús.

El gobernador, tras lavarse las manos y acatar el criterio de los sacerdotes, dio la orden de crucificar a Jesús en el Calvario. Antes había sometido a Jesús a innumerables torturas, con la intención de contentar a los principales judíos y evitar la crucifixión del reo. Sin embargo, los sacerdotes del templo no se conformaron con los azotes y las humillaciones, y no dejaron de presionar a Pilato hasta conseguir de él la condena a muerte de Jesús. En ese momento se inició el misterio de la pasión y muerte de Jesús; punto de arranque de una historia que tiene a un lienzo de lino como invitado muy especial. Empecemos.

Abandonada en una cueva

Nuestra historia arranca, por lo tanto, con la ejecución de un hombre. Un condenado que fue torturado y azotado; que tuvo que cargar con un pesado madero hasta el lugar de su muerte; que fue clavado de muñecas y pies en una cruz, hasta fallecer asfixiado, y que, por último, fue sepultado siguiendo la tradición judía, la religión a la que Jesús de Nazaret pertenecía. Dicha tradición ordenaba que se envolviera a los fallecidos en una tela antes de sepultarlos. Un lienzo de lino que cubría al muerto en su totalidad, por delante y por detrás.

El proceso se celebró a toda velocidad. La tradición judía obliga a dar sepultura a los muertos enseguida, para no contaminar la tierra. Así que José de Arimatea, un judío noble que se contaba entre los seguidores de Jesús, reclamó el cuerpo y procedió a su entierro. Tal y como se hacía con los criminales, suicidas y otros proscritos, el cuerpo no fue lavado, perfumado ni vestido. Se dejó tal cual, simplemente envuelto en una sábana, y se sepultó en una cueva apartada y poco conocida, para así evitar saqueos, actos de venganza o la peregrinación de sus seguidores.

Y, en ese momento, al poco de morir, un fenómeno singular y extraordinario acaeció en la oscuridad de aquella cueva. En aquel lienzo, por unas razones que se nos escapan, quedó dibujada la imagen de un hombre muerto, dando vida a la Sábana Santa. Los creyentes relacionan ese acontecimiento con la resurrección; quienes no lo son, aún hoy no encuentran explicación. Sea como sea, la imagen de un hombre de notable talla y cabellos largos queda grabada en un lienzo de lino de 4,37 m de largo y 1,1 m de ancho. Y, a partir de ahí, empieza el misterio.

Figura 8-1:
Cuando murió envolvieron a Jesus en una tela

Según los evangelios, Jesús abandonó el sepulcro al tercer día de su muerte. Y, evidentemente, no se llevó la sábana consigo. El lienzo se quedó en el sepulcro, donde —según la descripción del Evangelio de San Juan— lo encontraron las mujeres que habían ido a adecentar la sepultura. Sorprendidas al no encontrar el cuerpo, salieron corriendo a dar la buena nueva, sin reparar en el valor que tenían las vendas allí abandonadas.

A partir de aquí, el rastro de la Síndone se pierde y empieza un sinfín de rumores y leyendas. Eusebio de Cesarea, por ejemplo, insinúa que la sábana fue sacada de Jerusalén antes del asedio de las legiones romanas de Tito. Los responsables de la mudanza fueron un grupo de cristianos, que la habrían ocultado en la ciudad de Pella, al este del Jordán. Otros rumores nos llevan, en cambio, en otra dirección: hacia la antigua ciudad de Edesa.

Por la puerta de atrás

Los evangelios apócrifos, aquellos no reconocidos por la Iglesia, ofrecen una versión distinta de la que sugiere Eusebio de Cesarea. Hablan de un rey sirio, Abgar, que estaba enfermo de lepra y que, al saber de los milagros de Jesús, le rogó que lo curase. En una más que supuesta carta, Jesús respondió anunciándole que, una vez cumplida su misión, enviaría a Edesa (hoy la ciudad turca de Urfa) a uno de sus discípulos para sanarlo. La tradición asegura que Abgar, al envolverse en la Sábana Santa, quedó curado.

Al margen de esta improbable leyenda, lo que parece más seguro es que el lienzo saliera de Jerusalén por simples razones de seguridad. La ley judía prohíbe el contacto con cadáveres o restos funerarios, como la Sábana Santa, así que es muy posible que los primeros cristianos lo sacaran de Israel. Si los judíos la hubieran encontrado, la habrían quemado. Así que, según muchos expertos, la Síndone salió de Israel con destino a algún lugar del Asia Menor. Y la ciudad de Edesa fue la escogida, quién sabe si gracias a las simpatías del rey Abgar.

Tras la muerte del rey, uno de sus hijos se hizo con el poder. Pero, a diferencia de su padre, no era cristiano; más bien le iban la superstición y el paganismo. Así que, ante el peligro que acechaba a la tela, los cristianos de Edesa la escondieron en el interior de la muralla, sobre la puerta occidental. Y después, durante siglos, el silencio. No hay noticias de la sábana.

La otra Sábana Santa

Según la tradición cristiana, durante el ascenso al monte Calvario y mientras Jesús de Nazaret portaba la cruz, una mujer llamada Verónica se acercó a él y enjugó la sangre de su rostro en un pañuelo. Ese paño manchado de sangre y sudor se quedó grabado con la imagen de Jesús, y se convirtió en una reliquia sagrada y codiciada en toda la cristiandad... hasta el punto de que varias ciudades reclaman hoy que son las verdaderas guardianas de la tela, entre ellas Roma, París, Jaén y Alicante.

Pero lo cierto es que Verónica nunca existió. Ese nombre de mujer está compuesto por las palabras latinas *vera* e *icon,* lo que se podría traducir por "verdadera imagen". Por lo tanto, y según el criterio de este investigador, la tradición cristiana se inventó la existencia de Verónica para reforzar la creencia en el origen divino de aquel rostro, muy parecido al de la Síndone.

Hasta el año 525, momento en el que nos encontramos con una nueva pista. Cuentan las crónicas que, en esa fecha, Eulalio, obispo de Edesa, tuvo un sueño. En él, una mujer le señaló el lugar donde se hallaba escondida la tela. Al retirar los ladrillos de la muralla, el obispo, en efecto, encontró el lienzo. Desde entonces, la imagen se expuso y veneró en Edesa... aunque sólo se mostraba la parte de la cabeza. La tela recibió el nombre de *mandilion*, y permaneció en Edesa durante cuatrocientos años. Su fama llegó hasta los últimos confines de la cristiandad. Y ya se sabe que en cuanto un objeto gana fama y prestigio son muchos los que lo codician.

Escala en Constantinopla

Así, en 944, el supersticioso emperador de Bizancio, Romano I Lecapeno, decidió que el *mandilion* iba a ser para él, porque suponía que así obtendría la protección divina. En vez de enviar a un correo para negociar la venta de la reliquia, Lecapeno envió sus ejércitos hacia Edesa con la misión de obtener la tela a cualquier precio. Tras días de asedio, Edesa se rindió y el *mandilion* entró triunfante en Constantinopla el 16 de agosto del año 944.

La tela fue expuesta en la iglesia de Santa María de Blanquernas, donde se podía contemplar todos los viernes. Gracias a los textos de Robert de Clari, soldado y cronista de la mal llamada IV Cruzada, sabemos de la veracidad de esta afirmación: "Había en Constantinopla, entre otros, un monasterio que se llamaba de Nuestra Señora Santa María de Blanquernas, donde se conservaban las Síndones en que Nuestro Señor fue envuelto [...] que cada viernes se mostraba vertical, de modo que se podía ver bien la figura de Nuestro Señor". Parece más claro que el agua.

Por desgracia, de nuevo la guerra y el fanatismo religioso importunaron el tranquilo descanso de la Síndone. En la noche del 9 al 10 de abril de 1204, los cruzados atacaron Constantinopla. La ciudad ardió y la Síndone desapareció, sin que sepamos a ciencia cierta cuál fue su nuevo destino ni quiénes fueron sus nuevos propietarios. Sin embargo, todo señala a una mítica orden religiosa y militar, una protagonista habitual en la mayoría de enigmas cristianos.

La conexión templaria

No es ningún secreto que la Orden del Temple, compuesta por una casta de monjes soldado, se fundó, entre otras razones, para tratar de reconquistar Tierra Santa y, sobre todo, para poner a salvo determinados símbolos y objetos religiosos. Entre los más importantes, el cáliz de la Última Cena —el Grial—, el arca de la Alianza y, en especial, la Sábana Santa. Los caballeros templarios disponían de información privilegiada y, mientras conquistaban las ciudades santas, se dedicaban a peinar cada rincón en búsqueda de esas reliquias sagradas.

Según mi opinión, los templarios jamás encontraron el Grial ni el Arca de la Alianza, pero sí dieron con la Sábana Santa, guardada en un monasterio de Constantinopla. Y se sabe con certeza que todas las reliquias reunidas por los templarios se llevaron a la fortaleza de San Juan de Acre, en la costa norte del actual Israel, hasta el año 1291, momento en el que los templarios tuvieron que salir pitando ante la llegada de los musulmanes. Desde ahí los templarios viajaron a Chipre, Marsella, Besançon y París. ¿Siguió la Síndone el mismo recorrido que el de sus nuevos propietarios? Es muy posible.

Uno de los argumentos que apunta a los templarios como los custodios de la tela durante 145 años es la acusación, por parte del Vaticano, de que veneraban a un extraño rostro llamado *Bafumet*.

Era un rostro que se parecía enormemente al de la Sábana Santa… La posesión de la tela sería, entre otras razones, la causa de la persecución y encarcelamiento de los miembros de la poderosa orden. Así, en la noche del 6 de octubre de 1307, pocas horas antes de su detención, un carro abandonaba la fortaleza del Temple, en las afueras de París. La lluvia apretaba, y el hombre que llevaba el carro se protegía con una sábana. Los soldados de Felipe IV registraron la carga de paja, pero no encontraron nada. La Síndone, que protegía de la lluvia al conductor, pasó desapercibida y puesta a buen recaudo.

Moneda de cambio

Siete años después de la caída de la cúpula templaria, en 1314, se quemó vivos a sus principales dirigentes en una pequeña isla del Sena. Sin embargo, la Sábana Santa siguió sin aparecer… hasta 1349, cuando el señor de Lirey, llamado Godofredo, sacó a la luz el lienzo del hombre muerto. La Sábana, por fin, volvió a exponerse al público en la colegiata de Lirey.

Sin embargo, su peregrinaje no acabó allí. En 1415, Margarita de Charnay, nieta de Godofredo, retiró la Síndone de la colegiata

Figura 8-2:
Caballero
cruzado con
la Síndone

de Lirey y se la llevó al castillo de Saint Hippolyte. ¿El motivo? Los constantes saqueos y pillajes que había generado la guerra de los Cien Años. Pero cuando Margarita se quedó viuda, la falta de recursos la empujó a exhibir la Sábana a cambio de algún dinero.

Pero, con el dinero obtenido, Margarita no consiguió saldar sus deudas y no tuvo más remedio que vender el lienzo a la casa de Saboya. El 22 de marzo de 1453 se firmó en Ginebra el correspondiente contrato. A cambio, Luis I, duque de Saboya, le entregó a Margarita el castillo de Varambon y las rentas del señorío de Miribel, cerca de Lyon. A partir de ese momento, y hasta 1983, la Síndone fue propiedad de los Saboya. El 18 de marzo de ese año los herederos de Humberto II de Saboya, antiguo rey de Italia, entregaron la Sábana al Vaticano.

Salvada por los pelos

A pesar de que la Sábana, después de años de peregrinaje, había encontrado por fin a unos propietarios legales, la casa de Saboya, la tela no encontraría un lugar de reposo definitivo hasta mucho después. Tras el contrato de venta, la Síndone se guardó en la capilla de Chambéry, donde sufrió un terrible incendio. En la noche del 3 al 4 de diciembre de 1532, las campanas de la capilla avisaron del fuego, al parecer provocado por los calvinistas, y a la Síndone le faltó poco para acabar convertida en cenizas.

La urna de plata que contenía la Sábana se salvó en el último momento, pero las altas temperaturas provocaron que el metal se fundiera y traspasase los 48 pliegues en los que se hallaba doblado el lienzo. El agua que se empleó para enfriar la urna impregnó parte de la sábana, y formó unos rombos que se repiten simétricamente a lo largo de la imagen. Por suerte, la catástrofe sólo lastima los laterales de la imagen. Las monjas clarisas de Chambéry remendaron los desperfectos, siempre de rodillas, y cosieron un forro en la parte posterior del lienzo. La Sábana Santa se salvó... pero aún no había encontrado reposo. Un acontecimiento sorprendente cerró por fin el deambular de la tela.

En 1578 se declaró una epidemia de peste en Milán. San Carlos Borromeo, entonces cardenal de la ciudad, hizo una solemne promesa: si desaparecía la peste, caminaría hasta Chambéry y se arrodillaría ante la Síndone. En efecto, la epidemia remitió y el cardenal se dispuso a cumplir su promesa. Pero al final se ahorró el viaje... La casa de Saboya se apiadó del pobre cardenal y, para evitar que cruzase los Alpes a pie, trasladó la Sábana a mitad de camino entre Milán y Chambéry. ¿Y qué quedó en medio de ambas ciudades? Exacto, la actual morada de la Sábana Santa, la catedral de Turín. Al fin, en 1578 la tela llegó a Turín y, en 1694, se guardó en un capilla diseñada a tal efecto. Y allí ha permanecido hasta nuestros días.

Lo que nos cuenta la Sábana

Si la Sábana Santa contiene el retrato de Jesús de Nazaret poco después de su muerte, un estudio minucioso de los detalles de la tela nos va a revelar mucho sobre las características físicas del hijo de Dios y sobre cómo se produjo su fallecimiento. En octubre de 1978, un nutrido grupo de científicos de la NASA, la agencia espacial estadounidense, tuvo acceso a la Síndone con el fin de someter la tela a una minuciosa y amplísima batería de experimentos. Fue el llamado proyecto STURP, y sus resultados impresionaron a los especialistas. Veamos algunos de ellos.

El hombre de la Síndone

Los primeros estudios se dedicaron a detallar la apariencia física del hombre que aparece en la tela. Todos los investigadores, incluso aquellos que no formaban parte del proyecto STURP, llegaron a la conclusión de que aquel hombre era un verdadero atleta. Esto es lo que descubrieron al medir sus proporciones.

✔ La altura de aquel hombre era de 1,81 m.

✔ El perímetro de la caja torácica, medido a la altura del gran pectoral, es de 99 cm.

✔ La longitud de las piernas, desde el talón a la cadera, es de 94 cm.

✔ Extremidades superiores: 82 cm de longitud

✔ Anchura de los hombros: 45 cm

✔ Perímetro máximo de las rodillas: 42 cm

✔ Peso total, alrededor de los 80 kg

✔ Rostro estrecho, de rasgos semíticos

✔ Raza blanca

✔ Tipo mesocéfalo

En resumen, un ejemplar humano proporcionado, que gozaba de una óptima salud y que podía hacer gala de una extraordinaria belleza. Además, su fisonomía encaja a la perfección con los rasgos étnicos propios de la región de Palestina.

Tras este primer vistazo a la tela, los investigadores apreciaron dos detalles de interés. El primero, que la tela no mostraba signo alguno de putrefacción. El segundo, que la imagen no estaba compuesta de pintura ni de ningún otro tipo de pigmento; sólo un análisis más profundo del lienzo podría revelar su naturaleza.

Análisis de sangre

Los científicos del programa STURP empezaron con el estudio de los numerosos coágulos que pueden apreciarse en la tela. Una serie de manchas y reguerillos de sangre que se ven a simple vista. Lo primero que llamó la atención a los investigadores fue el impecable estado de dichas manchas, con los bordes perfectamente definidos

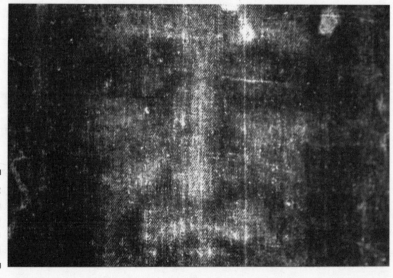

Figura 8-3:
El hombre
de la
Sábana
Santa

y sin roturas. Pero los datos de interés empezaron a llegar cuando se analizó su bioquímica.

Al introducir un escáner entre la tela y el forro cosido por las monjas de Chambéry, se observó que la sangre había penetrado también en el reverso del lienzo. Al analizarla descubrieron que se trataba de sangre humana del grupo AB, un tipo muy común entre los judíos. Los análisis fueron más allá, y determinaron que en el lienzo había presencia de sangre venosa y arterial, así como albúmina del suero sanguíneo.

La presencia de sangre venosa y arterial corrobora la hipótesis de que aquel hombre envuelto en la sábana tenía heridas por todo el cuerpo, que mancharon la tela de forma desordenada. Si un falsificador hubiera decidido manchar la sábana para darle más realismo, habría usado sangre extraída de una vena o de una arteria, pero no de ambas… Sobre todo porque los dos tipos de circulación sanguínea no fueron descubiertos hasta el siglo XVI, por Miguel Servet, lo que le valió, por cierto, una condena a la hoguera.

En cuanto a las heridas que presenta el hombre de la tela, todas se corresponden con lo que describe la tradición cristiana. Esto es lo que vieron los hombres de la NASA:

✔ El cadáver muestra signos de hematidrosis, es decir, que el cuerpo sudó sangre; muy probablemente por el estrés extremo al que lo sometieron.

✔ El rostro muestra un fuerte bastonazo, que le hundió la nariz. Según la tradición, Jesús recibió una bofetada durante el interrogatorio en casa de Anás. Pudo ser muy bien un golpe dado con bastón.

✔ Muestra las señales de entre 120 y 200 azotes. Por su disposición, dos fueron los verdugos que lo flagelaron, utilizando látigos con bolas de plomo.

✔ La cabeza muestra las heridas de la corona de espinas, algunas con una longitud de 6 cm.

✔ Hombros y omóplatos aparecen escaldados por la fricción. La carga de la cruz habría podido provocar dichas heridas.

✔ En las rodillas, encontraron rastros de sangre y aragonito, uno de los componentes de la tierra típica de Jerusalén. Las tres caídas de Jesús en su camino al Calvario explicarían la presencia del depósito.

Figura 8-4: Izquierda, negativo de la sábana. En él aparece la huella de la lanzada, en el costado derecho (izquierdo en la imagen)

✔ Hay dientes rotos, resultado de las caídas y los puñetazos de los soldados.

✔ Las muñecas fueron atravesadas por clavos de hierro de entre 20 y 25 cm de longitud, que provocaron la contracción de los pulgares. El clavo de la mano derecha fue sacado y vuelto a clavar.

✔ Un solo clavo penetró los pies y los unió a la madera. La pierna izquierda quedó flexionada, y el *rigor mortis* provocó que fuera imposible volver a estirarla. Así aparece en la Síndone.

✔ Tiene una herida de lanza en el costado derecho. Según los médicos, y tal como apuntan los evangelios, el hombre ya estaba muerto cuando recibió la lanzada. El reguero de sangre que brota de la herida certifica que el fallecimiento se había producido hacía apenas unos minutos.

Por lo que vemos, del estudio de la sangre y las heridas no podemos extraer ninguna prueba contraria a la hipótesis de que la imagen de la Síndone es la de Jesús de Nazaret. Si un falsificador hubiera sido el autor de la tela, hay que reconocer que su conocimiento de la Pasión de Jesús era profundo y detallado. Incluso pensó en los detalles casi irrelevantes como los dientes, las rodillas o el contenido reguero de sangre que provocó la lanzada. ¿Un falsificador excelente, o quizá demasiados detalles para tratarse de un fraude?

Grabado en las fibras

Tras asegurar que la sangre impregnada en la tela era humana, del tipo AB, y surgida de múltiples heridas, los investigadores de la NASA centraron su atención en el estudio de los hilos. Y, de nuevo, se encontraron con varias sorpresas. El tejido de la Síndone está compuesto de hilo de lino, que a su vez está formado por unas 200 fibras. Pues bien, de esas 200 fibras, sólo dos o tres, las más superficiales, aparecen chamuscadas y son, por lo tanto, las responsables de la formación de la imagen.

En un primer momento los científicos atribuyeron el abrasamiento de las hebras superficiales a una radiación misteriosa y desconocida. Sólo una energía intensa y muy breve podía explicar una imagen de estas características. Después, al examinar las fibras en el microscopio, se percataron de algo mucho más sutil. Las hebras, en realidad, no estaban quemadas, sino que parecían deshidratadas, como si hubieran sido envejecidas y oxidadas en centésimas de segundo. En resumen, se había vuelto amarillas, tal y como hace el lino por la acción del paso del tiempo.

Sin embargo, el resto de las fibras conservan la frescura original y un color más claro, propios de un lino que no ha sido envejecido con métodos artificiales. Lo que los ojos aprecian en la Síndone, por lo tanto, no es otra cosa que un cambio de tonalidad en las referidas fibras. Así, la imagen de la Sábana Santa tiene su origen en un singular mecanismo de envejecimiento. Algo aceleró la descomposición del lino, que se volvió viejo en centésimas de segundo. ¿Cómo poder hacerlo, y sólo en dos o tres fibras de cada uno de los hilos? La pregunta, de momento, no tiene respuesta.

Más hallazgos inexplicables

El descubrimiento de la extraña deshidratación y envejecimiento del lino rompió los esquemas de muchos de los científicos del proyecto STURP, pero estas sorpresas no serían las únicas que encontrarían mientras trabajaban sobre la tela. Al realizar una tomografía de la imagen descubrieron que la impresión de la tela era tridimensional. Al contrario de lo que ocurre con una fotografía normal, la imagen de la Síndone conservaba una notable cantidad de información subterránea, que sólo se puede detectar al ser escaneada por ordenador.

La imagen, por lo tanto, no era plana. La intensidad lumínica de cada punto era distinta y dependía de la distancia del cuerpo al lienzo; así, las zonas del cadáver que tocaban la tela, como por ejemplo la nariz, disfrutaban de un brillo superior a las que se hallaban más alejadas del cuerpo. El hallazgo fue tan asombroso que los investigadores de la NASA repitieron el experimento una y otra vez, utilizando incluso voluntarios envueltos en sábanas.

En el transcurso de estas pruebas, Jackson y Jumper, dos de los investigadores, descubrieron otro detalle singular. Al examinar las espaldas de hombre muerto comprobaron que los músculos deltoides y dorsales aparecían extrañamente abombados. Lo lógico es que se hubieran presentado totalmente aplastados, como consecuencia de la presión del cuerpo sobre la losa del sepulcro. Este hallazgo llevó a los científicos a la siguiente deducción: durante el proceso de formación de la imagen, el cadáver tuvo que permanecer ingrávido, suspendido en el aire. Otro misterio que los científicos no supieron cómo explicar, pero que no sería el último.

Un detalle a cara o cruz

Mientras Jackson y Jumper analizaban la tela, pudieron notar sobre los ojos del hombre la forma de dos círculos. Al poco tiempo, el padre Filas, un jesuita estadounidense, descubrió que las letras que se podían leer en uno de los círculos —en concreto, "UCAI"— eran idénticas a las que presentan los leptones, unas pequeñas monedas de bronce de 2 g de peso y 15 mm de diámetro. Unas monedas acuñadas por Poncio Pilato en la provincia romana de Judea entre los años 29 y 32. "UCAI", las letras que se podían leer, formaban parte de la leyenda de *Tiberiou Caisaros*, es decir, "de Tiberio César", el emperador que gobernaba en el año 30, fecha de la muerte de Jesús de Nazaret.

Este hallazgo certificaba que la Sábana Santa fue utilizada en el siglo I para envolver el cadáver de un hombre ajusticiado, al que le cerraron los párpados según el ritual judío. ¿Cómo podía saber un falsificador medieval que el hombre de la Sábana había fallecido entre los años 29 y 32? La fecha de la crucifixión de Jesús, el 7 de abril del año 30, fue establecida definitivamente por exégetas e historiadores en el siglo XX.

La Síndone a juicio

A la vista de todos estos descubrimientos, nadie mínimamente bienintencionado debería dudar del auténtico origen de la Sábana Santa de Turín. Aun así, en septiembre de 1988 una noticia conmocionó al mundo: dos laboratorios europeos y otro estadounidense dieron a conocer el resultado de sus análisis sobre una muestra de la Síndone. En concreto, su trabajo consistió en datar la tela a partir de la técnica del carbono-14 —echa un vistazo al capítulo 3—, un método válido para fechar objetos de origen orgánico, como una tela de lino.

El dictamen del carbono-14

Según los análisis realizados mediante la técnica del radiocarbono, el tejido de la Sábana Santa era de origen medieval, y se confeccionó entre los años 1260 y 1390. Este dato sólo podía significar que la imagen del hombre muerto era una falsificación. Los periódicos de todo el mundo propagaron el hallazgo desde sus primeras páginas, mientras que los informativos de radio y televisión abrían sus espacios con la noticia.

De inmediato, otros científicos reaccionaron. Se puso en tela de juicio la precisión del carbono-14, porque se contaron hasta 26 irregularidades en los procesos de datación efectuados por los tres laboratorios. El profesor Tite, director del laboratorio de investigación científica del Museo Británico y coordinador de los análisis, reconoció que el resultado no tenía por qué ser exacto.

Por un lado, el accidentado itinerario que había sufrido la tela, incendio incluido, habría podido provocar que el tejido estuviera contaminado por miles de partículas orgánicas de un origen más reciente. El más frecuente de los problemas que suelen provocar errores en la prueba es sin lugar a dudas la contaminación de la muestra. Por otro, hay que apuntar que los análisis no tuvieron en cuenta algo importante. Y es que es más que probable que el misterioso fenómeno que había originado la imagen, calificado como "una radiación", hubiera alterado las proporciones del isótopo del carbono presentes en la tela. Así, la datación estaría distorsionada y el experimento sería nulo.

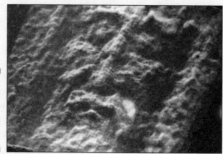

Figura 8-5:
La tridimen-
sionalidad de
la imagen

Así pues, los análisis habían fijado que la tela era medieval, aunque había serias dudas de que se hubieran llevado a cabo en las mejores condiciones. Por fortuna, el carbono-14 no ha sido el único método de análisis científico que se ha efectuado sobre la Síndone. Otras técnicas han ofrecido conclusiones muy distintas, así que lo mejor que podemos hacer es repasarlas. La contundencia de las mismas habla por sí sola.

Lo que el ojo no ve

En 1898, un fotógrafo aficionado de Turín, Secondo Pía, recibió el encargo de sacar unas fotografías de la Sábana Santa, por orden de la casa de Saboya, propietaria de la tela. Eran las primeras fotografías que se iban a obtener de la Síndone. Al revelar aquellas enormes y primitivas placas en negativo, el fotógrafo se quedó perplejo. Pía reconoció que, cuando vio los resultados, le temblaron las manos y la placa estuvo a punto de caérsele al suelo, lo que habría dado al traste con el descubrimiento. ¿Qué fue lo que vio el fotógrafo *amateur*?

Descubrió que el negativo no era tal, sino que en realidad se trataba de la imagen acabada de un positivo. Es decir, que la tela está concebida como un negativo fotográfico. Al hacer la foto y revelar la placa, lo que mostraba la película era la imagen real, perfectamente definida y acabada. Aquella fotografía negativa permitió ver detalles de la Sábana que eran imposibles de ver a simple vista, y aquello no hizo sino aumentar el misterio alrededor de la tela. Sobra decir que, con una cámara digital, el descubrimiento no habría sido posible.

Desde que se produjo el descubrimiento, las autoridades de la casa de Saboya y del Vaticano limitaron el acceso de fotógrafos a la tela. Pero todas las imágenes que se han tomado después, incluso ya entrado el siglo XX, han confirmado los resultados que obtuvo Pía. La Síndone es un negativo fotográfico, y sólo puede apreciarse con todo detalle al invertir los campos de luz. La pregunta surge inmediatamente: ¿Qué falsificador conocía los conceptos fotográficos de negativo y positivo en plena Edad Media? Evidentemente, nadie. La fotografía no se inventó hasta el siglo XIX.

Espina de pescado

Finalmente, en 1969 se obtuvo la prueba definitiva que sitúa la tela en la Palestina del siglo I. Un grupo de expertos, autorizado por el cardenal Pellegrino, tomó muestras del tejido y ratificó lo ya sabido: no hay restos de pintura ni de pigmentos. Poco más tarde, el profesor Raes, del Instituto de Tecnología Textil de Gante, analizó los hilos y descubrió la presencia de fibras de algodón, del tipo *Herbaceum*.

En Europa no se tejió el algodón hasta finales del siglo XV. Además, la Síndone fue hecha a mano siguiendo un patrón denominado "espina de pescado", una técnica que no llegó a Europa hasta ese mismo siglo XV. Por lo tanto era imposible que la tela se hubiera fabricado en la Europa medieval. En cambio, el algodón sí se tejía en el Oriente Medio del siglo I, y además siguiendo esa misma estructura en espina. Raes afirmó que la tela, por lo tanto, era idéntica a las que se confeccionaban en Oriente Medio durante el siglo I. Si se tratara de una falsificación, ¿cómo se las habría ingeniado el autor del truco para introducir en la Edad Media unas fibras que eran desconocidas?

El polen no engaña

De entre todos los análisis realizados sobre la tela, hay uno que resulta definitivo —y demoledor— a la hora de probar su autenticidad. Consiste en el análisis del polen acumulado en la tela, lo que nos permite identificar en qué regiones ha estado ubicado un objeto. En cada zona crecen plantas distintas, y muchas son exclusivas de un único territorio. En el caso de que se encuentren trazas de polen de especies desaparecidas, puede servir también para datar la muestra. La ciencia que se ocupa de esta tarea es la *palinología*.

La noche del 23 de noviembre de 1973, un palinólogo y experto criminalista, Max Frei, profesor de la Universidad de Zúrich y director de los laboratorios policiales de Neuchatel y Hiltrup, tuvo acceso a la Sábana Santa y tomó muestras del polvo adherido al lino. Al analizarlas con el microscopio electrónico, encontró hongos, esporas y polen. Y Frei, como el fotógrafo Secondo Pía, se quedó sin palabras.

Entre los granos que encontró aparecieron restos de polen de plantas típicamente palestinas. La *assueda* fue una de las primeras. Después llegaron otros pólenes de la flora halófita, que crecía en el Néguev —un desierto al sur del actual Israel— y en los estratos del lago de Genezaret. Hoy en día, estas plantas están extinguidas, pero eran comunes en la Palestina del siglo I, hace 2000 años.

A continuación descubrió polen del *Linum mucronatum*, una planta que sólo crece en Turquía. Después, otros nueve pólenes de la región de Anatolia. Más tarde, otras 12 especies que crecen en Francia e Italia… En total, 22 pólenes distintos que certificaban el peregrinaje de la Sábana Santa por Israel, Edesa, Constantinopla, Francia e Italia. O sea, que el análisis del polen confirma lo que ya intuíamos gracias a la historia.

Sobra decir que en la Edad Media, la época de la que dataría la supuesta falsificación, era del todo imposible manipular un análisis de polen de una manera tan precisa. En primer lugar no había microscopios, por lo que era imposible separar unos granos de otros. Tampoco se tenía suficiente información sobre qué plantas eran propias de una zona y, en cambio, totalmente desconocidas en otra. Y mejor no hablar de la imposibilidad de encontrar pólenes de especies ya extinguidas…

Después de haber dedicado más de treinta años al estudio de la Síndone, y de haber sopesado todas las investigaciones existentes, puedo encontrar razones que justifiquen un posible fallo de las pruebas del carbono-14, como por ejemplo un hipotético problema de contaminación o de exceso de radiación. En cambio, no puedo refutar los experimentos que analizaron la fisonomía, el tejido, la sangre y, muy en especial, el polen. Hoy, quizá, podrían falsearse los resultados, pero no en la Edad Media, cuando, según los escépticos, se habría confeccionado la tela. Por lo tanto, y con los resultados en la mano, hoy me atrevo a afirmar que la imagen que muestra la Sábana Santa es la de Jesús de Nazaret, el hijo de Dios según la tradición cristiana. El que tenga oídos, que oiga.

Capítulo 9

El arca de los horrores

Al hablar del Arca de la Alianza, la caja de madera donde Moisés guardó las tablas de la ley, a todos se nos pasa por la cabeza la imagen de un pequeño ataúd dorado, flanqueado por dos ángeles, que guarda en su interior una incontrolable fuerza destructora. Un poder capaz de exterminar a todos aquellos que se atrevan a escrutar en su interior. ¿Se corresponde esta imagen con la realidad? ¿Qué es lo que contenía realmente el arca? ¿Sólo las tablas de piedra de la ley, como asegura la Biblia?

Para poder responder a esas preguntas, tenemos que emprender un nuevo viaje en el tiempo y en el espacio. Nos vamos hasta el macizo del Sinaí, entre Egipto e Israel, hacia el año 1300 a. C. Por aquel árido paisaje vagan Moisés y toda su tribu, los hebreos, después de haber escapado de un Egipto faraónico. En un momento en que las fuerzas de los hebreos flaquean y el liderazgo de Moisés empieza a ser cuestionado, Dios (Yahvé) se presenta a Moisés y le dice: "Sube hasta mí, al monte [...] Quédate allí y te daré las tablas de piedra, la ley y los mandamientos que tengo escritos para su instrucción". Y así empieza esta historia, que abarca toda la historia antigua del pueblo hebreo y nos habla de un Yahvé cruel y vengativo... Un dios muy distinto del que Jesús anunció en los evangelios.

Moisés, el jefe de todo esto

Moisés fue la persona que ordenó la construcción del arca, el auténtico director de las operaciones. Aunque, en su defensa, hay que decir que seguía las órdenes que el mismísimo Yahvé le había encomendado. La vida y obra del libertador de los hebreos, de aquel pequeño niño a quien encontraron en un río dentro de una cesta, se merecería al menos un capítulo en otro libro parecido a éste.

Aquí basta con saber que Moisés, junto a su hermano Aarón, encabezaron el éxodo de los judíos desde Egipto. Después de mandarle al faraón diez plagas bastante convincentes, los hebreos salieron del país de camino hacia la tierra prometida. En el viaje ya habían dejado atrás el mar Rojo, que atravesaron abriendo las aguas, y establecieron algunos órganos de gobierno, lo que empezó a acarrear ciertos problemas de convivencia. El pueblo hebreo, compuesto por unas 600 000 personas, atravesaba el Sinaí bajo temperaturas asfixiantes y la moral decaía.

Así que Yahvé se presentó a Moisés, y le ordenó que subiera al monte pronunciando las palabras de las que hablaba un poco más arriba. El libertador de los hebreos obedeció y ascendió a uno de los picos del Sinaí, que quedó cubierto por una extraña nube durante seis días. Moisés esperó. Los seis días. Y, por fin, al séptimo, Yahvé llamó a Moisés de en medio de la nube y se lo llevó a su lado. Durante 40 días, con sus 40 noches, Yahvé habló con Moisés y le transmitió las bases que regirían la vida del futuro pueblo de Israel. Entre las órdenes figuraba la de construir un arca.

¿Nos hacemos un arca?

Así, Yahvé habló a Moisés y le dijo: "Harás un arca de madera de acacia de dos codos y medio de largo; codo y medio de ancho, y codo y medio de alto. La revestirás de oro puro. Por dentro y por fuera. Y además pondrás alrededor una moldura de oro. Fundirás para ella cuatro anillas de oro, que pondrás en sus cuatro pies. Dos anillas a un costado y dos anillas al otro […] Harás también varales de madera de acacia que revestirás de oro. Y los pasarás por las anillas de los costados del arca, para transportarla. Los varales deben quedar en las anillas del arca, y no se sacarán de allí… Y en el arca pondrás el Testimonio que yo te voy a dar".

Figura 9-1:
Ante una
réplica del
Arca

Es decir, Yahvé le ordenó a Moisés que construyera un recipiente para guardar la ley de Dios, los Diez Mandamientos. Un arca que reluciera oro por los cuatro costados y que cobijaría el alma de un pueblo. Moisés, claro está, le hizo caso. Así que, después de bajar del monte y de resolver unos asuntos pendientes, ordenó a Besalel que construyera el arca allí mismo, a los pies del Sinaí. El trabajo se realizó en poco tiempo siguiendo las indicaciones que Yahvé en persona había dado.

Los judíos errantes

Cuando el arca estuvo terminada, Moisés tomó las tablas de la ley y las guardó en su interior. Y justo al cerrar la tapa empezó la prodigiosa historia de este cofre legendario. Durante otros cuarenta años los hebreos deambularon por las cañadas y los macizos de granito rojo de la gran península del Sinaí. El arca siempre los acompañó. Se custodiaba noche y día en la Tienda de la Reunión, centro vital del grupo, y siempre estaba cubierta por una extraña y singular nubes de polvo y gases.

Con el metro en la mano

Como has podido comprobar, Yahvé utilizó el codo como medida a la hora de describir el arca. El codo es una unidad de longitud antigua que varía en función de cada pueblo y sus costumbres, de forma que hay una infinidad de equivalencias posibles. Por la situación y época histórica, Yahvé debió de referirse al codo egipcio, vulgar o sagrado. Veamos, en cada una de las posibles equivalencias, cuáles eran las medidas reales del arca.

Según el codo egipcio el arca debía de tener un largo de 1,31 m, un ancho de 0,786 m; y 0,786 m de altura. El volumen interior sería de 666,7 l, lo que nos daría un peso de entre 1031 y 1050 kg.

Según el codo vulgar, un largo de 1,10 m, un ancho de 0,66 m y 0,66 m de alto. El volumen interior sería de 385,1 l, con un peso de entre 730 y 747 kg.

Y, para terminar, el codo sagrado debía de medir 1,34 m de largo, 0,80 m de ancho y 0,80 m de alto. El volumen interior sería 733,2 l, con un peso de entre 1095 y 1115 kg.

No parece un arca demasiado grande, aunque hay que reconocer que pesa lo suyo por la presencia del oro y de la madera noble. A este peso habría que añadir además todo el contenido, unas poco prácticas tablas de la ley grabadas en piedra maciza.

Durante el día esa nube brillaba al sol, mientras que de noche era roja como el fuego. Cuando la nube se ponía en movimiento, el pueblo judío levantaba el campamento y la seguía. A veces, la nube decidía juguetear un poco con ellos y se paseaba por encima de sus cabezas, mostrando las dos letras con las que Dios creó el mundo. Cuando Moisés lo pedía, el arca era capaz incluso de levantarse y volar.

Hasta aquí, la historia parece clara. Pero pasaban los años y el éxodo del pueblo de Israel se empezaba a complicar; parecía que no terminaba nunca. Algunas lecturas del Deuteronomio sostienen que se construyó una segunda arca, para guardar las tablas de la ley que Yahvé se vio obligado a volver a escribir. Moisés estampó las primeras en la cabeza a sus compañeros de tribu, por adorar ídolos paganos. Así que siempre ha existido la posibilidad de que los hebreos peregrinaran con dos arcas. Aunque nosotros con una ya tenemos suficiente.

Por fin, tras cuarenta años de éxodo, Moisés alcanza el monte Nebo, cerca de la costa del mar Muerto. Desde allí pudo contemplar la Tierra Prometida; un país que no pisaría jamás por culpa de una duda en su fe. A las puertas de Palestina, Moisés murió a los 120 años de edad. Parece que una dieta a base de maná, acompañada de una vida de privaciones, tuvo un efecto beneficioso.

El arca de los prodigios

Tras la muerte de Moisés tomó el mando Josué, a quien Yahvé también había designado. Hasta ese momento, Josué había ejercido el papel de lugarteniente de Moisés, siempre fiel y paciente a su lado. Josué llevó a su pueblo hasta la Tierra Prometida y, entre otros grandes logros, fue el responsable de que la circuncisión se generalizase entre los varones judíos. Durante su guía, el arca desplegó todo su poder y obró todo un abanico de milagros y proezas. De aquí nació su fama.

El paso del Jordán

Yahvé siguió con Josué la costumbre que había establecido con Moisés: hablarle en privado para marcarle el camino que debía seguir su pueblo. Así, siguiendo las órdenes divinas, el nuevo caudillo llevó a su pueblo hasta las orillas del río Jordán, siempre con el arca a la cabeza. Cuenta la Biblia que fueron los sacerdotes los que alzaron el arca y la cargaron sobre sus hombros, marcando el paso de los hebreos.

Al llegar al río, Josué tocó las aguas y la corriente se detuvo enseguida. Lo dice así el libro de Josué: "Las aguas que bajaban de arriba se detuvieron y formaron un solo bloque a gran distancia, mientras que las que bajaban hacia el mar de la Sal se separaron por completo. Y el pueblo pasó frente a Jericó. Los sacerdotes que llevaban el Arca de la Alianza de Yahvé se estuvieron a pie firme, en seco, en medio del Jordán, mientras que todo Israel pasaba en seco, hasta que toda la gente acabó de pasar el Jordán".

Por lo tanto colocaron un arca que medía poco más de un metro en medio del caudal del Jordán, que tiene una anchura media de 30 m, y las aguas se separaron. La Biblia añade que por el río seco pasaron unos 40 000 guerreros armados, a los que hay que sumar medio millón de israelitas, sin contar los rebaños, carros y animales en general. En fin, una caravana enorme que debió de tardar horas y horas en cruzar el río, mientras el milagro seguía ocurriendo impasible.

¿Cómo pudo inmovilizar el arca un cauce con un volumen aproximado de 500 m³/min? Algunos pretenden explicar el prodigio afirmando que el corte de las aguas lo provocó un terremoto que taponó el río con los bloques de marga, una mezcla de piedra caliza y arcilla. Para mí, el razonamiento no es muy convincente, porque, según el libro de Josué, las aguas volvieron a correr cuando el arca salió del cauce.

Como es fácil de imaginar, los reyes y súbditos de la vecina Palestina se estremecieron cuando oyeron hablar del poder del arca. El pánico invadió a los cananeos, los habitantes legítimos de una tierra que los hebreos iban a ocupar. Josué consiguió así dos objetivos: impresionar a su pueblo y preparar el terreno ante la invasión que se avecinaba.

Figura 9-2:
Las aguas
del Jordán

A golpe de trompeta

Unos días después del episodio vivido en el Jordán, el arca atacaría de nuevo. Como de costumbre, Yahvé volvió a dirigirse a Josué y le dijo lo siguiente: "Mira, yo pongo en tus manos a Jericó y a su rey. Vosotros, valientes guerreros, todos los hombres de guerra, rodeareis la ciudad, dando una vuelta alrededor. Así harás durante seis días. Siete sacerdotes llevarán entonces las siete trompetas de cuerno de carnero delante del arca. El séptimo día daréis la vuelta a la ciudad siete veces y los sacerdotes tocarán las trompetas. Cuando el cuerno de carnero suene, cuando oigáis la voz de la trompeta, todo el pueblo prorrumpirá en un gran clamoreo y el muro de la ciudad se vendrá abajo. Y el pueblo se lanzará al asalto".

Tal como dijo Yahvé, así se hizo. Los hijos de Israel tocaron las trompetas y las murallas de Jericó cayeron. Y, con ellas, el conjunto de sus habitantes; hombres, mujeres y niños que fueron pasados a cuchillo. En total, miles de víctimas inocentes. Por primera vez el arca mostraba su poder destructor en auxilio de los israelitas. No sería la única.

No la saques de paseo

Tras el episodio de las trompetas de Jericó, no sabemos nada del arca por un periodo de más de cien años. Durante ese tiempo, Josué murió y a los israelitas los gobernó un consejo de jueces. En esta época las andanzas de la tribu hebrea no fueron tan legendarias como en tiempos pasados, y se dice que sufrieron ataques constantes. Para remediarlo decidieron adoptar una estructura monárquica, y coronaron rey a Saúl, que a Yahvé no le caía muy bien.

El favorito de Dios era David, quien pronto sucedió a Saúl como rey de Israel. En este siglo de silencio, los hebreos continuaron haciendo la guerra allí por donde pasaban, pero el poder destructor del arca no fue utilizado. Hacia el año 1000 a. C., y por orden del obediente David, la enigmática caja de madera y oro entró de nuevo en escena. Y de qué manera.

Los filisteos, un pueblo llegado del mar y que en aquellos tiempos ocupaba las costas de Israel, se atrevieron a desafiar al joven rey

David. Las batallas fueron constantes y en una de ellas, ante la gravedad de la situación, los hebreos optaron por sacar el arca del santuario de Siloé, donde había permanecido guardada. Quizá recordaban gloriosos tiempos pasados, o quizá simplemente estaban desesperados. Lo cierto es que el arca no sirvió de nada, y el ejército israelita fue derrotado. Para asombro de todos, los filisteos consiguieron capturar el arca, y así empezó un periodo negro para los hebreos.

Los filisteos, muy seguros de sí mismos tras arrebatar la poderosa arca a los judíos, llevaron el cofre hasta la ciudad de Asdod, y lo pusieron en el templo de uno de sus reyes, Dagón. Es fácil imaginar que a Yahvé no le hizo ninguna gracia que pusieran su arca en la casa de otro dios. Así que al día siguiente, la estatua del dios Dagón, que era mitad hombre y mitad pez, apareció tirada en el suelo. Los sacerdotes filisteos, muy pacientes, la volvieron a poner en su sitio.

Pero la estatua volvió a amanecer tirada en el suelo. Y esta vez con la cabeza y los brazos separados del cuerpo. Los filisteos interpretaron el incidente como una señal, y llevaron el arca hasta Gat. A Yahvé tampoco debió de gustarle su nueva ubicación, y envió la peste bubónica sobre la ciudad. Enloquecidos, los filisteos la enviaron a Ekrón... y otra vez una epidemia de ratas y bubones asoló la ciudad.

La tragedia duró siete meses, hasta que por fin los reyes filisteos entendieron que el arca no les pertenecía. La colocaron sobre un carro y los bueyes tiraron de ella, sin que nadie condujera, hasta que el arca llegó al pueblo de Bet-Semés, un pueblo de las tribus israelitas. Así, el pueblo judío volvió a recuperar la esperanza... hasta que se les ocurrió mirar dentro del arca.

A Dios se le acaba la paciencia

Como decía, la alegría de los judíos duraría bien poco. Ya en Bet-Semés, el arca fue depositada sobre una gran piedra. Una noches, movidos por la curiosidad, algunos de los jóvenes del pueblo burlaron la vigilancia y abrieron el arca para mirar en su interior. A Yahvé no debían de gustarle mucho los cotillas, porque desató su cólera de la peor forma posible.

Figura 9-3:
Los jóvenes
de Bet-
Semés
profanan el
Arca

Un fuego implacable acabó con la vida de todos los habitantes de Bet-Semés. ¿Cuántas personas murieron? La Biblia cristiana ha tratado de disimular la cifra, y apunta que murieron 70 personas. Pero la Torá judía y la Vulgata de San Jerónimo —una traducción de la Biblia al latín— no esconden la cifra y la sitúan en 50 070 personas. Ni más ni menos que 50 070 muertos. La arqueología moderna confirmó la gran masacre que produjo el arca. En 1930, una expedición dirigida por Robertson y Plo-Guy descubrió miles de esqueletos carbonizados en Bet-Semés. ¿Se trataba de las víctimas del arca?

¿Qué fue lo que hizo reaccionar así a Yahvé? Primero, la falta de respeto hacia la figura de Yahvé que mostraron aquellos jóvenes. Al Dios anterior a Jesús, por encima de todo, se le teme y respeta. En segundo lugar, que aquellos jóvenes vieron lo que había dentro del arca, y Yahvé decidió cortar por lo sano. Había que guardar el secreto.

Al ver la destrucción que había causado el arca, los escasos supervivientes de Bet-Semés se deshicieron de ésta. Se la llevaron a las colinas de Quiryat-Yearim, donde permaneció unos veinte años, odiada por algunos y temida por todos.

Se ruega no tocar

En el 928 a. C., el rey David decidió establecer la capital del reino de Judá en Jerusalén, y quiso que el arca ocupara un lugar de privilegio en la ciudad. Así que se la llevaron del monte y la trasladaron a Jerusalén. Durante el viaje, el pueblo de Israel cantaba y bailaba, feliz por tener una capital donde guardar su preciada arca. Pero, otra vez, Yahvé montó en cólera... aunque quizás esta vez se pasó un poco de la raya.

La carreta que llevaba el arca estaba custodiada por Uzzá, que la había guardado durante esos veinte años en el monte Quiryat-Yearim con diligencia y voluntad. Por lo visto el camino era bastante tortuoso y empedrado, y la carreta empezó a tambalearse. Uzzá, justo cuando creyó que el arca se iba a caer al suelo, puso su mano encima del cofre para evitar la tragedia... Y el pato lo acabó pagando él. El libro de Samuel es claro: "Entonces, la ira de Yahvé se encendió contra Uzzá: allí mismo le hirió Dios por este atrevimiento, y murió allí junto al Arca". Al rey David no le gustó nada que Yahvé hubiera sido tan cruel con el buen Uzzá, y decidió suspender el traslado a Jerusalén. Pero quizá Yahvé sabía que se había pasado un poco.

A los tres meses, los rabinos informaron al rey de que la familia que había sido designada para guardar la mortífera arca había prosperado de forma espectacular. Las mujeres e hijas de aquella familia habían multiplicado su descendencia milagrosamente, un fenómeno que atribuyeron a la influencia del arca. Fue ahí cuando los judíos decidieron volver a intentarlo y llevar por fin el cofre a Jerusalén. Eso sí, esta vez el rey David le dejó bien claro a Yahvé lo mucho que lo temía y respetaba: cada seis pasos que daban los porteadores del arca, sacrificaba un buey y un carnero bien cebado.

Así comienza la última y decisiva etapa del arca, marcada por su larga estancia en Jerusalén, la posterior destrucción del templo y la consiguiente desaparición del cofre... hasta nuestros días.

En busca del arca

El Arca de Alianza, a su llegada a Jerusalén, se había convertido en la conciencia de todo un pueblo. Como juez implacable de las acciones de los israelitas, aplicaba la ley divina haciendo gala de un poder mortífero. No conocía el perdón y la piedad, como demostró con Uzzá, el guardián del arca, que a pesar de veinte años de fiel servicio perdió la vida por un simple gesto desafortunado. El arca era la voz de Yahvé.

Tras la muerte del rey David, le sucedió su segundo hijo, el no menos mítico Salomón. Corría el año 961 a. C. Por aquellos tiempos, y por seguir la costumbre de los tiempos del éxodo, el arca se guardaba bajo las lonas de una tienda. Sólo el sumo sacerdote podía llegar hasta ella, y siempre envuelto en una nube de incienso. Hasta que un día Yahvé habló a Salomón y le dio nuevas órdenes al respecto.

El rey Salomón

Cuentan las crónicas que Salomón fue colmado por el arca y que, gracias a su beneficioso influjo, compuso mil cánticos y fue el autor de 3000 proverbios. Hablaba con los árboles, con los peces, con las aves y las bestias… El arca por fin mostraba su lado más sensible y comprensivo. De hecho, sus bendiciones no se limitaron sólo a acrecentar la sabiduría y talento de Salomón.

El nuevo rey ingresaba cada año 666 talentos de oro, algo más de ocho millones de euros. No estaba nada mal para la época. La flota y el comercio de los hebreos se extendieron en todas direcciones, llegando incluso a las remotas tierras de China e India. Visto lo visto, Salomón, agradecido por la generosidad de Yahvé, decidió mover al arca de su humilde tienda y construir para ella un lujoso y deslumbrante templo. El llamado templo de Salomón, el primero de la historia de Israel en el que se veneró a Yahvé.

Una vez terminado el templo, Yahvé se apareció a Salomón y le hizo una advertencia clara y trascendental: si seguía sus mandamientos y preceptos, todo iría bien; pero si él o sus hijos volvían el rostro hacia los dioses, aquel templo sería destruido e Israel quedaría como escarnio de todos los pueblos.

Figura 9-4:
La cúpula
de la
mezquita
de Omar,
construida
sobre el
templo de
Salomón, en
Jerusalén

Para seguir la historia del arca tenemos que rebobinar un poco y retroceder unos meses, antes de la finalización del templo. En plenas obras, Salomón se dio cuenta de que tenía algunos problemas de financiación y decidió contactar con algunos ricos mercaderes, cuya ayuda solicitó para terminar el templo. Uno de los escogidos fue Tamrin, originario del reino de Saba, que acudió a la llamada de Salomón cargado de zafiros, ébano e incienso. Por lo visto, cuando Tamrin vio el templo se quedó maravillado y, a su vuelta a Saba, le contó a su reina las singulares dotes y el poder que adornaban a Salomón.

Y la reina de Saba

Makeda. Ése era el nombre de la joven y bella reina de Saba, que se quedó atrapada por la descripción que Tamrin hizo del reino de Israel. El reino de Saba, que ocupaba el cuerno de África y buena parte del Yemen, era rico en especias y resinas aromáticas. Con la

---

La pista etíope

En Etiopía se encuentra un pequeño grupo de judíos de raza negra, los falashas, que serían herederos directos de aquellos mil dignatarios judíos. Son la única comunidad judía original situada por debajo del Sahara, y que mantiene vivo el culto a Yahvé. Pero lo más sorprendente es que en la ciudad de Aksum se encuentra la capilla de Santa María de Sión, el templo más sagrado del país, en el que, según la tradición y los treinta millones de etíopes que profesan el cristianismo, hoy se guarda el Arca de la Alianza.

La única persona que puede ver el arca es su guardián, denominado *atang*. Cuando viajé a Aksum en búsqueda del arca y pregunté si podía verla, recibí una rotunda negativa. El guardián del arca me dijo que ni siquiera el emperador, Haile Selassie, pudo verla en su día. Por más que lo intenté, la respuesta fue siempre la misma. Insistir no tenía sentido. Así que abandoné la ciudad y me pregunté si la conexión etíope del arca tenía razón de ser.

Mi conclusión fue negativa. Dos razones de peso me empujaban a creerlo. Por

un lado pienso que si unos ladronzuelos hubieran robado el Arca de la Alianza, la Biblia nos hablaría de ello. Los filisteos, protagonistas de un hecho similar, sí aparecen en los textos sagrados. Y, además, estoy seguro de que Salomón, después de construirle todo un templo al arca, habría salido con todo su ejército en su búsqueda. ¿Por qué no debería mencionar un robo que habría sumido al pueblo de Israel en una profunda pena?

Por otra parte, descubrí que el libro en el que se basa la versión de los etíopes, *La gloria de los reyes*, no contiene información fidedigna. Todos los historiadores coinciden en afirmar que el libro fue elaborado en el siglo XIV por un monje llamado Yesac, de forma que es imposible que conociera de primera mano la historia de Makeda y Salomón. Seguramente se basó en leyendas populares y elaboró la historia del arca para promocionar y fortalecer la expansión del cristianismo. No me cabe duda de que la idea de una Etiopía hija del pueblo de Israel, y guardiana además del Arca de la Alianza, consiguió convencer a muchos de que lo más sensato era abrazar el cristianismo.

excusa de fortalecer las relaciones con los pujantes vecinos del norte, los hebreos, la joven y virgen reina hizo las maletas y se fue a Jerusalén. Un viaje de 2500 km en carro, lo que dice mucho del coraje y personalidad de Makeda.

Según narra *La gloria de los reyes* —el libro que cuenta la épica nacional etíope—, al llegar a Jerusalén, la joven reina se quedó maravillada y alargó su estancia más de lo previsto. Durante ese tiempo aprendió de la sabiduría de Salómon, hasta el punto de convertirse a la religión de Yahvé. Y, yendo aún más allá, mantuvo contacto carnal con el rey Salómon, que tenía fama de ser bastante mujeriego. Las malas lenguas dicen que tenía unas 700 esposas y 300 concubinas.

Cuando Makeda volvió a Saba no sabía que estaba embarazada. Antes de partir, Salómon le dio un anillo y le dijo: "Si tuvieras un hijo mío, envíamelo, y si porta este anillo yo sabré que soy su padre". Y dicho y hecho: Makeda dio a luz un varón que, al cumplir los 18 años, fue enviado a Jerusalén a la búsqueda de su padre. Salómon lo acogió y lo instruyó. Le regaló una de las orlas del arca y le dió un nuevo nombre, David, en memoria de su abuelo.

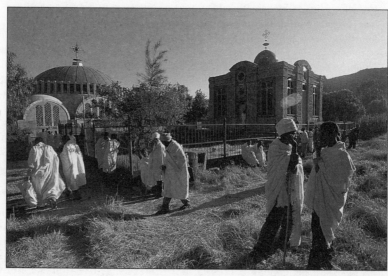

Figura 9-5: Santa María de Sión, iglesia donde los etíopes dicen guardar el arca

Salomón decidió que el hijo de Makeda fuera escoltado hasta Saba por un millar de jóvenes judíos, hijos de los principales mandatarios de Israel. Una vez en Saba, este millar de israelitas fueron los responsables de mantener un culto a Yahvé en aquellas lejanas tierras.

Por los ríos de Babilonia

Cuatrocientos años después de la muerte de Salomón, la Biblia vuelve a situar el arca en Palestina. Según describe el segundo libro de los Macabeos, el arca vuelve a entrar en acción tras un largo periodo de descanso. Pero no lo hace para fulminar a nadie, sino porque tiene que salir a toda prisa del país: los persas se acercan a Jerusalén y el profeta Jeremías decide poner a salvo la reliquia más importante del judaísmo. Pero 400 años de silencio es demasiado tiempo. ¿Qué pasó en todo este periodo?

Son varias las hipótesis, aunque yo creo que la clave hay que buscarla en la ya referida advertencia de Yahvé a Salomón: "Si vosotros, y vuestros hijos, os volvéis de detrás de mí y no guardáis los mandamientos, yo arrancaré Israel de la superficie de la Tierra". Y, según este investigador, eso es lo que pasó. Ya hemos visto que Salomón tenía cierta tendencia a los placeres de la carne; según nos dice la Biblia, tenía a unas mil mujeres listas y dispuestas para complacerle en todo momento, entre ellas a la hija del faraón.

Así, cuenta el Libro Primero de los Reyes que, llegado a la vejez, el sabio y poderoso rey se dejó tentar por sus mujeres. Olvidó al Dios hebreo y empezó a adorar ídolos extranjeros; incluso les construyó altares para el culto. Conociendo a Yahvé, ya nos imaginamos cuál fue su reacción al ver el comportamiento de Salomón. Exacto: entró en cólera de nuevo, y esta vez los resultados fueron catastróficos.

Salomón murió, y el caos se apoderó del reino de Israel. El rey más famoso de la historia de Babilonia, Nabudonosor II, llevó a sus tropas hasta las puertas de Jerusalén y acabó conquistando la ciudad. Tras el asalto se sucedieron las desgracias: 830 familias judías fueron deportadas a Babilonia; los babilonios destruyeron el templo de

Salomón, que cobijaba el arca y el capitán de la tropa, Nebuzardán, saqueó todas las riquezas del templo.

Una sencilla pregunta se me pasa por la cabeza. ¿Por qué los judíos no usaron el arca contra sus invasores babilonios, habida cuenta de su imparable poder destructor? Sólo me cabe una respuesta: el cofre sagrado ya no estaba en poder de los israelitas. De hecho, no aparece en el inventario de tesoros que Nabucodonosor se llevó de Jerusalén después de saquear el templo y la ciudad, lo que ratifica la teoría de que el arca ya no estaba en Jerusalén.

¿Dónde está el arca?

Historiadores y rabinos no se ponen de acuerdo. Para unos, Salomón escondió el arca en las grutas que hay bajo la actual mezquita de Omar. Es muy posible que el rey sabio se temiera lo peor tras su muerte, y decidiera esconder el santo y sagrado emblema de Israel para protegerlo de un futuro incierto. Otros expertos, basándose en el ya citado segundo libro de los Macabeos, dicen que fue Jeremías, tras recibir una revelación de Yahvé, quien cogió el arca y se la llevó al monte Nebo. Allí la escondió para que no cayera en manos persas. Pero claro, esto ocurrió muchos años después de la muerte de Salomón...

Sea como sea, ésa es la última pista que hay del destino del arca. ¿Sigue aún bajo el monte Nebo? ¿La devolvieron el profeta Jeremías o uno de sus sucesores a la ciudad de Jerusalén? ¿La ocultaron entonces bajo la gran roca de la actual mezquita de Omar? Esta última es la opinión que defienden los sabios y rabinos judíos, lo que explicaría por qué los israelitas se niegan en redondo a ceder una parte de la ciudad a los palestinos.

¿Sigue entonces el arca en Israel después de 2500 años? Según dice el Libro de Ezequiel, capítulo 10, versículos 18 y 19: "La gloria de Yahvé salió de sobre el umbral del templo y se posó sobre los querubines. Los querubines desplegaron sus alas y se elevaron del suelo ante mis ojos, y las ruedas con ellos".

Según la tradición, dos eran los querubines que adornaban el arca. Así que de estas palabras podríamos extraer que fue el mismísimo Yahvé quien se la llevó, cansado de las ofensas y el desprecio que le mostraba su pueblo. Después del desplante que le hizo Salomón, que lo llevó incluso a adorar a ídolos extranjeros, es posible que el severo Yahvé cumpliera su amenaza e hiciera de Israel un escarnio para todos los pueblos. Así, Yahvé habría abandonado a los judíos a su suerte... hasta que por fin les envió a su hijo, Jesús de Nazaret, con la intención de redimirlos. Un hijo a quien los hebreos no reconocieron y acabaron mandando a la cruz.

Las posibilidades son múltiples. ¿Jerusalén? ¿El monte Nebo? ¿Etiopía? ¿O no será que el arca, como el Yahvé de la Biblia antigua, es sólo un recuerdo al que se aferran los fanáticos religiosos? ¿No será que el tiempo del sanguinario Yahvé ya ha pasado a la historia? Ojalá fuera así.

Capítulo 10

La vida oculta de Jesús de Nazaret

Al hablar de los misterios que nos esconde la tradición cristiana, no podía dejar de lado la vida y obra de Jesús de Nazaret. La principal fuente que nos ha proporcionado los detalles que hoy conocemos sobre su vida son los cuatro evangelios canónicos, esto es, los aceptados por la Iglesia: los de Marcos, Mateo, Lucas y Juan, que fueron reconocidos como los "oficiales" hacia el año 185 de nuestra era.

Sin embargo, estos evangelios no son los únicos que nos relatan la vida de Jesús. Los llamados *evangelios apócrifos*, de los que hay más de una veintena, también se hacen eco de las andanzas del hijo de Dios. Los padres de la Iglesia, al considerar que no eran fiables —o que no comulgaban con los planes que tenían para la futura doctrina—, decidieron dejarlos fuera del club de los textos "inspirados por Dios". Sin embargo, nos ofrecen una visión alternativa a lo que ya conocemos. Algunos de ellos, como el de los Hebreos, nos muestran a un Jesús menos peleado con los judíos; otros, como el de Judas, nos cuentan los sucesos de la Última Cena desde un ángulo bastante distinto.

Ciertos expertos opinan que algunos de estos evangelios apócrifos inspiraron a los oficiales, de manera que son aún más antiguos —y cercanos a la muerte de Jesús— que los canónicos. Lo que sí sabemos es que los evangelios canónicos no fueron escritos hasta

Figura 10-1:
Jesús de
Nazaret, la
figura más
manipulada
de la
historia

mucho después de la muerte de Jesús de Nazaret, por lo que podemos estar casi seguros de que no nos cuentan los hechos tal y
como ocurrieron. Así, las imprecisiones sobre la vida del hijo de
Dios podrían ser múltiples, y motivadas por muy distintas razones. En el presente capítulo te propongo un repaso personal a la
otra vida de Jesús de Nazaret; una visión alternativa de su obra y
de los inicios del cristianismo. Una versión que no gustará a los
amantes de los dogmas, pero que estoy seguro de que hará volar a
aquellos que disponen de una mente abierta.

Problemas de fechas

Son muchos los errores que, a lo largo de la historia, se han acumulado sobre la vida y obra de Jesús de Nazaret. Muchos de ellos parten de la propia redacción de los evangelios canónicos, pero otros
se deben a manipulaciones interesadas de los primeros jefes de la
Iglesia. Para empezar, la fecha del nacimiento de Jesús, a partir de

la cual contamos los años de nuestra era, se basa en cálculos totalmente equivocados. Sólo es el primero de muchos errores.

¿El año cero?

Según cuentan los evangelios, José y María, los padres de Jesús, vivían en Nazaret cuando recibieron la noticia de que Augusto, el emperador romano, había dado orden de que todos sus súbditos debían empadronarse en sus lugares de origen. Como buenos ciudadanos, José y María se montaron en un carro y pusieron rumbo a Belén, su pueblo natal. Corría el año "menos siete" de nuestra era.

Al llegar a Belén, el joven matrimonio no encontró alojamiento, a pesar de que María estaba embarazada. Por lo que vemos, parece que los oriundos de Belén no eran especialmente caritativos. Así, sin lugar donde pasar la noche, no les quedó otra que cobijarse en un establo, en el que María dio a luz a Jesús. Con este feliz e histórico acontecimiento nació también el primer gran error de esta historia. Un error que todavía arrastramos y que ya no tiene solución.

La cristiandad siempre ha considerado que aquel acontecimiento marca el año cero de nuestra era. Pero la verdad es muy distinta... El cálculo de la fecha lo hizo un monje del siglo VI, Dionisio el Exiguo, que tuvo un pequeño lapsus. En 1582, cuando el papa Gregorio XIII emprendió la necesaria reforma del calendario de Julio César, se fió de los cálculos de este buen monje. De esta forma, el año cero se correspondía con el nacimiento de Jesús. Pero 400 años después, historiadores y astrónomos descubrieron que Jesús había nacido un poco antes.

La clave del error la encontramos si nos fijamos en la vida del rey Herodes el Grande, monarca de la región de Judea en el momento del nacimiento de Jesús. Al estudiar su biografía, los historiadores concluyeron que Herodes había muerto en el año "menos cuatro" de nuestra era. ¿Cómo podía ser que Herodes hubiera muerto, mientras que los evangelios nos dicen que fue coetáneo de Jesús?

La respuesta sólo puede ser una: Jesús no nació en el año cero. Los historiadores afirman con rotundidad que Herodes murió en el mencionado "menos cuatro", y sabemos por los evangelios que fue el sanguinario rey quien ordenó la matanza de todos los niños varones de Belén, razón por la cual Jesús, José y María tuvieron que salir a toda prisa de su pueblo natal. Esta trágica circunstancia sitúa

El sanguinario Herodes

La teología moderna ha puesto en duda la llamada "matanza de los inocentes" y la ha relegado a la categoría de leyenda. Según los evangelios, el rey Herodes, asustado ante la noticia del nacimiento de un nuevo rey de los judíos, que podría poner en peligro su trono, ordenó matar a todos los niños varones menores de dos años de la zona de Belén. Y yo me pregunto: ¿Por qué dudan de la veracidad de la matanza? ¿Acaso creen que Herodes el Grande no era capaz de perpetrar una atrocidad semejante? Echemos un vistazo al historial del odiado edomita, como lo llamaban los judíos.

En el año 39 a. C. asedió Jerusalén y acuchilló a miles de hebreos. Antígono, el monarca legítimo, fue encadenado y enviado a Antioquía, donde lo decapitó Marco Antonio. A partir del año 37, el gobierno de Herodes se convirtió en una verdadera pesadilla. Ajustició a 45 partidarios de Antígono y a decenas de ancianos del Consejo Supremo. Los recelos alcanzaron incluso a su propia familia.

En Jericó asesinó a su cuñado, Aristóbulo III, que sólo tenía 17 años. Después asesinó a su esposa, Mariamme. Y mató igualmente a su madre y dos de sus hijos. Su crueldad fue tal que, en su propio testamento, llegó a incluir una cláusula secreta en la que ordenaba que, una vez fallecido, se reuniera a miles de dignatarios en el hipódromo y los pasaran a cuchillo. "De esta forma —decía Herodes— el llanto y el duelo por mi muerte serán mucho más notables." Tras analizar los hechos, vemos que Herodes era capaz de cometer la matanza de los inocentes, y mucho más.

el nacimiento del Mesías en los años "menos seis" o "menos siete". En otras palabras, si los cálculos del monje Dionisio hubieran sido rigurosos, hoy tendríamos que sumar seis o siete años a la fecha actual.

Un cuento de Navidad

En todo el mundo se celebra la Navidad, el día del nacimiento de Jesús, el 25 de diciembre; da igual que haga frío o calor. Pero cuando se investigan las condiciones meteorológicas de Belén salta a la vista que, entre noviembre y marzo, resultan tan crudas que ningún pastor se arriesga a conducir sus rebaños por las colinas próximas. Las temperaturas pueden descender hasta -5 o -10 °C. El fuerte viento, las lluvias y la nieve son frecuentes en el invierno de Belén.

Figura 10-2:
La matanza
de los
inocentes,
emprendida
por Herodes

En aquellos tiempos, un poco antes del año cero, estos desplazamientos siempre se emprendían en época seca, independientemente de que se hicieran a pie o a lomos de animales. Por precaución y seguridad nunca se hacían en temporada de lluvias. José y María, por lo tanto, tuvieron que llegar a Belén entre mayo y octubre. ¿Qué fue entonces lo que sucedió? ¿Por qué la cristiandad celebra la Navidad el 25 de diciembre?

Muchos siglos antes del nacimiento de Jesús, los pueblos mesopotámico y egipcio, y también el Imperio romano, tenían la costumbre de celebrar una fiesta llamada *Diualia*. Arrancaba el 21 de diciembre, y conmemoraba el alargamiento de los días o la "victoria del sol". A partir de esa fecha, en efecto, el sol vence y los días se alargan progresivamente. Es el solsticio de invierno.

No existen datos concretos al respecto, pero todo parece indicar que fue el emperador Constantino quien cambió la fiesta pagana de la Diualia por la religiosa de la Navidad, sin que tuviera nada que ver la verdadera fecha del nacimiento de Jesús. Simplemente se trató de cambiar una fiesta de origen popular por otra de origen religioso; no en vano se consideraba a Jesús como el verdadero vencedor de las tinieblas y, por lo tanto, el representante de la luz.

La iglesia oriental se negó a admitir tan arbitraria fecha, pero, después de las consabidas presiones, la manipulación fue aceptada. Así, muy pocos saben hoy que este cambio obedeció a una maniobra política destinada a eclipsar una celebración pagana. Constantino, su responsable, fue el primer emperador que instauró la libertad religiosa en Roma, y abrió las puertas a la adopción del cristianismo como doctrina oficial, lo que ocurrió en el año 380.

Una lógica pregunta debería asaltarnos entonces. ¿Cuándo deberíamos celebrar la natividad de Jesús? Hace años recibí una información confidencial en la que se aseguraba que Jesús de Nazaret nació en Belén a las doce del mediodía del 21 de agosto del año "menos siete". Y yo, en esa fecha, el 21 de agosto, la celebro... aunque reconozco que debo de ser el único.

La otra vida de Jesús de Nazaret

Pocos son los detalles que ofrecen los evangelios sobre la infancia y juventud de Jesús. Por regla general, los textos sagrados se centran en el periodo en que se dedica a predicar entre los hebreos; los tres últimos años de su vida. Más allá de la narración de su nacimiento, los únicos datos que tenemos sobre su infancia y juventud llegan de los evangelios de Mateo y Lucas.

El primero, Mateo, cuenta que, tras recibir la noticia de que Herodes ha ordenado el asesinato de todos los niños menores de dos años en la zona de Belén, José coge a su mujer y a su hijo y se los lleva a Egipto. Por otro lado, Lucas es el único que nos aporta algún dato sobre su adolescencia. En un viaje a Jerusalén, José y María pierden de vista a su hijo, hasta que lo encuentran en el templo predicando entre los sacerdotes. Según las fuentes oficiales, no tenemos más noticias. Aquí no podemos conformarnos con tan poco.

Los años egipcios

Jesús, José y María vivieron en Egipto durante dos años, y poco les faltó para que toda la familia se quedara allí definitivamente. Pero en el año "menos cuatro" decidieron regresar a Belén, donde surgió un nuevo conflicto en el que los evangelistas oficiales no reparan en absoluto.

María, siempre pensó que el liderazgo de su hijo, anunciado por el arcángel Gabriel, iba a ser más político que espiritual. Para aquella mujer, Jesús era el Mesías que iba a liberar a los judíos de la opresión romana. En ningún momento pensó que el reino de su hijo no era de este mundo.

Fuertemente influenciada por esta idea, María trató de fijar su residencia en Belén. De esta forma, al estar tan cerca de Jerusalén —unos 7 km—, las posibilidades de Jesús en esa supuesta carrera política serían más sólidas y prometedoras que en la oscura y perdida aldea de Nazaret. Pero José se opuso, y por una buena razón. El sucesor de Herodes el Grande y rey de la zona de Belén, el no menos sanguinario Arquelao, no inspiraba confianza a José, y ese mismo año se instalaron definitivamente en Nazaret. Jesús tenía tres años.

Figura 10-3:
Poco se sabe de los años de Jesús de Nazaret en Egipto

Los hermanos de Jesús

No hay más noticias oficiales sobre los años que Jesús pasó en Nazaret. Nos lo imaginamos yendo a la escuela, aprendiendo el oficio de carpintero… y poco más. Según la Iglesia católica, se trata de los años ocultos de la vida de Jesús. Pero ¿realmente estuvo Jesús escondido, o la falta de noticias se debe a la negligencia y falta de interés de los evangelistas?

Según mis informaciones, durante los 24 años en los que Jesús vivió en Nazaret, jamás estuvo oculto. Allí vio crecer a sus hermanos. Sí, has oído bien: a sus hermanos. En los cuatro evangelios canónicos se afirma, en un momento u otro, que Jesús tuvo hermanos y que estaban muy cerca de él. La existencia de esos hermanos de sangre atenta directamente contra el dogma católico de la virginidad de María, pero la verdad es que —más allá de la fe— nada se opone a la idea de que José y María tuvieran más hijos. La Iglesia afirma que el uso del término *hermano* tiene un sentido simbólico, pero, al leer los textos, la sensación que tenemos es otra bien distinta. En concreto, los ocho hermanos de Jesús serían los siguientes:

- ✔ Santiago
- ✔ Miriam
- ✔ José
- ✔ Simón
- ✔ Marta
- ✔ Judas
- ✔ Amós
- ✔ Ruth

José, su padre, murió cuando Jesús tenía catorce años, por lo que el primogénito se convirtió en el cabeza de una vasta familia. Dadas sus responsabilidades debió de rechazar la invitación para enrolarse en la guerrilla zelota contra los romanos. Suponemos que, en ese momento, su madre empezó a darse cuenta de que su hijo no había venido para encabezar ninguna rebelión política, sino más bien una de tipo espiritual. El mismo Jesús empezó a plantearse quién era realmente y qué había venido a hacer a este mundo. Unas preguntas que empezaría a responderse en el año 25 de nuestra era.

Un plan bien trazado

Jesús sabe que su gran momento se acerca. Que llega la hora de lanzarse a la vida pública y anunciar su mensaje. Atenazado por las dudas, se retira en solitario a la falda del Hermón, la montaña sagrada situada en la actual frontera entre Israel y el Líbano. Allí, en la soledad de los bosques de cedros, Jesús recupera algo que era suyo: la divinidad. En un proceso incompresible para la mente humana, Jesús hace suya la naturaleza divina. Y partir de ese momento se transforma en el hijo de Dios, mitad humano y mitad divino. Por fin, sus dudas desaparecen y ve con claridad cuál es su misión en la Tierra.

Inexplicablemente, ese histórico momento en el monte Hermón ha sido ignorado por la historia y la tradición. Ninguno de los evangelistas acertó a explicar en qué lugar y en qué instante se produjo el reencuentro de Jesús con su naturaleza divina. Como tampoco acertaron a escribir sobre "la cueva de las tentaciones", una gruta en la que tuvo lugar otro acontecimiento de especial importancia.

Ocurrió el 14 de enero del año 26. Jesús caminó hasta el río Jordán, cerca de Pella, y allí fue bautizado por Juan. Y, de inmediato, se retiró al desierto. Durante 40 días y 40 noches, según los evangelistas, ayunó, permaneció en soledad y fue tentado por el diablo. Nada más lejos de la realidad…

Tras ser bautizado por Juan, Jesús se retiró hacia el este, sí, pero no al desierto. El lugar escogido por el Mesías fue un paisaje de suaves colinas, a 4 km escasos de Pella, lleno de huertos y olivos. Pasó esos 40 días en las cercanías de una aldea, Beit-Ids, hoy desaparecida, en compañía de un grupo de humildes beduinos. Y, por lo que sé, tampoco ayunó. Aquellos beduinos le proporcionaron alimento.

Jesús de Nazaret pasó esos 40 días entre la cueva en la que pasaba las noches y los tranquilos olivares en los que reflexionaba. Allí fue donde meditó y planificó las líneas maestras de su inminente vida pública; ése fue el lugar donde decidió lo que debía hacer y lo que debía evitar. Los evangelistas, confundiendo tiempo y escenarios, crearon la fábula de las tentaciones. Un cuento que nunca ocurrió, al menos tal y como lo pintan ellos.

Esa historia de las supuestas tentaciones, narrada por Mateo, Marcos y Lucas, tuvo lugar en realidad en el monte Hermón. Mientras Jesús reflexionaba sobre su vida futura, una vez recuperada su

Figura 10-4:
Jesús
convivió
aquí con los
beduinos

esencia divina, uno de los siervos de Satanás se presentó ante él y lo interrogó acerca de su identidad y sus verdaderos propósitos. Jesús le ofreció el perdón, pero el representante del diablo lo rechazó. Por lo tanto, no hubo ni tentaciones ni desierto... Simplemente el diablo se dedicó a medir las distancias.

Juan Bautista, el olvidado

Tras pasarse 40 días en la cueva de Pella, Jesús regresó a Galilea. Mientras tanto, Juan Bautista había seguido predicando en las orillas del Jordán. Quizás éste sea el momento en que debemos recordar que muchos consideran a Juan Bautista el principal precursor del cristianismo. Pariente de Jesús, que lo consideraba el más grande entre los hombres, Juan también había nacido por un milagro —su madre era estéril—, y dedicó su vida a predicar advirtiendo del camino erróneo que estaba tomando el culto a Yahvé. Su sobrenombre le viene del ritual que instauró, el bautismo, que servía para que los fieles expiaran sus pecados. Dicho esto, seguiremos con el relato.

El 12 de junio del año 26, Juan el Bautista, que ya era muy popular entre los humildes, fue detenido por los soldados de Herodes Antipas. Por lo visto, a Juan, como al resto de los judíos, no le había parecido nada bien que Herodes repudiara a su primera esposa. Juan fue encerrado en las mazmorras de Maqueronte, uno de los palacios de verano del hijo de Herodes el Grande. Allí, en aquel lugar abrasador y desolado, el Bautista permaneció año y medio. Finalmente, el 10 de enero del año 28, Antipas le cortó la cabeza y se la ofreció en una bandeja a Salomé, la hija de Herodías, su segunda mujer.

Hasta aquí la historia conocida. Lo que no sabemos es que, durante ese año y medio en que Juan estuvo en la mazmorra, Jesús recibió las visitas de muchos de los seguidores del Bautista, que le suplicaban que intercediera por él. Entre esos discípulos de Juan figuraba un tal Judas Iscariote, quien más tarde se haría seguidor de Jesús y que pasaría a la historia por ser el traidor que lo entregó a los romanos.

A pesar de las súplicas, Jesús no movió un dedo a favor de Juan el Bautista. Ante la negativa del Mesías, se produjeron choques entre los discípulos de uno y otro. Este conflicto se prolongó, incluso después de la muerte de Jesús. Ésta fue una de las razones que alimentaron el resentimiento de Judas hacia Jesús, y que explica su traición.

¿Y por qué se negó Jesús a ayudar a Juan, a quien tenía en gran estima? Una posible respuesta es que Jesús sabía que, de seguir vivo Juan, el Bautista sería una fuente continua de problemas y enfrentamientos, como finalmente sucedió. En consecuencia, y aunque nos parezca cruel, Jesús dejó que el destino siguiera su curso. Los evangelistas no contaron nada de esto, quizá para no dañar la imagen de Jesús, o quizá la del Bautista.

Una doctrina manipulada

Muchos historiadores consideran que la muerte de Juan el Bautista marca el inicio de la vida pública de Jesús; tres años de parábolas, milagros y hechos ejemplares que cambiarían para siempre el devenir del mundo. Según se acercan las fechas decisivas en la génesis del cristianismo, las distintas fuentes que nos hablan de la vida de Jesús de Nazaret empiezan a mostrar puntos de vista más dispares. A diferencia de los sucesos que te he descrito hasta ahora, las mentiras y tergiversaciones sobre la vida pública de Jesús van a ejercer

Los evangelios apócrifos

Con esta genérica denominación se conoce a una treintena de textos que ofrecen una versión alternativa de la vida de Jesús. Algunos de ellos están dedicados a la vida de María y la infancia de Jesús, misteriosamente omitida por los textos oficiales; otros se centran, en cambio, en la Pasión y Resurrección de Jesús, y están llenos de disquisiciones filosóficas acerca de la propia esencia del cristianismo. Aunque algunos comparten contenido y doctrina con los canónicos, no están reconocidos por la Iglesia católica, que los atribuye a sectas de carácter gnóstico. Conviene recordar que esos grupos cristianos gnósticos, de orientación más mística y dualista —el bien frente al mal y la materia frente al espíritu—, tuvieron cierto peso entre los siglos II y III, y disputaron a la iglesia de Pedro el monopolio de la doctrina. Los más importantes, como el de Tomás, fueron descubiertos en 1945 entre los manuscritos de Nag Hammadi, en Egipto. De esos 30 textos, te resumo a continuación los que han adquirido una mayor relevancia.

El evangelio de Felipe está escrito en copto, y adopta la forma de una colección de dichos y proverbios de Jesús. Se supone que se redactó en algún momento del siglo III, y ha logrado su fama al hacer mención bastante explícita de la relación entre Jesús y María Magdalena. Según el texto, María era la compañera de Jesús, a la que llegaba incluso a besar en la boca. A pesar de lo que pueda parecer, el contenido del texto, lleno de referencias gnósticas, hace pensar que ese "beso" tiene más de conocimiento místico profundo que de amor carnal.

El de Tomás, como el de Felipe, también se redactó en copto y adopta la misma estructura de dichos y proverbios. Existe una fuerte discusión acerca de su fecha de redacción. Algunos teólogos creen que es un típico evangelio gnóstico, redactado en el siglo II; otros, en cambio, consideran que es el primero de los evangelios, anterior incluso a los oficiales. El texto hace especial hincapié en el valor de la sencillez y la humildad, y propone la renuncia a los bienes materiales y una forma de vida austera. Predica el amor al prójimo y la igualdad entre hombre y mujer.

El de Judas, copto del siglo II, rehabilita la figura de discípulo traidor. Hay que entender esta postura desde la tradición gnóstica, que concibe un Dios que es también el responsable de los males del mundo; la postura oficial, por el contrario, sostiene que es el diablo —y con él, el pecado— el culpable de las desgracias de nuestra especie. Judas formaría así parte del plan de Jesús, con quien habría pactado su entrega a las autoridades romanas para poder dar paso a la Pasión. La existencia del traidor sería así parte esencial de la misión de Jesús.

Como decía, hay muchos más. Por ejemplo, el de María Magdalena, que vuelve a incidir en la predilección de Jesús por su discípulo de sexo femenino, o el protoevangelio de Santiago, que subraya la virginidad de la Virgen María ante las acusaciones de paganos y judíos, el de san Juan, el de los egipcios, el de la Verdad, el evangelio de infancia de Tomás, el de los hebreos… Una colección apasionante de obligada lectura para cualquiera que esté interesado en conocer con mayor profundidad la vida y el legado de Jesús de Nazaret.

un profundo impacto en la doctrina de la Iglesia y en su posterior influencia en el mundo. Voy a empezar por uno de los puntos más polémicos: ¿Realmente Jesús quiso que se fundara una Iglesia tras su muerte?

La Iglesia de los hombres

La versión de los evangelios canónicos no deja dudas. En un bello paraje conocido hoy como Paneas o Cesarea de Filipo, tuvo lugar la fundación de la Iglesia. Según el Evangelio de Mateo: "Y yo a mi vez te digo que tú eres Pedro, y sobre esta piedra edificaré mi iglesia, y las puertas del infierno no prevalecerán contra ella [...] A ti te daré las llaves del Reino de los Cielos; y lo que ates en la tierra quedará atado en los cielos, y lo que desates en la tierra quedará desatado en los cielos".

Según estas palabras, Jesús fundó la Iglesia, sí. Una idea que nos suena un poco extraña a aquellos que conocemos a fondo la obra de Jesús, su estilo y su pensamiento. Yo creo que fueron sus discípulos y seguidores quienes, después de la Resurrección, manipularon sus palabras. Así justificaron la existencia de una organización que crecía y demandaba orden, jerarquía y unos principios doctrinales.

Las palabras de Jesús en las fuentes del Jordán fueron otras muy distintas. No se dirigió en exclusiva a Pedro, sino a los 12 apóstoles, a quienes dijo: "Yo os declaro que sobre vuestros corazones edificaré la hermandad espiritual del reino de los cielos. Y sobre esta roca espiritual levantaré el templo de las realidades eternas del reino de mi Padre. Ninguna fuerza prevalecerá contra esta fraternidad espiritual". No hay referencias a ninguna iglesia, organización o estructura. Jesús nos habla de una "hermandad espiritual", sin llaves ni cerraduras; un concepto que tendría más que ver con una comunión de las almas que con la edificación de una iglesia.

El desarrollo de los acontecimientos tomó otros derroteros. Después de que Jesús resucitara, se eligió a Pedro líder indiscutible de la naciente organización. Y alguien, al redactar los evangelios unos 30 años después de la muerte de Jesús de Nazaret, reafirmó su liderazgo, falseando el pensamiento y las palabras de Jesús. Y así nació la Iglesia, un invento totalmente humano. Fue la primera de muchas manipulaciones, que los padres de la nueva Iglesia no tendrían ningún reparo en cometer. Algunas de ellas, incluso, atentando contra la transparente personalidad del hijo de Dios.

El fraude del templo

¿Quién, en su sano juicio, puede imaginar a Jesús de Nazaret levantando el látigo contra los cambistas del templo de Jerusalén? Eso es lo que nos cuentan los evangelios oficiales, a pesar de que en ningún momento de su vida dio Jesús la menor muestra de ser una persona violenta. Según la historia oficial, Jesús no estaba de acuerdo con que se realizasen negocios terrenales en la casa de Dios, así que cogió un látigo que había por allí y echó a los mercaderes con rotundidad y violencia. Aquel lunes, 3 de abril del año 30, Jesús se hallaba en el templo, sí, pero los hechos fueron muy diferentes.

Jesús estaba predicando entre la multitud, pero lo interrumpían constantemente las discusiones y peleas entre cambistas y clientes. Fue entonces cuando Jesús, que estaba harto de que se rompiera el silencio cada dos por tres, se dirigió a los corrales donde se guardaban los animales para los sacrificios. Sin dudarlo demasiado, abrió las puertas de los corrales y dejó que fueran los bueyes, las ovejas y los carneros los que, azuzados por Jesús, derribaran las mesas y provocasen el caos. Un follón, por cierto, que aplaudió buena parte del pueblo judío, que no veía con buenos ojos aquel injurioso comercio en la casa de Dios. Una imagen que no tiene nada que ver con un Jesús violento, tal como reflejan los evangelistas. Jesús nunca utilizó la fuerza.

El fraude del Calvario

Las manipulaciones acerca de la vida de Jesús salpican también los cruciales momentos de su muerte y pasión. Para empezar, la errónea ubicación de la Vía Dolorosa, el camino que supuestamente recurrió Jesús cargando la cruz, y que todos los años recibe la visita de miles de peregrinos venidos de todo el mundo.

Jesús, camino del Calvario, no cruzó la ciudad de Jerusalén, tal como hace la Vía Dolorosa. La ejecución de dos guerrilleros zelotas junto a Jesús —los mal llamados ladrones— obligó a los romanos a desviar la comitiva. Por motivos de seguridad evitaron las concurridas callejuelas de Jerusalén —que se podrían haber llenado de simpatizantes de los zelotas, lo que habría causado una revuelta—, por lo que llegaron al Gólgota por el norte y campo a través.

¿Y qué decir del Gólgota, lugar donde supuestamente crucificaron a Jesús, y donde hoy día se alza la basílica del Santo Sepulcro? Cualquier especialista mínimamente informado debería saber que ese lugar no fue el de la crucifixión. La tradición, una vez más, no fue rigurosa con los acontecimientos. El invento arranca en el año 328 y es obra de santa Elena, la madre del emperador Constantino.

Según la tradición, la mujer encontró tres cruces en el Gólgota y dedujo que se trataba del Calvario. Después, toda una pléyade de sabios y padres de la Iglesia, entre los que se encuentran Sócrates de Constantinopla, san Cirilo de Jerusalén, san Juan Crisóstomo, Ambrosio y Paulino de Nola, bendicen el dudoso hallazgo de Santa Helena. Tres son las razones que me hacen dudar de semejante idea.

✔ Ni Jesús ni los zelotas cargaron las cruces completas. Sólo los *patibulum*. Es decir, los maderos transversales donde se fijaban los brazos. Esos maderos se reutilizaban en cada crucifixión, de manera que es imposible que quedaran las tres cruces completas sobre el monte.

✔ En el año 30, el Gólgota se hallaba extramuros de la Ciudad Santa, lo que invalida la creencia tradicional. Si observamos un mapa de aquel tiempo es fácil comprobar que la ubicación del actual calvario es artificial.

✔ Por último, cuando los arqueólogos judíos descubrieron los túneles de los Asmoneos encontraron también el pavimento del Jerusalén que pisó Jesús y parte de los muros del segundo templo. Un enlosado situado entre 18 y 20 m por debajo del nivel actual de la tierra. Santa Helena olvidó que Jerusalén fue destruida y vuelta a levantar.

Por lo tanto, la actual basílica se encuentra a 1 km del lugar real de la muerte de Jesús de Nazaret, y unos 20 m por encima de lo que fue el suelo original del año 30. Todo un despropósito.

Pero, a la hora de la verdad, parece que estos datos poco importan a los actuales propietarios los Santos Lugares, porque tienen en su explotación una verdadera mina de oro. Como ejemplo, apuntaré que la familia Musseiba, propietaria del Santo Sepulcro, y las confesiones religiosas que lo custodian —griegos ortodoxos, cristianos, armenios, coptos y sirios— reciben cada mes alrededor de un millón de euros en concepto de limosnas y donaciones. Mejor me ahorro los comentarios.

Figura 10-5:
El Santo
Sepulcro,
una mina de
oro para sus
custodios

La verdad de la resurrección

A esta interminable sucesión de errores y manipulaciones hay que sumar, por último, el lamentable silencio de los evangelistas con respecto al Jesús resucitado. Los evangelios canónicos apenas relatan cuatro apariciones del Mesías después de su muerte, y obvian los datos que apuntan a que realmente hubo muchas más; en total se cuentan hasta 19. ¿Y a qué debe el silencio de los evangelistas? Bien sencillo... Las palabras del resucitado no encajaban ni resultaban cómodas en la filosofía de la primitiva y naciente Iglesia. Veamos dos ejemplos.

El domingo 9 de abril del año 30, Jesús aparece en casa de José de Arimatea —el responsable de su entierro— y se presenta ante un grupo de 24 mujeres, entre las que se encuentra María Magdalena. Jesús les dice: "Vosotras estáis llamadas a proclamar la liberación de la humanidad por el evangelio de la unión con Dios". ¿Mujeres proclamando la buena nueva? ¿Mujeres al mismo nivel de los hombres? Demasiado para una sociedad machista en la que la mujer quedaba relegada a un segundo plano. Los apóstoles, todos varones, no podían aceptarlo.

Acabemos con un último ejemplo. Martes, 18 de abril del año 30. En Alejandría, en la residencia de Rodán, uno de los seguidores de Jesús recoge cómo se aparece Jesús ante 80 griegos y judíos. El resucitado se presenta ante ellos y les dice: "El Padre me ha enviado para establecer algo que no es propiedad de ninguna raza, nación, ni tampoco de ningún grupo especial de educadores o predicadores. El evangelio del reino pertenece a judíos y gentiles, a ricos y pobres, a hombres libres y esclavos, a mujeres y varones, e incluso a los niños […] ¡Prestad atención! Este evangelio no debe ser confiado exclusivamente a los sacerdotes".

¿Qué más se puede añadir? Jesús concibió una doctrina en la que no habría jerarquías, privilegiados ni escogidos. Una idea que chocaba de frente con la estructura de poder que quisieron construir los padres de la Iglesia, que se plantearon su sacerdocio como una forma de obtener autoridad e influencia. Algo que quedaba muy lejos de las intenciones de Jesús, quien en ningún momento de su vida mostró el más mínimo interés en acumular cotas de poder. Un ejemplo más de la manipulación interesada que ha sufrido la vída y obra de Jesús, y que siempre se ha llevado a cabo con un mismo fin: garantizar el control de los fieles y el poder de los sacerdotes. Los libres de espíritu no necesitamos estructuras ni jerarquías… Nos basta con escuchar con el corazón el mensaje que nos dejó un gran hombre, el mejor de todos: Jesús de Nazaret.

Capítulo 11

La copa mágica

En este planeta encantado habitan enigmas por los que he pasado de puntillas. En ocasiones, porque soy consciente de mis limitaciones; en otros casos, porque mis informaciones o la intuición me dictan que el enigma en cuestión no es tal. En este último grupo figura, por ejemplo, el no menos célebre Santo Grial. Conozco la leyenda y parte de la generosa literatura vertida por su causa. Y, sintiéndolo en el alma, me parece harto improbable que alguien pudiera rescatar, hace dos mil años, el cáliz que utilizó Jesús de Nazaret en la Última Cena.

Sin embargo, y muy a pesar mío, toda suerte de personajes —reales algunos e irreales la mayoría— se han empeñado en el romántico sueño de encontrar la supuesta reliquia. Hasta la fecha, nadie lo ha conseguido, y no creo que nadie lo logre jamás, porque, como decía, pienso que la copa se perdió en el remolino del tiempo. Pero lo cierto es que la historia del Grial es uno de los mitos más célebres de Occidente. Sigue llenado páginas de libros, revistas y guiones de todo tipo. Poco importa que el origen del mito se remonte a hace casi mil años. Conecta con cada nueva generación, y parece que aún le queda cuerda para rato.

He oído las más disparatadas hipótesis acerca del sentido del Grial y de su actual paradero. Hay quien opina incluso que no se trata de la copa de la Última Cena, sino de un supuesto hijo que tuvo Jesús con María Magdalena. Hay teorías que lo relacionan con la piedra filosofal, la feminidad e incluso con la menstruación. Por probar, que no quede. Y respecto a su paradero, parece que cualquier castillo o monasterio colocado sobre una peña pudiera ser su destino final. Como ves, demasiadas habladurías, demasiadas hipótesis sin demasiado fundamento. Por lo tanto, y aunque el Grial no se cuente entre mis especialidades, me veo en la obligación de dedicarle un capítulo en este *Enigmas y misterios para Dummies.* Así me lo exigen la fuerza que ha adquirido el mito durante los siglos, el interés que todavía suscita y los confusos delirios que su persecución ha provocado. Yo nunca he ido a la búsqueda del Grial, pero esto es lo que me han enseñado aquellos que sí lo hicieron.

Así empieza todo

Podría parecer que el origen del mito está claro: el Jerusalén de hace unos dos mil años, en la casa de un anónimo discípulo de Jesús de Nazaret donde se celebra la Última Cena. Allí es donde la copa aparece en juego por primera vez, supuestamente entregada por Jesús a sus discípulos en lo que es la primera Eucaristía; algo así como la primera comunión del cristianismo. ¿Es ahí donde una vulgar copa se convierte en uno de los objetos más deseados y perseguidos en la historia de la humanidad? Según dicen los evangelios, la respuesta es negativa.

La versión oficial

Los cuatro evangelios reconocidos por la Iglesia católica, los de Mateo, Lucas, Marcos y Juan, hacen mención a la Última Cena, aunque no todos describen el momento en que Jesús reparte el vino entre sus discípulos y utiliza la copa. Así es cómo lo describen cada uno de los evangelistas.

✔ En el de **Mateo**, que se utiliza en la liturgia católica: "Y tomando el cáliz y dando gracias, se lo dio, diciendo: 'Bebed de él todos, porque ésta es mi sangre, la sangre de la alianza, que será derramada por muchos para remisión de los pecados'".

✔ **Marcos** es aún más breve y conciso: "Tomando el cáliz, después de dar gracias, se lo entregó, y bebieron de él todos".

✔ Y **Lucas** concreta cuál es el contenido de la copa: "Tomando el cáliz, dio gracias y dijo: 'Tomadlo y distribuidlo entre vosotros, porque os digo que desde ahora no beberé del fruto de la vid hasta que llegue el reino de Dios' ".

✔ **Juan** es el único evangelista que no hace mención explícita al cáliz; en su lugar, la Última Cena se llena de un discurso más filosófico donde el amor es el mensaje. Es el único evangelio que describe el acto de humildad en el que Jesús lava los pies de sus discípulos.

Como se puede ver, hay muy pocas pistas. No sabemos ni cómo es ni qué aspecto tiene. De hecho, no sabemos ni de quién es, porque ninguno de los textos oficiales nos dice de quién era la casa donde se celebró la Última Cena. Lo único que nos cuentan es que la sala era amplia, alfombrada, y propiedad de un misterioso hombre que llevaba a cuestas un cántaro de agua. Ésa es la pista que deben seguir los apóstoles para encontrar el lugar; una señal inconfundible, porque las mujeres eran las encargadas de acarrear las tinas en aquellos días.

Los evangelios apócrifos, en cambio, sí revelan el nombre del propietario del lugar, y suponemos que de la cristalería. Se trata de José de Arimatea, un hombre próspero que formaba parte del

Figura 11-1:
José de Arimatea era miembro del Sanedrín

Sanedrín, del mismo consejo judío que pidió la muerte de Jesús. José se contaba entre los más devotos fieles del Nazareno, e hizo todo lo posible para detener el proceso que llevó a la muerte de su maestro. No lo consiguió, pero fue quien cedió el lugar de la Última Cena y se ocupó de bajar el cuerpo de la cruz, después de pedírselo personalmente a Poncio Pilato. Seguramente recordarás que José de Arimatea también está implicado en el misterio que envuelve a la Sábana Santa (capítulo 8), como la persona que envuelve a Jesús en la tela que más tarde se convertirá en santa. No puede decirse que invirtiera mal sus recursos: las dos reliquias más preciadas de la cristiandad salieron de sus armarios.

A partir de ahí, poco más se sabe. En los textos oficiales no hay noticias de que José se quedara la copa y la guardara con el cuidado que merecía. No parece que nadie reparara lo más mínimo en ella. Los evangelios apócrifos tampoco se entretienen mucho en el tema, a pesar de que le dedican unas cuantas líneas más a José de Arimatea (evangelio de Nicodemo), quien fue apresado y encarcelado por los miembros del Sanedrín. Dicho evangelio relata con detalle el cautiverio de José y cómo el Jesús resucitado lo liberó.

En los textos históricos inmediatamente posteriores a la muerte de Jesús, ya sean oficiales o apócrifos, no hay referencia alguna a que ocurriera nada especial con la famosa copa. Habrá que esperar muchos siglos hasta que se vuelvan a tener noticias escritas del cáliz sagrado. En cambio, durante esos años de oscuridad, otras tradiciones nos hablan de copas y vasos de mágicos poderes. Las posibles bases paganas que propicien la posterior aparición de las leyendas del Grial.

El caldero mágico

Ya desde los tiempos de la civilización mesopotámica —en el antiguo Irak—, el agua y los recipientes que la contienen, como copas, platos y jarras, han tenido un importante valor simbólico en los rituales religiosos. Se solían relacionar a menudo con el nacimiento, la vida y el vientre de la mujer. Además de en Mesopotamia, también encontramos referencias al papel jugado por copas y vasos en las ceremonias religiosas de India y Grecia.

No obstante, es en la tradición celta donde vemos de forma más clara una relación directa con las futuras leyendas del Grial. Según estas leyendas, el dios benéfico Dagda cuidaba de un Caldero de la

Abundancia, un cuenco que contenía la sabiduría y que era capaz de saciar a quien comiera de él. El Caldero de Gundestrup, un bellísimo cuenco encontrado en Dinamarca y datado hacia el siglo II a. C., sería un perfecto ejemplo de la importancia que tenían los vasos en las culturas de origen celta.

Según las leyendas originarias de Gales e Irlanda, el caldero no sólo daba alimento, sino que además podía revivir a los muertos. Más tarde verás que una de las mágicas propiedades atribuidas al Grial es, precisamente, la capacidad de alargar la vida. Los celtas ya atribuían a los calderos este poder mágico, como se puede apreciar en la historia de Ceridwen, una diosa que utilizó el Caldero del Ingenio para preparar una pócima que compensara la terrible fealdad de su hijo, Afagddu. Según la historia, para preparar el brebaje había que dedicar tiempo y esfuerzo. Así pues, como la tarea era larga y pesada, se la encomendó a Gwion, un sirviente. Mientras removía el brebaje, tres gotas cayeron sobre el joven plebeyo, quien se convirtió de inmediato en un increíble mago y poeta.

El rey que nunca existió

La mayoría de historias en las aparece el cáliz sagrado tienen como protagonistas al mítico rey Arturo y a sus caballeros de la Mesa Redonda. Pero el rey, tal como lo tenemos en mente, no existió en la vida real. No hubo nunca una espada clavada en una piedra, un mago Merlín ni una mesa redonda. Son una pura fantasía literaria.

En el mejor de los casos, la figura de Arturo podría basarse en la historia de un jefe militar galés, hijo de patricios romanos, que habría defendido heroicamente la Bretaña de los invasores sajones. Aunque hay referencias históricas que hablan de ese caudillo que frenó a los sajones, la posibilidad de que el mítico rey fuera aquel terrateniente romano es muy remota.

La primera noticia que tenemos del rey Arturo como tal nos llega desde una obra escrita hacia el 1130-1135, la *Historia Regum Britanniae* de Godofredo de Monmouth, que pretendía ser un recuento fiel de los reyes que habían poblado Gran Bretaña. Lo cierto es que dista mucho de ser fiable y precisa, y se considera básicamente como una obra de ficción. Lo importante es que nos habla por primera vez del rey Arturo, de su padre Uther Pendragón, del mago Merlín y de la espada *Excalibur*. A partir de ahí, queda abierta la veda para los escritores de toda la Europa Occidental, que toman la figura del rey y de toda su saga para construir las bases de la novela caballeresca.

La influencia que tuvieron las leyendas celtas sobre la literatura medieval cristiana fue considerable, hasta el punto de que algunos de los personajes que aparecen en estas historias precristianas tienen su equivalente en los relatos caballerescos. Parece lógico pensar, por lo tanto, que el Grial experimentó un proceso similar. De este modo, lo que primero fue un cuenco celta se habría transformado en el cristiano Santo Grial, por obra y gracia de unos cuantos escritores de romances canallescos que poblaron la Europa de los siglos XII y XIII.

El mito cobra vida

El francés Chrétien de Troyes, nacido hacia el 1150, es el autor por antonomasia de novelas artúricas y el responsable de desarrollar la mitología que hoy conocemos. Poeta cortesano de origen humilde, conocía muy bien los relatos las tradiciones celtas y bretonas gracias a la estrecha relación que mantenían estos territorios desde la invasión normanda del año 1066. Nos han llegado cinco de sus obras artúricas, aunque se supone que escribió muchas más. La que nos interesa es su obra póstuma, que dejó inacabada al sorprenderle la muerte en mitad de su elaboración: es el *Conte du Graal o Perceval*, que data del año 1180.

El *Perceval* tiene 9293 versos y, como decía, queda interrumpido antes de desvelar muchos de los secretos que contiene el Grial. Trata de la historia de un joven, único hijo vivo de una humilde familia, a quien su madre mima en exceso para alejarlo de los problemas del mundo, con lo que se convierte en un joven ingenuo que no conoce ni el miedo ni la vergüenza. Un día ve a unos relucientes caballeros en un bosque cercano a su casa. Al encontrarse con ellos, le cuentan que sirven al rey Arturo, e impresionan tanto al muchacho que éste ya no puede pensar en otra cosa que no sea hacerse caballero y visitar al rey Arturo.

Para desgracia de su madre, Perceval se va de casa y empieza un recorrido que lo llevará a la corte de Arturo, donde demuestra su valor y empieza su carrera como caballero. Tras unos cuantos duelos y un romance con la bella Blancaflor, Perceval llega a un desolador paisaje llamado *Terre Geste* o Tierra Desolada, donde no crece absolutamente nada. Mientras cruza el territorio se topa con un viejo que pesca en una barca, el Rey Pescador, que le sugiere que visite el castillo del Grial. Ésta es la primera vez en la que se cita el término en un texto escrito.

Figura 11-2:
Jesús,
pescador
de almas

Perceval obedece y, al llegar al castillo, se encuentra otra vez con el Rey Pescador, quien le regala una espada y con quien mantiene un amistosa conversación. En mitad de charla entra un peculiar cortejo encabezado por un sirviente que lleva una lanza de la que brota una gota de sangre. Lo cierra una chica, vestida de gala, que lleva en las manos un Grial, una copa o plato, de la que brota una luz cegadora. Perceval, por prudencia, no comenta nada, pero luego descubrirá que, si hubiera preguntado por la naturaleza del Grial, habría liberado a la Tierra Desolada y al Rey Pescador de su maldición. Después de dejar el lugar, varios personajes le recuerdan su error al pobre Perceval, así que, tras ser nombrado caballero, decide volver al castillo del Grial para intentar enmendar su error. Y ahí se corta la historia.

Vemos que el Grial se convierte en el tema central en la obra de Chrétien de Troyes, pero en ningún momento se lo relaciona con la copa de la Última Cena. El Grial, símbolo de la luz, tiene un carácter místico, pero nada más. Entonces ¿quién es el responsable de unir el relato artúrico con la tradición cristiana? La respuesta la tienes en el próximo párrafo.

Y el Grial se hace santo

Al describir la comitiva que interrumpe la charla que mantienen Perceval y el Rey Pescador, seguramente te habrás percatado de que la peculiar procesión está encabezada por un sirviente que lleva una lanza. Un arma de la que cae una gota de sangre. ¿Una copa? ¿Una lanza? ¿Un Rey Pescador? No hace falta ser muy ingenioso para relacionar ambos objetos con la lanza de Longinos, que atravesó el costado de Jesús, y con el cáliz de la Última Cena. Y, con respecto al Rey Pescador, los evangelios nos presentan varias veces a Jesús como un "pescador de almas" que las llevará al "reino de los cielos".

El escritor que unió la tradición artúrica y la cristiana fue otro francés, Robert de Boron. Escribió hacia el 1200 el *Roman de l'Histoire du Graal*, una obra en la que hace un repaso completo de la vida y milagros del rey Arturo. La obra estaba dividida en tres partes, de las que sólo nos han quedado la primera y unos pocos versos de la última. Es en esta primera parte, titulada *José de Arimatea,* donde se cuenta que el buen José, al pie de la cruz, recogió la sangre que había abierto la lanza de Longinos con el cáliz de la Última Cena. Así, la copa adquiere un valor extraordinario y se denomina por primera el "Santo Grial".

Ésta es la primera vez en que se cuenta semejante versión de la historia. A pesar de que muchos creen que aparece en los evangelios apócrifos, hay que reconocer que se debe única y exclusivamente al talento de Robert de Boron. En unos tiempos en que la cristiandad no estaba pasando por su mejores momentos, como consecuencia de la caída de Jerusalén en manos musulmanas, no es de extrañar que muchos se aferraran al Grial como una forma de subir la moral de fieles y cruzados.

La historia de Boron sigue, y describe el cautiverio de José de Arimatea que ya nos contaba el evangelio apócrifo de Nicodemo. Pero a diferencia del texto antiguo, aquí Jesús hace a José el responsable del Santo Grial, una pieza que desde ese momento debe ocupar un papel trascendental en el culto cristiano. Las peripecias de José incluyen su huida de Palestina, debido a la persecución que sufren los cristianos, y concluyen cuando por fin encuentra refugio en la Gran Bretaña, en Glastonbury, donde erige un templo que dará cobijo al Grial.

Quiero dejar claro que la historia de Boron es pura ficción. Una persona que haya estudiado mínimamente las condiciones de la muerte de Jesús, y que sepa de la urgencia y la clandestinidad con la que se retiró y enterró el cadáver, no puede creer que José de Arimatea encontrara tiempo para semejante extravagancia. Sin embargo, en los últimos años he oído voces que pretenden dar veracidad a dicha historia. En absoluto.

Otra cosa muy distinta es que, en aquellos tiempos de retroceso cristiano frente al avance musulmán, algunos dirigentes decidieran estimular la creencia en un Grial real y auténtico, en especial entre las tropas que iban a luchar a Tierra Santa. Seguro que más de un soldado cruzado debió de sentirse como un artúrico caballero andante, capaz de soportar las más duras penurias y sacrificios en su búsqueda del Grial. Además, la historia de Boron daba a la sangre una importancia crucial dentro de la doctrina cristiana, y al Grial un poder místico que haría de él la reliquia más codiciada del mundo occidental.

Pero ni Chrétien de Troyes ni Robert de Boron dan detalles sobre las cualidades y virtudes de la copa. Sabemos que es un objeto del que emana una luz cegadora, y que parece tener una influencia determinante en los acontecimientos que a su alrededor se dan cita. Pero ¿en qué consiste ese poder? ¿Qué es capaz de hacer el Grial?

El poder del Grial

Creo que ha quedado claro cómo el mito del Santo Grial es precisamente eso, un mito, un relato de ficción que enraizó en la forma de ser de las gentes —y dirigentes— de los territorios bajo la influencia del Sacro Imperio romano. Es una mezcla de relatos y leyendas que, hacia el año 1200, adquieren un carácter cristiano y arraigan en el imaginario popular.

Esa evolución de lo pagano a lo cristiano comportó además un efecto no deseado: la confusión entre ficción y realidad. El Grial de Chrétien de Troyes es un objeto que aparece en una novela; el Grial cristiano es la copa que Jesús de Nazaret usó en la Última Cena, de la que hablan los evangelios. Un objeto arqueológico que, si creemos en lo que nos cuentan los textos sagrados, tuvo que existir realmente en aquella casa de Jerusalén. Por lo tanto, ¿quién nos dice que no pueda estar escondida por ahí?

Ya tenemos el lío montado. El Santo Grial pasa a ser un objeto real. Ya sólo nos falta acabar de darle color y hacer los últimos retoques. Ah, sí, y llenarlo de contenido, que para eso es una copa. Como en las anteriores etapas de toda esta historia, será un escritor de ficción, esta vez alemán, quien se encargará de abrirnos los secretos de la misteriosa joya. Las virtudes descritas por ese poeta y caballero impregnan el mito todavía hoy.

Eschenbach superstar

Wolfram von Eschenbach nació en Baviera hacia el 1170 y, a juzgar por lo que nos ha llegado de él, debió de ser todo un personaje. Una verdadera estrella. Trovador y caballero andante, sensible y rudo a la vez, poseía un enorme talento aunque no sabía ni leer ni escribir. Tenía una memoria prodigiosa, a la que aunaba una creatividad desbordante, lo que lo hizo muy popular en toda Centroeuropa. Eschenbach dictó a un escriba varias de sus obras, entre las que destaca por encima de las demás el *Parzival*; un extenso poema de 24810 versos que debió concebir hacia el año 1210.

El *Parzival* de Eschenbach copia casi literalmente la línea argumental del *Perceval* de Chrétien de Troyes, que el francés dejó a medio hacer. Quizá la única diferencia digna de mención es la forma del Grial, que aquí es una piedra preciosa llamada *lapsit exilis*. Lo interesante empieza precisamente donde termina la obra original: en el momento en el que deben empezar a darse las respuestas acerca del poder de la joya. Como apunte, cabe decir que Eschenbach no fue el único que se atrevió a continuar la obra de Chrétien. Hay unas cuantas versiones más.

En el momento en que retoma la historia, Eschenbach nos sitúa ante un Parzival que lleva cuatro años y medio buscando el Grial. Tras haberse dejado el alma y la espada por el camino, Parzival conoce a Trevrizent, una especie de ermitaño, un hombre santo, que lo convertirá en una persona renovada. Trevrizent le hablará de la luz y de las tinieblas, de la importancia de la penitencia y de la regeneración del alma. Le dará además algunas pistas que acabarán de dar forma definitiva al mito del Grial.

Las virtudes de la joya

Para empezar, el trovador alemán pone nombre el castillo donde se encuentra el Grial. Ese lugar se llama Montsalvach, lugar en el que vive un cofradía que impide que los impuros puedan acercarse a él. La joya guardada en Montsalvach tiene grabados una serie de nombres, que se corresponden con los reyes del Grial, con sus señores. Sólo los que vean su nombre escrito en la joya, perfectos de corazón, son dignos de acceder a su poder. Vemos, por lo tanto, cómo en la versión alemana se añade un importante componente elitista a la historia.

Eschenbach escribe además que los caballeros templarios son los guardianes que custodian el Grial; un detalle que resulta muy curioso, porque introduce una referencia cristiana en un poema donde el principal motivo es el mundo artúrico. La alusión a la orden formada por los monjes guerreros va a ser una constante de ahora en adelante, y cualquier zona que cuente con su presencia va a ser candidata a atesorar el destino del Grial. Cada uno de los castillos que construyó la orden del Temple se convierte, en la mente de poetas y soñadores, en un posible Montsalvach.

En su descripción del misterio del Grial, el misterioso ermitaño inventado por Eschenbach nos revela cuáles son sus propiedades, en qué consiste el poder del Grial:

✔ **Da sustento sin fin.** Los alimentos que comen los templarios proceden del Grial, y bastan para saciar a cualquier hambriento. El alimento puede ser tanto físico como espiritual.

✔ **Cura a los heridos.** En siete días, el Grial es capaz de curar al más enfermo.

✔ **Emite una luz muy brillante,** blanquísima, que puede provocar un trance en el espectador.

✔ **Da la victoria en la batalla.** Aquel que pueda acercarse al Grial, jamás tendrá rival en cuanto a nobleza y honor.

Algunas versiones posteriores del mito añaden una quinta característica, que tendría que ver con el poder destructor del Grial. Del mismo modo que los perfectos que se acerquen a él se llenarán de su poder, aquellos que lo hagan con el alma impura recibirán un golpe que puede ser mortal. El Grial se convierte así en un objeto mágico, que alberga todo lo que puede desear un caballero: riqueza espiritual y valor en la batalla. Dos conceptos sin los que es imposible entender la Baja Edad Media y que se unen a la perfección en el ideal cruzado y templario.

Los perfectos guardianes del Grial

Hay quien también quiere ver en la obra de Eschenbach alusiones veladas a los cátaros, una escisión de la doctrina cristiana oficial, mucho más espiritual y tolerante, que ponía en primer término la dualidad entre luz y oscuridad. Las influencias provenzales que tiene la obra así lo justificarían. Incluso ese elitismo que se desprende de todo el texto entronca muy bien con la figura cátara del *perfecto*, los sacerdotes —¡y sacerdotisas!— de esta secta cristiana. Los perfectos llevaban una vida ejemplar, entregada a la pureza y ajena al odio, que levantó la admiración de los habitantes de la Provenza. Las mismas virtudes que debían tener los caballeros del Grial.

La Iglesia de Roma no tuvo piedad con el catarismo, al que tildó de herejía, y emprendió una persecución brutal contra sus miembros y ciudades más representativos, que culminó con la caída de Montségur en el 1244. Todos los perfectos murieron quemados en la hoguera, junto a un buen puñado de fieles y colaboradores. Muchos han querido ver en la última ciudad cátara y en su castillo, ubicado sobre una peña inaccesible, al verdadero Montsalvach del poema épico. De hecho, cualquiera que tenga conocimientos de lenguas románicas no puede negar el origen occitano del término, lo que situaría al mítico castillo en la zona de los Pirineos; precisamente donde se encuentra Montségur. Reconozco que si el Grial no fuera un mito, dicha localidad tendría todas las cartas para ser la última morada de la copa; sobre todo al leer los registros de la Inquisición, que relatan un extraño acontecimiento que tuvo lugar la noche anterior a la caída de Montségur. Pasemos al siguiente apartado y descubramos en qué lugares se rumorea que podría esconderse el tesoro más preciado de la Europa medieval.

La búsqueda interminable

Después de revisar las pruebas que tenemos, y de seguir la evolución del mito, la respuesta a la pregunta debería ser rotunda: en ninguna parte. No puede buscarse algo que no existe. Sin embargo,

Wagner y su Parsifal

De entre todos los relatos sobre Parsifal y su incansable búsqueda del Grial, no me cabe duda que la versión operística compuesta por Richard Wagner es la que hoy goza de un mayor reconocimiento. Es relativamente joven si se compara con los relatos medievales, puesto que no se estrenó hasta 1882, y contiene suficientes elementos innovadores para no dejar a nadie indiferente. Y, por encima de todo lo demás, tiene una partitura absolutamente conmovedora.

El *Parsifal* wagneriano reúne todos los elementos aparecidos en las anteriores versiones del relato, aunque coge como referente a la obra de Wolfram von Eschenbach. Wagner siempre admiró la obra del irrepetible trovador, a quien dedica grandes elogios en su correspondencia privada. El *Parsifal* operístico no se deja nada en el tintero, e incluye la copa como cáliz de la sangre de Jesús, el robo de la lanza de Longinos, los guerreros perfectos que guardan las reliquias en Montsalvatch, la maldición que cae sobre un rey y sus gentes, la historia del joven ingenuo que se acabará convirtiendo en el guardián de la copa..., todo mezclado en un drama místico y musical que reúne elementos germánicos con otros cristianos; no en vano, Wagner afirmaba haberla compuesto una mañana de Viernes Santo.

El filósofo Friedrich Nietzsche, que siempre se contó entre los mayores admiradores del músico, consideró el libreto una abominación, una especie de elevación y justificación de la mitología cristiana que tanto detestaba. Sin embargo, tuvo que reconocer que la música era lo mejor que jamás había compuesto el músico de Leipzig. Ante las acusaciones del filósofo, Wagner respondió afirmando que para él no había nada de semítico en el texto, puesto que creía que el cristianismo tenía una esencia puramente europea. De hecho, algunos críticos con la obra han querido ver en el *Parsifal* unos tintes racistas que, con el libreto en la mano, no se sostienen por ningún lado. En todo caso, y como en el resto de versiones del mito del Grial, el *Parsifal* wagneriano nos invita a emprender un camino de perfección que pasa por el conocimiento de nuestra voluntad. Sus connotaciones místicas, que entroncan con una visión de la compasión como ideal supremo, lo alejan definitivamente de las interpretaciones autoritarias que han divulgado algunos (mal) iluminados.

desde la popularización de la figura del Grial y por su relación con la copa de la Última Cena, pueden contarse por docenas los investigadores que han dedicado su vida a encontrarlo. No hay duda de que el Grial descrito en los romances artúricos es un maravilloso artefacto, y que cualquier persona con un poco de voluntad desearía tenerlo en su poder. Pero, por intensos que sean nuestros deseos, éstos no van a hacer que la ficción se convierta en realidad.

La figura del Grial perdió buena parte de su poder de convocatoria tras el fin de la última cruzada y, sobre todo, con la llegada del Renacimiento. La vuelta a las formas clásicas, a la medida y a la proporción, convirtieron las leyendas medievales en pura superchería. Por si fuera poco, la publicación de un libro extraordinario, protagonizado por un tal Don Quijote, enterró definitivamente las novelas de caballerías y abrió la puerta al nacimiento de la novela moderna. Con la llegada de la Ilustración y del imperio de la razón, parecía que los días del Grial habían llegado a su fin... pero no fue así.

Los primeros años del siglo XIX fueron testigos de la aparición de un nuevo movimiento estético, el Romanticismo, que renegó de las bondades de la razón y antepuso valores como la pasión y la voluntad. La Edad Media volvió a ponerse de moda entre los creadores de toda Europa, que no tardaron en redescubrir la figura del Grial. El mismo Goethe, que abrió las puertas a la nueva corriente estética, dedicó parte de su tiempo a estudiarlo e incluso escribió algún poema sobre el asunto.

Unos cuantos años más tarde, Richard Wagner, seguidor apasionado de los poemas del Eschenbach, puso el cáliz sagrado en primera línea al componer su *Parsifal*, obra que cautivó a una generación entera y fomentó una fiebre por el Grial en toda Alemania. No fue la única de sus óperas inspiradas en el tema, puesto que el *Lohengrin* bebe de la mismas fuentes. Entre los iluminados por la obra de Wagner y su *Parsifal* hay que contar, desgraciadamente, a Adolf Hitler y un sector de la cúpula nazi. La exaltación de la voluntad guerrera, sumada al idea de perfección que parece inspirar el Grial, resultaban demasiado irresistibles para un movimiento que soñaba con superhombres arios. Por incómodo que nos resulte, buena parte de la actual vigencia del mito proviene de la obsesión que pusieron los nazis en su búsqueda.

Nazis de película

En la historia de la búsqueda del Grial, un nombre se ha ganado una mención especial entre los demás, aunque en buena medida se deba a la ambigua relación que mantuvo con el régimen nazi. Se trata de Otto Rahn, un historiador y filólogo alemán especializado en la Edad Media y, muy en especial, en la herejía cátara. En 1931 viajó personalmente a la zona de Montségur para buscar una posible relación entre el Grial y la religión de los perfectos, convencido de que el *Parzival* de Eschenbach se inspiraba directamente en ellos.

Rahn decía conocer unos informes de la Inquisición que describían cómo la noche anterior a la caída de Montségur, el 16 de enero de 1244, cuatro cátaros se descolgaron del castillo por su pared más inaccesible y pusieron a salvo un tesoro de gran valor. Muchos creen que ese tesoro era el Grial mismo; entre ellos, Otto Rahn, quien así lo describió en un libro de 1933 titulado *Cruzada contra el Grial*, en el que hablaba de un red de túneles cercana a Montségur donde los cátaros podrían haber escondido el mágico objeto. En defensa de Rahn, a quien el cristianismo le interesaba bien poco, hay que decir que siempre negó que el Grial fuera la copa de la Última Cena. Él buscaba la piedra preciosa de la que hablaba Eschenbach, que relacionaba con antiguos ritos germánicos. Una ficción, por supuesto, pero quizás algo menos descabellada.

Los trabajos de Otto Rhan pronto provocaron el interés de algunos miembros de la cúpula nazi, en especial del jefe de las SS, Heinrich Himmler, quien siempre mostró un interés exagerado por todo lo que tenía que ver con los enigmas, el esoterismo y las ciencias ocultas. La razón de este interés hay que buscarlo en el ansia de los nazis por construir un pasado mítico propio, que no tuviera nada que ver con el cristianismo, y que justificara la supremacía de la raza aria y el carácter belicoso del régimen. Una lectura interesada del mito del Grial podía servir muy bien a sus intereses, así que Himmler llamó a Rahn y le ofreció un puesto en las SS. Rahn aceptó.

Gracias al dinero de las SS, Rahn pudo viajar por toda Europa a la búsqueda del Grial. Mientras tanto, Himmler ordenaba requisar todas las reliquias de cierto interés histórico y esotérico que había por Europa; entre ellas, la supuesta lanza de Longinos, que se exponía en Viena. A todo esto, Rahn no pudo encontrar el Grial en Montségur, y así lo dejó escrito. Por lo visto llegó a encontrar túneles y escondrijos, pero nada de valor en ellos. Algunos investigadores sostienen, contra las propias palabras de Rahn, que sí dio con el tesoro cátaro, y que las SS lo enterraron junto a su castillo y fortaleza de Wewelsburg. Puras especulaciones: Rahn no tenía por qué mentir, especialmente si tenemos en cuenta que habría sido el mayor triunfo de su vida.

Lo que sí es cierto es que, tras su fracaso, las SS relegaron a Rahn a tareas menos apasionantes. El investigador, de quien se dice que era homosexual, se fue distanciando poco a poco del régimen nazi. Descontento con el rumbo que tomaba Alemania, en 1939 pidió la baja en las SS. Meses después lo encontraron congelado en una montaña del Tirol. Los periódicos nazis hablaron de suicidio; otras fuentes, de asesinato, y unos pocos, de un rito suicida de origen cátaro. Incluso hay quien afirma que Rahn no murió, sino que las SS fingieron su muerte y le dieron una nueva identidad.

Lo que es indudable es que el trabajo de Rahn unió definitivamente a Montségur con el Grial. Siguiendo la pista que él abrió, decenas de investigadores se lanzaron a su búsqueda por las tierras del Languedoc. Los nazis, en cambio, se convencieron de que no había nada en Montségur, y dirigieron su interés hacia la península Ibérica; en concreto, hacia el símbolo por excelencia de la religiosidad catalana.

Las SS en Montserrat

A una cincuentena de kilómetros de Barcelona se alza un macizo montañoso cuya peculiar forma ha hecho volar la imaginación de investigadores de todo el mundo. Sus rectas paredes y redondeadas cumbres, a las que hay que sumar una red interior de cuevas repletas de estalactitas y curiosas formaciones de piedra, la convierten en un escenario perfecto para los más insospechados misterios. En el siglo X, además, la montaña se convirtió en un centro religioso de primera importancia; allí se encuentran un monasterio benedictino y la talla de la virgen negra de Montserrat, la imagen mariana más venerada por los catalanes.

En el siglo XIX, muchos de los redescubridores del *Parzival* de Eschenbach asociaron el Montsalvach del poema épico con la montaña de Montserrat. Si la similitud entre ambos nombres les pareció interesante, cuando vieron la montaña se convencieron de que el Grial debía encontrarse allí. Un explorador y naturalista amigo de Goethe, Alexander von Humboldt, visitó la montaña en 1799 y encontró suficientes indicios para creer que podría ser, efectivamente, el destino final del Grial. En la Alemania romántica, la identificación entre la montaña y el mito fue absoluta, hasta el punto de que en varios decorados del *Parsifal* wagneriano se dibujaba de fondo la peculiar silueta del macizo catalán.

La obsesión germánica por Montserrat llevó a Himmler, el jefe de las SS, a visitar personalmente la montaña en 1940. En un primer momento, los monjes benedictinos se opusieron a recibir a semejante individuo, pero las presiones de la cúpula franquista hicieron inevitable el encuentro. Así, un joven monje que hablaba alemán, Andreu Ripoll, no tuvo más remedio que acompañar al jerifalte nazi durante su visita. Según el monje, Himmler se mostró maleducado y soberbio, seguramente por su desprecio patológico a todo lo que tuviera que ver con el cristianismo.

A pesar de que Ripoll intentó hablar con Himmler de los orígenes e historia de la montaña, el jefe de las SS cortó en seco cualquier explicación y se limitó a preguntar por el Grial. Himmler insinuó la posibilidad de que se encontrara en Montserrat, y exigió acceder a la biblioteca, donde, según él, se guardaban unos documentos secretos sobre el Grial y el *Parzival*. El monje se encogió de hombros, respondió a Himmler que todo aquello le parecían tonterías y despachó al jefe nazi todo lo rápido que pudo. Ese mismo 23 de octubre, Himmler volvió a Barcelona con el rabo entre las piernas. Del Grial, fuera una copa, un plato o una piedra, ni rastro.

El cáliz de Valencia

Montserrat no es el único lugar de España que se baraja como una posible sede del Grial. De hecho, en Valencia lo tienen muy claro: la copa de la Última Cena la tienen ellos, expuesta en una capilla de la Catedral de Valencia. Se trata de un vaso de piedra, de ágata coralina oriental, con forma de cuenco de unos 10 centímetros de diámetro. A ese vaso, que sería el utilizado por Jesús, se le ha añadido un pie de oro y piedras preciosas de origen medieval, fundido a partir de un objeto de origen musulmán. La Iglesia católica nunca se ha pronunciado oficialmente sobre la autenticidad de la reliquia, pero la verdad es que los dos últimos papas, Juan Pablo II y Benedicto XVI, siempre han celebrado la Eucaristía utilizando el Grial en sus visitas a la ciudad. En este sentido, y pendiente de confirmación oficial, parece que la Iglesia estuviera diciendo que sí, que ése es el cáliz de la Última Cena. ¿Hay alguna posibilidad que sea sí?

Lo primero es, claro está, sería datar el vaso de ágata que forma la pieza original. El arqueólogo Antonio Beltrán analizó la copa en 1960, y afirmó que se había fabricado en un taller de Palestina o Egipto entre el siglo I a. C. y el siglo I d. C. Para realizar la datación, comparó el Santo Cáliz de Valencia con otros vasos de esa misma época —algunos de ellos guardados en el British Museum— y determinó que tenían el mismo estilo. Que esté hecha de ágata, una piedra semipreciosa, no sería especialmente problemático. Y es que si la cena se celebró en una casa propiedad de un judío rico, es muy posible que la cristalería fuera de cierto nivel, en especial si se estaba celebrando la Pascua. Personalmente creo que la copa pudo ser de cristal.

Más recientemente, la investigadora católica estadounidense Janice Bennett realizó un estudio similar al de Beltrán, y llegó a las mismas conclusiones. Otros investigadores dudan de la fiabilidad de estos estudios, pero todo parece indicar que, por la forma del vaso, no se puede negar la posibilidad de que la copa tenga su origen en la Palestina de Jesús. Por lo tanto, el objeto encaja con el tiempo y el lugar. La siguiente pregunta es lógica: ¿Y de dónde sale esta copa?

Según algunos historiadores que avalan la hipótesis valenciana, como Salvador Antuñano, hay pruebas inequívocas de que el cáliz existe desde el año 1399. En ese año el rey Martín I el Humano solicitó por escrito la copa, que está en el monasterio de San Juan de la Peña, en Huesca, para que estuviera presente durante la jura de sus fueros en Zaragoza. En ese documento, que se guarda en el Archivo de la Corona de Aragón, el rey describía el cáliz y añadía que deseaba la copa "de piedra en la cual Nuestro Señor Jesús, en su Santa Cena, consagró su preciosa sangre, y que el bienaventurado Lorenzo, que lo recibió de san Sixto, a la sazón Sumo Pontífice, cuyo discípulo era, y diácono de Santa María en Dominica, envió y dio con una su carta al monasterio y convento de San Juan de la Peña, situado en las montañas de Jaca del Reino de Aragón".

La tradición dice que la copa de Valencia estuvo en la Última Cena. Ahí queda en propiedad de Pedro, que se la lleva hasta Roma, donde los primeros padres de la Iglesia la habrían utilizado para celebrar la misa hasta que, en el año 258, el emperador romano dictó una pena de muerte contra todos los cristianos. San Lorenzo, encargado de custodiar las reliquias de la naciente Iglesia y que era natural de Huesca, mandó la copa hacia su tierra natal gracias al servicio que prestaron dos correos. San Lorenzo murió asado a la parrilla, pero la copa ya estaba en España, en Huesca; concluía así la primera etapa de un peregrinaje que la llevó por los monasterios e iglesias de Jaca, Yebra, San Pedro de Siresa, San Adrián de Sasabe y Bailo. Por último llegó a San Juan de la Peña, donde encontró refugio seguro, hasta que el rey Martín I lo pidió y dejó constancia escrita de su existencia. A partir de esa fecha, el trayecto del Santo Cáliz de Valencia está sobradamente documentado. Su itinerario es rocambolesco, sí, pero hay pruebas suficientes que demuestran que el cáliz de 1399 es el mismo que hoy se exhibe en la ciudad del Turia. Los problemas vienen cuando intentamos encontrar pruebas de su existencia anterior al siglo XIV.

El recorrido que marca la tradición valenciana, en especial en lo referente a las historias de los primeros papas y de san Lorenzo, estaría extraído de lo que se cuenta en *La vida de san Lorenzo*, obra supuestamente escrita por un monje agustino en el siglo VI. El problema es que no hay copias originales de esa vida de san Lorenzo; sólo una traducción del año 1636, que podría ser fiel —o no— al original. Demasiado poco para confirmar la hipótesis de un viaje de la copa desde Jerusalén a Huesca, pasando por Roma y las manos de los primeros papas.

Si bien no hay ninguna prueba que niegue la posible autenticidad del cáliz de Valencia, tampoco tenemos indicios suficientes para asegurar que se trata de la copa que Jesús usó en la Última Cena. La llegada del vaso hasta España es incierta, y el que no tengamos noticias de él hasta el 1399, una época en que los ecos de los relatos artúricos aún se oyen con fuerza, me hace pensar que seguramente se trata de una copa ensamblada hacia el siglo XII o XIII, inspirada en los mitos que recorrían los Pirineos. Ya sabes lo que opino sobre todo el tema del Grial: creo que la copa se perdió tras la cena, y que a partir de ahí todo son leyendas y suposiciones; fascinantes, sí, pero de ficción.

Pero voy a lanzar una suposición... ¿Qué pasaría si te dijera que el cáliz de Valencia es real, y que realmente es el que usó Jesús? ¿Qué pasaría si nos bastase con coger el tren o el metro para ver el Santo Grial con nuestros propios ojos?

Se hace camino al andar

Ahí lo tienes. El Santo Grial. En una capilla de la catedral de Valencia. Ahí está ese mítico objeto sobre el que se han escrito miles de versos; que ha costado la vida a más de un investigador; que alimentó los sueños de cruzados y templarios en su camino a Tierra Santa; que ha inspirado algunas de las mejores óperas de la historia; que movilizó a los nazis por medio mundo; que ha llenado las páginas de centenares de libros... Ahí está, guardado en una capilla.

El auténtico sentido del Grial no está en el objeto en sí, en encontrar una copa, una joya o un plato. Lo importante es su búsqueda, el camino que nos lleva a él. El Grial nos invita a superarnos, a buscar, a ir más allá, a ponernos metas. Aunque se trate de un objeto milenario, nos empuja a mirar hacia el horizonte. El semiólogo italiano Umberto Eco afirmaba que el Grial es "una metáfora de un deseo insatisfecho". Es decir, que el Grial simboliza ese rasgo propio del carácter occidental que nos lleva perseguir una meta tras otra, como si nada nos valiera. Nada nos basta ni nos contenta; siempre aspiramos a un próximo objetivo, a algo mejor que lo que tenemos ahora.

Así, cuando morimos, lo hacemos sin haber alcanzado esa meta; pero por el camino hemos conseguido un sinfín de logros. Es esa insatisfacción la que nos ha motivado a seguir buscando, a seguir luchando, y a no contentarnos con lo que ya hemos logrado. Una insatisfacción que es el motor de nuestras vidas y que es responsable, en buena medida, del progreso que ha alcanzado la civilización occidental. Una cultura que nace en los tiempos de la Alta Edad Media y que llega hasta nuestros días.

El filósofo e historiador alemán Oswald Spengler, muy influido por Goethe y el Romanticismo, definía la civilización occidental como una civilización fáustica; que siempre mira al infinito, que siempre desea ir más allá, que siempre anhela superarse, que siempre está insatisfecha y quiere saber más, como le pasaba al Fausto de Goethe. No cabe duda de que si tuviéramos que buscar un símbolo que la representara, pocos objetos lo harían de una forma más exacta y acertada que el Grial. No importa la imagen que tengamos de él en nuestra mente; lo importante es soñar con ella.

Parte IV
Enigmas de hoy en día

—A MÍ ME LLAMAN EL MONSTRUO DEL LAGO NESS...
¡PERO ESO ES PORQUE NO CONOCEN A MI SUEGRA!

En esta parte...

Hasta ahora, para dar con mis enigmas favoritos, he tenido que remontarme mucho en el tiempo. En algunos casos incluso miles de años, como si el pasado remoto fuera terreno abonado para la proliferación de todo tipo de misterios. Pero no hace falta ir tan atrás para encontrar un buen puñado de preguntas sin respuesta. En el siglo XX la enigmología experimentó un inusitado desarrollo y permitió la divulgación de fenómenos más o menos locales, que hasta la fecha habían pasado desapercibidos. Hoy, en cambio, son verdaderos clásicos. En los próximos capítulos te propongo un repaso a algunos de estos enigmas de nuestro tiempo, que nos llevarán a zonas tan remotas como la Siberia central, el Tíbet o las islas Bermudas. Y, claro, no me olvidaré de la especialidad a la que he dedicado más años de trabajo. Al final de esta parte encontrarás todo lo que sé sobre los ovnis y sus ocupantes.

Capítulo 12

El Hiroshima siberiano

Para empezar mi repaso a esta colección de enigmas contemporáneos, me voy a perder por la taiga, por la extensión boscosa más grande del mundo. En mitad de Siberia, en una zona con una densidad de población de menos de medio habitante por kilómetro cuadrado, se produjo una formidable explosión que arrasó una extensión de más de 100 000 campos de fútbol y que superó en 1000 veces la potencia de la bomba de Hiroshima. El fenómeno, conocido como el incidente de Tunguska, aún no tiene explicación. ¿Cómo se pudo producir algo así en el año 1908? Tendrán que pasar 50 años para que el hombre, cegado en una carrera armamentística delirante, sea capaz de provocar un grado de destrucción similar.

¿Un fenómeno de origen natural, entonces? En el caso de que así fuera, no puedo compararlo con nada, porque no conozco ningún otro suceso de características similares. Hay noticias de meteoritos que provocaron grandes explosiones al impactar con la Tierra, pero nada es comparable a lo vivido en Tunguska. La fuerza de la que es capaz la naturaleza puede rayar lo apocalíptico, en eso estamos de acuerdo, pero las explosiones nucleares sobre la superficie terrestre aún no están a la orden del día. De momento, y que yo sepa, los hombres del tiempo no las incluyen todavía en los mapas. ¿Nos queda, por lo tanto, alguna idea más? Vamos a ver qué descubrimos en las próximas páginas.

Estalla el silencio

Es hora de viajar hasta la Siberia central, a Tunguska, y de situarse en medio de un vastísimo bosque de coníferas donde sólo hay silencio. Allí, el 30 de junio de ese 1908, a las 7.17 de la mañana, una formidable explosión arrasó 3100 km^2 de bosque. Por el camino, quedaron carbonizados un millar de ciervos y se originó un terremoto que rompió las ventanas de edificios situados a centenares de kilómetros. Se contaron por millones de árboles partidos por la base y aplastados contra el suelo, sin que hubiera cráter alguno. La explosión ocurrió en medio de la nada, en una de las regiones más frías y aisladas del mundo, pero desde las pequeñas poblaciones desperdigadas por la zona se dio noticia de lo ocurrido.

El cielo se rompe

De sur a norte, y a lo largo de una franja de 800 km, miles de tunguses contemplaron la caída de un objeto luminoso. Lo describieron como un objeto cilíndrico y brillante como un sol, de color blanco azulado, que realizó un vuelo horizontal en un perfecto silencio. Se calcula que cruzó los cielos a una altura de entre 5000 y 7000 m, y que debía de llevar una velocidad cercana a los 0,7 km/s.

Según los testimonios, ese gran tubo, al sobrevolar la zona de Keshma, cambió súbitamente de dirección y enfiló hacia el este. Acto seguido, los colonos de la región de Preobrazhenka lo vieron girar hacia el noroeste, como si no supiera muy bien adónde ir. Segundos después, en un apartado paraje entre los ríos Chunya y Tunguska, lo perdieron de vista y se registró la tremenda explosión. Según los científicos, el misterioso objeto volador no identificado explotó en el aire, a unos 3000 m de altura, con una potencia que podía rondar los 30 megatones. Para que te hagas una idea, la Bomba del Zar, el arma nuclear más potente jamás detonada, tenía una fuerza de 50 megatones.

No es de extrañar, por lo tanto, que los tunguses describan que "el cielo se partió en dos" y que un fulgor similar al del sol bañó la inmensidad de la taiga siberiana. Inmediatamente después, dicen que una ardiente columna en forma de lanza se alzó desde el horizonte, alcanzado una altura de más de 20 km. Y, junto a ella, un fabuloso huracán de fuego al que siguió una serie de "truenos y cañonazos" que barrieron un radio de centenares de kilómetros, derribando todo lo que encuentra a su paso. Cayeron hombres, animales, chozas, bosques y hasta los raíles del transiberiano, que se plegaron como horquillas. Los testigos añaden que durante un tiempo interminable, la tierra tembló en sucesivas oleadas, mientras una lluvia negra caía del cielo.

Donde no se pone el sol

El estallido fue de tal magnitud que los sismógrafos de medio mundo acusaron el impacto. En un primer momento, se asoció a un poderoso terremoto. Las vibraciones, por ejemplo, fueron captadas en el Centro Sismográfico de Irkutsk, a unos 800 km al sur de Tunguska. Y también en Moscú, San Petersburgo y Jena (Alemania), ciudades situadas a unos 5000 km. Incluso en estaciones tan remotas como las de Washington (Estados Unidos) y Java (en Indonesia) se registrarían los temblores originados por la explosión. Según los registros de la época, en las noches de ese 30 de junio y del 1 de julio, unas inmensas y luminosas nubes plateadas cubrieron el norte de Rusia, así como buena parte de Europa.

La extraña luminiscencia mereció toda suerte de comentarios periodísticos y científicos. Y no era para menos. La luz nocturna fue tan intensa que, durante dos días, Europa vivió lo que se ha descrito como "un crepúsculo interminable". En ciudades como Londres, Viena, Berlín o Copenhague fue posible hacer fotografías durante la noche o leer en el interior de las viviendas sin ayuda de ninguna clase de iluminación artificial.

También la meteorología se vio alterada. En las cinco horas siguientes a la explosión, violentas corrientes de aire azotaron el norte de Europa. Durante veinte minutos, los barómetros de seis estaciones inglesas registraron súbitas y anormales variaciones. Y las masas de aire, según los cálculos de los expertos, dieron dos veces la vuelta al mundo.

Los comentarios de entonces

En aquel 1908, la abundante comunidad científica europea se preguntó cuál era la razón de tan aparatosa luminiscencia, de tan inusuales turbulencias y de tan anónimos temblores. Como no podía ser de otra forma, surgieron decenas de teorías y posibles explicaciones.

Pero, curiosamente, nadie asoció dichos fenómenos con la terrible detonación registrada en la meseta de la Siberia central.

En cierto modo era comprensible. Rusia atravesaba una situación sociopolítica crítica que parecía no interesar mucho fuera de sus fronteras, aunque unos años después llevaría a una revolución de alcance mundial. La región de Tunguska, por su parte, era poco menos que un lugar que no existía en los mapas. Otro verdadero trasero del mundo. Así que es normal que nadie encontrara la causa de aquellas dos noches llenas de luz que sorprendieron al Viejo Continente.

En Rusia, donde no estaban todavía para explosiones nucleares, los científicos estimaron que la historia del objeto cilíndrico y de la columna de fuego era una fantasía más de los tunguses, un pueblo aficionado a la fabulación y a las leyendas. Así que tuvieron que pasar 13 años para que el inexorable destino desenterrara el enigma de la explosión de Tunguska. De nuevo, un solo hombre marcó la diferencia.

El sueño de un solo hombre

Como en tantas otras ocasiones, la casualidad volvió a ser determinante a la hora de dar un vuelco definitivo a una investigación; capaz incluso de cambiar el sentido de una vida. En 1921, Leónidas A. Kulik, un notable científico que trabajaba en el Museo Mineralógico de San Petersburgo, recibió un modesto obsequio: un antiguo calendario. En el reverso se reproducía un reportaje de un periódico siberiano, que hablaba de la caída de un gigantesco meteorito en las proximidades de la ciudad de Tomsk. Kulik, especialmente obsesionado por el rastreo de estas piedras de origen cósmico, se sintió fascinado por el descubrimiento. Aquel breve en un periódico, puesto allí por la casualidad, cambió el rumbo de su vida y, de paso, rescató del olvido uno de los más atractivos misterios del siglo XX.

La primera expedición

Kulik no era precisamente un investigador novato cuando tuvo noticias del incidente de Tunguska. A sus 38 años de edad, sabía que lo primero que debía hacer era poner en marcha una exhaustiva investigación. Durante dos meses se preocupó de consultar los periódicos locales, y ahí surgió su primera sorpresa. Las noticias y reportajes señalaban que en 1908, en un punto no determinado de la provincia del río Yeniséi, un "objeto ardiente" se había precipitado sobre la taiga, provocando fuertes temblores de tierra y horribles explosiones. Aquello entusiasmó a Kulik.

En un diario de Krasnoyarsk, se aseguraba que "en varias aldeas, a lo largo del cauce del río Angara, en plena taiga, los colonos habían sido testigos del paso de un objeto celeste, de aspecto brillante, que cruzó el cielo de sur a norte [...] Y cuando el objeto volador alcanzó el horizonte, una intensa llamarada partió en dos el cielo [...] Y el resplandor fue tan intenso que se reflejó en las habitaciones cuyas ventanas estaban orientadas hacia el norte [...] Y en la isla que se levanta frente a la aldea, los caballos comenzaron a relinchar y las vacas corrían desorientadas y mugían. Uno tenía la impresión de que la tierra se iba a abrir y que todo iba a ser tragado por el abismo".

Leónidas Kulik, en vista de la documentación recogida, consiguió lo que parecía un milagro en la Rusia de 1921: la Academia de las Ciencias patrocinó una expedición con el único y exclusivo objeto de encontrar el inmenso y misterioso meteorito caído 13 años antes en Siberia. Era la primera expedición medianamente seria que se ponía en marcha.

En septiembre, Kulik y sus colaboradores partieron de San Petersburgo, cruzando los Urales en el mítico ferrocarril transiberiano. Durante el largo trayecto se detuvieron en las ciudades de Omsk, Tomsk, Krasnoyarsk y Kansk. En todas ellas, y muy en especial en la última, aparecieron nuevos testigos y valiosos testimonios que confirmaron lo ya sabido. Pero, como era de esperar, el supuesto meteorito no apareció. Y Kulik, con buen criterio, llegó a la conclusión de que el cuerpo sideral tenía que haberse estrellado más al norte, hacia el caudaloso río Tunguska.

Sin embargo, la llegada del invierno siberiano truncó la posibilidad de seguir el viaje y explorar la zona donde presumiblemente había caído el meteorito. La falta de medios, materiales y económicos, tampoco ayudó a que Kulik pudiera llevar la investigación hasta donde le hubiera gustado. Así, no le quedó más remedio que dar media vuelta y volver a Petrogrado, la actual San Petersburgo.

A la segunda va la vencida

El intrépido cazador de meteoritos no se rindió, y enseguida empezó a gestionar y preparar una segunda expedición. Pero tuvo que esperar unos cuantos años, en concreto hasta 1927, para materializar el que se había convertido en su gran sueño. En esos seis años trabajó intensamente en la reunión de toda suerte de datos que pudieran clarificar el cada vez más enigmático incidente de Tunguska.

Gracias a la ayuda y colaboración de otros científicos que viajaron por la región de Vanavara, Kulik supo que, desde el estallido, los tunguses se hallaban sometidos a una especie de temor supersticioso. Miles de renos habían muerto en la explosión. Chozas, almacenes y granjas de las riberas de los ríos Chambé, Tunguska y Angara fueron demolidos o desplazados como consecuencia de las detonaciones y del "fuego invisible" que se abatió sobre la taiga. Para muchos de los nativos aquella explosión era obra del dios Ogdy (se podría traducir por "fuego"), que les había maldecido por su presencia. Kulik, que buscaba guías para adentrarse en la región, no lo tuvo fácil para convencer a los nativos. Lo que habían visto sólo podía explicarse por la intervención de un poder sobrenatural.

En sus entrevistas con la población local, Kulik había encontrado algunos indicios que apuntaban a que aquel objeto no podía ser lo que él creía. Su comportamiento no encajaba con el movimiento típico de meteorito cuando entra en la atmósfera. Sin embargo, el audaz pionero del enigma de Tunguska siguió convencido de que se hallaba ante la caída de un importante cuerpo sideral. ¿Qué otra cosa podía pensar?

Al desembarcar en Kansk, a unos 600 km de la zona del impacto, los nuevos testimonios que recogió le dejaron boquiabierto. Aquella mañana del 30 de junio de 1908, algo que pareció una explosión subterránea estremeció toda la ciudad. La gente hablaba de que los objetos caían de estanterías y armarios, y que las lámparas se balancearon de forma inexplicable, como en un terremoto. En marzo, y después de reunir un modesto equipo y las provisiones necesarias, se adentró en la taiga rumbo a lo desconocido.

Con sus propios ojos

Kulik y sus colegas, guiados por lo que decían los testigos, empezaron a dirigirse hacia el norte sobre un trineo tirado por caballos. En el poblado de Vanavara, la aldea más cercana al lugar de la explosión, los expedicionarios se hicieron con pruebas más fiables. Aquellos humildes campesinos y pastores, además de haber presenciado un "gran resplandor luminoso sobre el horizonte", habían padecido un calor abrasador y los efectos de una onda expansiva que los tiró a tierra y que hizo volar tejados, puertas y vallas. Algunos perdieron el conocimiento y otros quedaron sin habla, como consecuencia, sin duda, del horrible "trueno" que siguió a la "columna de fuego y humo" que se levantó hasta el cielo. Las ropas y la piel de los que se hallaban fuera de las casas se quemaron por un "fuego invisible" y, al poco, todo se cubrió de polvo y cenizas.

Kulik sentía que ya estaba muy cerca. Sin miedo, se adentró en la taiga en compañía de Ilya Potapovich, su guía y traductor. El 8 de abril tomaron el sendero que corría paralelo al río Tunguska Medio, en dirección a otro río, el Chambé. Durante cinco días, los dos hombres tuvieron que sortear los intrincados y pestilentes pantanos de la taiga, tan espesos que no dejaban avanzar los caballos. Cuando llegaron a orillas del río estaban exhaustos y presentaban síntomas de escorbuto, por la falta de víveres. El 13 de abril de 1927, Kulik vio por fin con sus propios ojos el escenario de la gran explosión de 1908. El geólogo ruso escribiría más tarde al recordar aquel momento: "El resultado de un rápido examen excedió cuanto habían contado los testigos y superó mis más desmedidas esperanzas".

La desolación se abre ante Kulik

Desde su puesto de observación, el primer científico que llegaba a la región de Tunguska asistió a un espectáculo devastador: miles de troncos de pinos y abedules yacían en tierra, derribados por la onda expansiva, y orientados hacia una misma dirección, el sur. El propio Kulik describiría que "la mayoría de árboles presentaban extrañas quemaduras, como si los troncos hubieran sido quemados desde arriba; aquello, por supuesto, no se correspondía con un incendio convencional". Fascinados por lo que encontraron, los expedicionarios prosiguieron su avance hacia el norte abriéndose paso entre murallas de árboles partidos.

Muy a su pesar, las penalidades por las que tuvo que pasar el esforzado investigador ruso no habían terminado. Se encontraba en medio de la desolación y el silencio, a punto de alcanzar el epicentro de la explosión. En ese momento mágico, el guía, que era de Tunguska y creía que el dios del fuego andaba por ahí, se quedó paralizado por el miedo. Se negó a continuar, y Kulik, impotente, tuvo que regresar a Vanavara. Pero, insistente como era, el geólogo ruso se procuró nuevos guías y partió por segunda vez. Y en junio, al fin, abriéndose paso a hachazos en medio del cementerio de troncos calcinados, llegó a una cuenca pantanosa que los nativos llamaban el pantano del Sur. Tras largas y meticulosas indagaciones, Kulik estimó que aquel podría haber sido el centro de la explosión. Y, desde allí, comprobó cómo los bosques se hallaban derribados en forma radial. Si marchaba hacia el este, las copas de los árboles apuntaban justamente en esa dirección. Si lo hacía en sentido opuesto, miles de troncos señalaban hacia el oeste. Y lo mismo sucedía al norte y al sur. No había duda posible en la cabeza de Kulik. La desintegración del gigantesco meteorito tenía que haberse registrado sobre el pantano y, a partir de ahí, en todas direcciones. Pero enseguida notó que había algo que no le cuadraba. No había ningún cráter, que habría sido lo típico del impacto de cualquier bólido. Ni Kulik ni las sucesivas expediciones que se aventuraron más tarde en Tunguska lo encontrarían jamás.

Los palos del telégrafo

El misterio, lejos de disiparse, se oscureció... y, para mayor desconcierto, muy cerca del epicentro, Kulik descubrió un extraño fenómeno. Entre los 3100 km² de taiga arrasada, un reducido grupo de árboles continuaba en pie, sin ramas y tan muerto como el resto de los troncos que yacían alrededor. Unos árboles que se negaron a caer y que bautizó como "el bosque de los postes de telégrafo".

Kulik tomó fotografías de todo lo que vio, dejando constancia visual de que aquella devastación era auténtica como la vida misma. Sus imágenes, que muestran a la perfección los miles de troncos apilados contra el suelo, muertos en una carnicería, son todavía hoy pruebas de referencia para cualquier investigador. Unas impactantes fotografías que darían la vuelta al mundo. Cuando Kulik regresó a la rebautizada Leningrado, el enigma de Tunguska ya estaba lanzado.

Explosiones que han hecho historia

Para entender la magnitud real de la explosión de Tunguska hay que compararla con los resultados de los test nucleares llevados a cabo durante la guerra fría. Los expertos han calculado que en el incidente de 1908 se liberó energía por valor de unos 30 megatones de TNT, capaz de convertir en cenizas cualquier objeto situado en un radio de unos 20 km. A ver de qué fueron capaces rusos y estadounidenses durante los años del delirio atómico.

Los estadounidenses abrieron tan macabra carrera en 1945 lanzando la bomba de Hiroshima sobre población civil. El artefacto, llamado con sorna *Little Boy*, tenía una potencia de 13 kilotones y causó daños irreversibles en un radio de 1,5 km. Días después, *Fat Man* estallaría en Nagasaki con una potencia de 21 kilotones. Tuvieron que pasar diez años para que la carrera armamentística estadounidense consiguiera fabricar bombas de más de un megatón —el equivalente a 1000 kilotones—. *Castle Bravo*, en 1954, alcanzó los 15 megatones, mientras que la *B41* y la *Mark-17* llegarón

a los 25 entre 1954 y 1960. Se convertían así en los artefactos nucleares más potentes jamás construidos en Estados Unidos, y los únicos capaces de producir una destrucción similar a la ocurrida en Tunguska.

Por su parte, la Unión Soviética probó su primera bomba atómica en 1949; se llamaba *RDS-1* y tenía una potencia de 22 kilotones, similar a la de Nagasaki. Después vendrían la *RDS-6* con 400 kilotones, en 1953, y la primera bomba de hidrógeno soviética, la *RDS-37* de 1,6 megatones. El récord absoluto se lo lleva la Bomba del Zar, la *RDS-200*, con una explosión de 50 megatones en 1961. Hasta la fecha es la explosión más potente jamás provocada por el hombre, pero no la más fuerte registrada sobre la Tierra. En 1883, la explosión del volcán Krakatoa se llevó por delante la isla donde se erigía y a toda su población, unas 50 000 personas. La potencia de la explosión alcanzó los 200 megatones, cuatro veces más que la Bomba del Zar y casi diez veces superior a la de Tunguska.

Comprender lo inexplicable

En 1927, año del sensacional descubrimiento, el hombre jamás había visto una devastación de ese estilo. Por su magnitud, un gran terremoto era perfectamente capaz de causar una destrucción similar; pero, por sus características, no se había visto nada igual en la historia documentada. Lo descrito por Kulik encajaba con una explosión de naturaleza atómica; un concepto que todavía no podía describirse, ni siquiera imaginarse. Para la mentalidad de la época, aquello representaba el mayor de los enigmas. Inmediatamente, científicos de todo el mundo convirtieron Tunguska en un lugar obligado de peregrinación.

Investigar a tientas

¿Y qué pensaba Kulik, el descubridor, de todo aquello? A pesar de la falta de evidencias, él siempre pensó que la explosión se debió a la caída de un meteorito. Algo razonable si tenemos en cuenta que el buen Leónidas sentía una especial predilección por el tema; la misma que le había empujado a investigar a fondo el incidente. Su teoría consistía en que un formidable cuerpo espacial habría estallado en el aire, liberando una energía equivalente a treinta millones de toneladas de TNT. Una explosión así explicaría satisfactoriamente la tremenda destrucción, los registros en los sismógrafos y las turbulencias en medio mundo. Sin embargo, como ya he comentado, una pega considerable invalidaba esta hipótesis: la ausencia de un cráter típico. Estudios posteriores y más completos terminaron por desacreditar la teoría del meteorito.

Surgieron entonces nuevas teorías. Una de ellas afirmaba que una gota de antimateria había irrumpido en la atmósfera, y otras incluso que un agujero negro había impactado con la corteza terrestre. Para mí, son respuestas mucho más fantásticas e insostenibles que la que sostuvo en 1946 el novelista Alexander Kazantsev, y que apuntaba a una explosión de origen nuclear, algo que resultaba insólito en 1908.

Pero antes de inaugurarse esa vía se barajó también la posibilidad de que los restos de un cometa hubieran caído sobre Siberia a una velocidad de 40 000 km/h. Una idea que algunos investigadores aún sostienen hoy día. Según esta versión, la explosión se habría producido a 50 km de altura, lo que habría originado una formidable onda de choque. La ciencia, sin embargo, no se vio satisfecha con esta explicación, porque un cometa que se hubiera aproximado a la Tierra habría sido detectado por los astrónomos mucho antes de su entrada en la atmósfera. Recordemos, por ejemplo, el caso del cometa Halley en 1910 y 1986, que con un poco de tino podía verse a simple vista. Nada de esto había sucedido en el incidente de Tunguska.

Además, según los testigos, el posible cometa desarrolló un vuelo horizontal, a una velocidad que, de acuerdo con los cálculos del geofísico soviético Zolotov, nunca pudo superar los dos o tres kilómetros por segundo. Un vuelo horizontal que, en el colmo de los colmos, cambió de trayectoria en dos ocasiones; algo imposible para un cometa. Y tampoco debemos olvidar las repetidas descripciones de los testigos presenciales, que hablaban de un objeto cilíndrico, parecido a un tubo. A pesar de las bienintencionadas explicaciones, no había una explicación clara. Pero a raíz de la explosión de la primera bomba atómica en 1945, las líneas de investigación adoptaron un nuevo enfoque.

Nuclear, por supuesto

El novelista Alexander Kazantsev, en 1946, se atrevió a formular una hipótesis que, a primera vista, encajaba a las mil maravillas con lo descrito, observado y analizado en Tunguska. Después de ver los efectos del infame *Little Boy*, que había estallado unos meses antes a unos 600 m en la vertical de Hiroshima, Kazantsev comprobó que guardaban una gran similitud con las detonaciones registradas en 1908 en Siberia. En concreto, encontró las siguientes similitudes:

- ✔ El "fuego invisible"
- ✔ La onda de choque
- ✔ Las tormentas electromagnéticas
- ✔ Las luminiscencias nocturnas
- ✔ Las turbulencias
- ✔ El bosque de postes de telégrafo

A partir de 1958, las nuevas expediciones descubrirían algo más gracias a los análisis dendrocronológicos (véase capítulo 3). A raíz del incidente de Tunguska, los anillos de los árboles que habían quedado vivos experimentaban un crecimiento muy superior al de épocas anteriores. Si los que precedieron al estallido oscilaban entre 0,4 y 2 mm, los aparecidos más tarde alcanzaban hasta 1 cm de grosor. En Hiroshima se había producido un fenómeno muy similar, por lo que todo indicaba que lo ocurrido en Siberia tenía mucho que ver con una explosión nuclear.

Científicos como Zolotov y Plenajov, en 1959, y Florensky y Nekra-
sov, en 1961, demostraron que el índice de radiactividad en el epicentro de la explosión era entre una y media y dos veces superior
a lo admitido como normal. Y buscando en los anillos interiores
de plantas y árboles, las pruebas espectrográficas denunciaron la
existencia de cesio 137 en proporciones sólo explicables ante una
deflagración atómica. Y la hipótesis de Kazantsev fue tomando
cuerpo, muy a pesar de los críticos recalcitrantes. El novelista
afirmó sin reparos que "una nave espacial —obviamente no humana— había estallado en Tunguska".

Un ovni sobre la taiga

La teoría de la colisión de una nave especial, que explicaba el extraño vuelo del objeto luminoso y la radiactividad, cobró además
nuevas fuerzas con la llegada de otros descubrimientos. Al profundizar en los análisis, se descubrió que la totalidad de la zona
devastada aparecía acribillada por milimétricos glóbulos esféri-
cos, que funcionaban como perdigones, compuestos de silicatos
y magnetita. Lo más curioso es que la distribución de estos raci-
mos de "pequeñas esferas brillantes", incrustadas en el suelo y en
los troncos, se correspondía con la forma elíptica de la explosión.
Una forma poco usual y que, en opinión de los investigadores rusos, sólo podía deberse a una detonación directiva: es decir, con
un efecto que no es el mismo en todas direcciones. Como si un
avión se hubiera estrellado.

Zolotov y Zigel redondearon la tesis de Kazantsev al aventurar
que el explosivo en cuestión tenía que hallarse en el interior de
un envase cilíndrico; una forma que coincidía con lo tantas veces
repetido por los testigos de la explosión. Poco después, merced
a análisis más detallados, en las muestras se encontraron restos
de cobalto, níquel, cobre y germanio. Así, la teoría de la aeronave
cobró nuevas fuerzas.... Pero, claro, ¿quién volaba en 1908? A decir
verdad, muy pocos y mal. Los hermanos Wright consiguieron su primer salto con avión a motor en 1903, volando la friolera de 250 m.
No creo que si los Wright se hubiesen estrellado en Tunguska
hubieran provocado aquel desastre. Tenía que haber sido una artefacto mucho mayor y más veloz...

Hoy, cómo en la fábula de Iriarte, los científicos siguen pregun-
tándose si la culpa la tuvo un cometa o un asteroide, como si dis-
cutieran sobre galgos y podencos. La ausencia de cráter invalida

la idea del meteorito; la presencia de perdigones —y de tan variados minerales y elementos—, la del cometa. Hoy siguen apareciendo más y más teorías, tan descabelladas como las del agujero negro y la antimateria. Hay quien sostiene que fue Nikola Tesla lanzando rayos desde una de sus bobinas; otros, que se trata de una bolsa de gas que subió desde las entrañas de la Tierra. Mientras no haya pruebas concluyentes, nada podemos asegurar. ¿Fue entonces una nave extraterrestre que impactó contra la Tierra? Tampoco hay nada que invalide esta hipótesis... Hasta dar con la solución, novelas, reportajes, series de televisión y videojuegos —¡hasta seis!— seguirán explotando el enigma de Tunguska y alimentando la leyenda. Y parece que así será durante muchos años.

Capítulo 13

Nessie y familia

· ·

· ·

Ha llegado el momento de fijar la atención en la criptozoología, la disciplina que estudia aquellas especies animales que la ciencia académica aún no ha registrado en sus clasificaciones. Si necesitas una pequeña introducción a esta disciplina, te remito al capítulo 2, donde hago un repaso a su historia y objetivos. Si ya le echaste un vistazo en su momento, o si prefieres ahorrarte los preámbulos, no le demos más vueltas y empecemos cuanto antes.

Te adelanto que en los dos próximos capítulos trataremos los que son, posiblemente, los dos misterios más populares asociados con esta especialidad: el monstruo del lago Ness, en Escocia, y el Hombre de las Nieves, en el Tíbet. Dos monstruos —por llamarlos de alguna manera— que ya forman parte del imaginario popular y a los que les salen parientes por todo el mundo.

Primero abordaré el misterio que envuelve a Nessie; un enigma cuyos orígenes se remontan al siglo VI, pero que vivió un espectacular tirón mediático a partir de 1933, el año en que se produjo el primer avistamiento "moderno" del monstruo. Desde esa fecha, no han dejado de sucederse supuestos encuentros, investigaciones espectaculares y desmentidos poco convincentes. Para conocer a fondo el misterio, lo primero que hay que hacer será coger el billete hasta las Tierras Altas de Escocia y reunir el coraje suficiente para sumergirse en las gélidas aguas de un lago negro.

Vida y milagros de un bicho

Estoy seguro de que cualquiera que haya navegado sobre ese lago negro y profundo habrá sentido la sensación de que algo extraño se oculta bajo la superficie... Y es que no es de extrañar que el visitante desconfíe del lago. La visibilidad dentro del agua es nula y su temperatura, que ronda los 5 °C, no invita precisamente al baño. El Loch Ness está situado al norte de Escocia, en las *Highlands*, rodeado de uno de los paisajes más verdes y húmedos de Europa. Tiene una superficie de unos 52 km² y una profundidad que alcanza los 244 m, lo que lo convierte en la mayor reserva de agua de toda la zona y en el segundo lago en longitud —el mayor es el Loch Lomond—. Su nombre, Ness, significa "negro" en escocés, y le viene del color que dejan las partículas de turba disueltas en el agua.

El lago Ness forma parte de una red interconectada de masas de agua dulce, muchas de ellas de origen subterráneo. Gracias a esos canales de comunicación, el agua se renueva constantemente y las corrientes de origen desconocido son frecuentes, lo que sin duda ha fomentado la idea de que el lago esconde la presencia de un animal de origen desconocido. Esa misma red laberíntica sería también la responsable de que hasta ahora no haya podido capturarse ningún ejemplar, ni vivo ni muerto; por lo visto, el bueno de Nessie tendría la costumbre de escaquearse por esos túneles cada vez que alguien se toma demasiado en serio la tarea de encontrarlo.

A pesar de esa falta de pruebas tangibles, se cuentan por decenas los testigos que afirman haber visto algo parecido a un monstruo rondando por el lago Ness. Y aunque no todas las declaraciones coinciden en su descripción del animal, sí que se repiten unos mismos patrones: más o menos unos 10 m de longitud, cuello largo, boca relativamente grande y un aspecto exterior que podría recordar a un plesiosaurio o a un ictiosaurio, especies de dinosaurios acuáticos extinguidas hace 65 millones de años. ¿Sería posible que algunos ejemplares de estas especies hubieran sobrevivido a la gran extinción, encontrando refugio en un ecosistema tan particular como el del lago Ness? Vamos a ver qué nos cuentan los testigos.

El diablo y el lago Ness

Fue un santo quien, en el año 565, dejó la primera referencia conocida de que algo extraño se cocía alrededor del lago Ness. Era un predicador de origen irlandés, san Columbano, que se encontraba por las Tierras Altas de Escocia en compañía de sus seguidores. Según describe la *Vita Sancti Columbani,* Columbano estaba paseando por la ribera cuando vio cómo un grupo de escoceses enterraban a un compañero. Al acercarse, aquellos hombres le dijeron que un monstruo había surgido de entre las aguas y los había atacado mientras nadaban.

Al oír tan espeluznante historia, san Columbano decidió poner remedio y abordar el problema de frente. Pidió a uno de sus fieles que se despojara de sus ropas —menos de la túnica— y se tirara al lago, para dar unas brazadas y llamar así la atención del monstruo. El animal, descrito como una especie de serpiente gigante, no había tenido suficiente con el primer lugareño y decidió proseguir con su festín. Salió de entre las aguas, soltó un berrido y, cuando ya había abierto la boca y estaba a punto de zamparse al voluntario, san Columbano hizo la señal de la cruz en el aire y dijo: "No vayas más lejos, no toques al hombre, date la vuelta y vete rápido". Y el monstruo, que se debió de quedar de una pieza, dio media vuelta y dejó vivir al discípulo del santo irlandés.

En la mitología nórdica son frecuentes las historias de lagos, monstruos y dragones, de forma que es muy posible que la historia de san Columbano no sea más que una cristianización de una leyenda local. La presencia de una serpiente, animal siempre relacionado con el diablo, también podría apuntar en esta dirección y confirmar la hipótesis del relato mítico. Sea como sea, resulta bastante revelador que el lugar escogido para dar morada a la bestia sea el río que circunda el lago Ness. Si se trata de una leyenda adaptada, parecería indicar que los nativos del lugar creían que algo raro pasaba en esas aguas desde hacía tiempo.

Los felices años treinta

No es hasta finales del siglo XIX, en 1871, cuando empieza correr la voz de que algo enorme nada bajo la superficie del lago. Desde esta fecha hasta 1933, el año en que el fenómeno traspasa fronteras, se cuentan hasta una veintena de contactos. Las descripciones hablan de una bestia enorme, de cuatro patas, con un cuello largo. Hay quien dice que es como una salamandra, otros que como un elefante, alguien comenta que tiene cuerpo de caballo... Hay testigos de todas las edades y condiciones, desde niños que estaban de excursión hasta matrimonios de vacaciones. La rumorología aumenta, pero los ecos del monstruo aún no han llegado a la gran ciudad.

¿Y qué ocurre en 1933 para que Nessie alcance fama mundial? En primer lugar, se estrena en los cines la primera versión de *King Kong*, lo que provoca en todo el mundo occidental una fiebre por los monstruos, en especial por aquellos que podrían haber llegado a nuestros tiempos desde un pasado mítico y lejano. En segundo, que un periodista del *Inverness Courier*, el diario local, empieza a mostrar cierto interés por los rumores cada vez más insistentes que llegan desde el lago. En especial, el *Courier* da veracidad a la historia contada por un londinense, George Spicer, que describe cómo él y su mujer vieron un animal, que parecía sacado de la época de los dinosaurios, cruzando la carretera circundante al lago. Calcularon que podía tener un cuerpo de unos 8 m de longitud, y un cuello largo y fino de 3 o 4 m. Según el matrimonio, Nessie pasó por delante del coche, algo asustado, y se metió en el agua sin dar tiempo a nada más.

Las noticias del *Inverness Courier* llegaron a Londres y, de ahí, al resto del mundo. Periódicos de todas partes empezaron a enviar reporteros para cubrir la noticia, y el lago Ness se convirtió en punto de peregrinación para todos aquellos que buscaban unas vacaciones diferentes. Sólo en los años 1933 y 1934 se registraron más de 50 avistamientos, tanto dentro del agua como en las zonas adyacentes al lago. Los testimonios cada vez coincidían más en sus descripciones, y se repetía el modelo del animal antediluviano, de cuerpo abombado y cuello largo. Puede decirse que Nessie había nacido oficialmente.

Sin embargo, a pesar de los muchos curiosos y de los numerosos contactos, nadie es capaz de capturar al animal o conseguir una prueba gráfica de su existencia. Al menos hasta 1934, cuando el *Daily Mail* publicó una fotografía tomada por un médico que mostraba el cuerpo y la cabeza del monstruo. Durante 60 años fue la imagen icónica por excelencia de Nessie, y por eso se merece una mención aparte en esta historia.

La foto del cirujano

Es posible que conozcas la imagen. En ella se ve, rompiendo la ondulada superficie del lago, un largo cuello que culmina en una cabeza de serpiente de un modesto tamaño. Alguien con mala fe podría decir que parece un brazo con un calcetín emergiendo de las aguas, pero en su momento se consideró que la imagen no ofrecía duda alguna. Obra de un respetable cirujano londinense, el doctor Wilson, la fotografía dio la vuelta al mundo. Según él mismo afirmó, Wilson estaba ensimismado mirando el lago cuando, de repente, vio cómo emergían un cuello y una cabeza. Cogió su cámara tan rápido como pudo e hizo cinco fotografías, de las cuales sólo dos ofrecieron información relevante. La primera, demasiado borrosa, se descartó. La segunda, en cambio, se publicó y pasó a la historia.

Como decía, la foto se dio por buena hasta que, a mediados de la década de 1980, algunos investigadores decidieron estudiarla a fondo. Lo primero que pudieron apreciar es que la imagen que se había publicado en la prensa resultaba ser una ampliación de la foto original. Al ver la imagen a su tamaño real se podía apreciar que el cuello y la cabeza eran pequeños, de apenas un palmo, por lo que el animal sumergido difícilmente podía medir más de un metro. Un Nessie diminuto comparado con lo que los testigos llevaban repitiendo desde la década de 1930.

El misterio se desveló en 1994, cuando Christian Spurling, poco antes de morir, reveló que la fotografía era un fraude en el que había tomado parte. Spurling, compinchado con el doctor Wilson y con un vendedor de aire llamado Marmaduke Wetherell, construyeron un cuello y una cabeza "de Nessie" con material de modelar y la pegaron a un submarino de juguete. Así, tal como suena. Pusieron en marcha el submarino, lo dejaron avanzar unos metros y, cuando se había alejado lo bastante de la orilla, Wilson hizo la foto. Así, la imagen más icónica del monstruo quedaba descartada y sus autores más que retratados. Sin embargo, a pesar del fraude, el interés por el monstruo no decreció. Afortunadamente, la "foto del cirujano" no es la única imagen que nos muestra a Nessie. Otras pruebas resultan más convincentes.

La peli de Dinsdale

Si tuviera que dar validez a alguna de las imágenes sobre Nessie que se han publicado en todos estos años, me decantaría sin dudarlo por la película captada el 23 de abril de 1960 por Tim Dinsdale. No ha sido la única que se ha rodado con Nessie de protagonista, por supuesto; se dice que en 1938 un turista sudafricano rodó varios minutos de algo que podría ser el monstruo. Sólo se ha podido ver un fotograma de ese primer film, por lo que no puedo darte mi opinión sobre su posible autenticidad. Lo que sí he podido ver son numerosas fotografías tomadas en la década de 1950, y que me resultan bastante más fiables que la célebre "foto del cirujano". En ellas, se puede apreciar un cuerpo enorme que nada al mismo nivel de las aguas, ligeramente sumergido, y cuya silueta encaja con la imagen más popular de Nessie.

Pero, como decía, fue la película de Dinsdale la que volvió a poner al monstruo del lago en boca de todos, y provocó un renovado interés por el misterio. Dinsdale era un ingeniero aeronáutico que estaba de vacaciones en Foyers, en medio del lago. Según sus propias declaraciones: "Percibí algo en la superficie de las aguas. Parecía una barca boca abajo. Y empezó a moverse, provocando un fuerte oleaje en su zona posterior. Era un animal, de eso estoy seguro. Vi sus aletas y filmé sus movimientos, en claro zigzag. Después se sumergió".

Según los análisis efectuados, la película muestra un cuerpo de unos 2 m de ancho, con un lomo que emerge alrededor de 1 m, y que se desplaza a una velocidad de unos 17 km/h. La longitud total del animal se calculó en un 18 m. Los más escépticos aseguraron, como era de esperar, que se trataba de un nuevo fraude. Pero los estudios más serios sobre el film, llevados a cabo incluso por la Royal Air Force, determinaron que la película era auténtica.

En 1993 se escaneó la película original y se aumentó el tamaño de la imagen con la intención de desenmascarar un hipotético truco. Sorprendentemente, los ampliados fotogramas no desvelaron ninguna trampa, sino más bien todo lo contrario: mostraban lo que parecía un cuerpo trasero, dos aletas y una joroba. Incluso los más escépticos tuvieron que reconocer que lo que aparecía en la película tenía toda la pinta de ser un plesiosaurio. A día de hoy no se ha podido demostrar que el film rodado por Dinsdale sea falso, por lo que sigue siendo el documento más valioso con el que cuentan los defensores de la existencia del monstruo.

Desde ese lejano ya 1960 los avistamientos se han repetido. También las fotografías y las películas, entre las que quiero destacar la grabada por un científico *amateur*, Gordon Holmes, en el año 2007. Son, seguramente, las imágenes de mayor calidad que se han tomado jamás, aunque su interpretación puede ser un poco ambigua. En ellas se aprecia con claridad una masa que nada bajo las aguas y que va dejando una larga estela según avanza. Aún no hay estudios serios al respecto de este último vídeo, pero lo que parece claro es que, en los últimos cien años, ha habido indicios más que razonables que apuntan a la existencia de una criatura desconocida en las aguas del lago Ness. Lo llamativo del caso, sumado a la avalancha de testigos acumulados a lo largo de los años, animó a la comunidad científica a rastrear el lago en busca del monstruo. ¿Cuáles son los proyectos de investigación más destacados que se han llevado a cabo? ¿Y qué hipótesis de trabajo se han derivado? En el siguiente apartado te lo cuento todo.

A la caza del monstruo

Gracias al revuelo creado por la posible existencia del monstruo, no ha resultado difícil encontrar la financiación necesaria para estudiar a fondo el lago. Cualquier investigación seria ha recibido siempre la atención de los medios de comunicación, lo que ha generado suficiente publicidad como para recuperar la inversión realizada. En muchos casos, la nueva y publicitada investigación viene acompañada del correspondiente libro o DVD, con lo que, además de contribuir a aclarar el misterio, se sacan unos estimables beneficios económicos. Nessie es, sin duda alguna, un buen negocio; no hay más que ver cómo ha proliferado una verdadera industria dedicada al monstruo en los alrededores del lago. Pero, más allá del negocio que se ha montado, lo que ahora interesa es ver el resultado de esas investigaciones. A ver qué ha conseguido aclarar la ciencia sobre el gran misterio.

Escuchar bajo las aguas

Durante la década de 1930, la época en que se instauró oficialmente la fiebre por el monstruo, ya se llevaron a cabo los primeros estudios serios que intentaron verificar la existencia de Nessie. Hombres armados con cámaras y prismáticos montaban guardia en las orillas del lago, con la orden de notificar cualquier contacto que tuvieran, por pequeño que fuera. Por lo que se sabe, aquellos pioneros no tuvieron mucha suerte; fueron incapaces de reunir ninguna prueba más o menos consistente. No cabe duda de que lo limitado de su equipo, que no les permitía ir más allá de la típica fotografía, no les ayudó mucho a la hora de encontrar al monstruo. Habría que esperar unos años, y a la invención del sónar, para poder poner en marcha estudios más ambiciosos. A continuación te ofrezco una lista de las investigaciones que han marcado época.

- ✔ **1967-1968, Gordon Tucker.** Experto en sónar de la Universidad de Birmingham, sumergió un potente emisor en la zona central del lago, de forma que podía barrer la totalidad del espacio sumergido. Encontró objetos de unos 6 m de largo, subiendo y bajando por las distintas capas de agua. Los objetos, con un comportamiento insólito para un pez, no salieron a la superficie.

- ✔ **1969, Andrew Carroll.** Desde el acuario de Nueva York, se plantó en el lago armado con el correspondiente sónar. Encontró una presencia de unos 6 m de largo.

- ✔ **1970, Roy Mackal.** El biólogo de la Universidad de Chicago utilizó un sistema un poco diferente: una red de micrófonos subacuáticos. Registró golpes y vibraciones que los expertos relacionaron con la presencia de un gran animal con cola. En ningún caso pudieron atribuir los sonidos captados a la presencia de animales conocidos.

- ✔ **1972-2008, Robert H. Rines.** Sin duda, uno de los más dedicados investigadores del lago. Construyó una estructura de emisores de sónar y cámaras fotográficas. Cuando el sónar detectaba algo, las cámaras se disparaban. Consiguió imágenes subacuáticas de un animal muy parecido a un plesiosaurio, con una cola larga y triangular. Pero en 2008, un año antes de su muerte, declaró que era posible que Nessie hubiera fallecido; la ausencia de testimonios y contactos relevantes en los últimos años así se lo sugerían.

- ✔ **1987, operación Deep Scan.** 24 barcos armados con sónar peinaron exhaustivamente cada centímetro del lago. Después de gastarse un millón de libras montando el tinglado, detectaron tres contactos a 180 m de profundidad, de un volumen considerable y que no podían ser un pez de ninguna especie.

- ✔ **2003, BBC.** Con motivo de la realización de un documental para la televisión, la BBC financió una exploración del lago usando una red de sónares. En esta ocasión, no hubo ningún contacto.

Aun sin encontrar pruebas concluyentes, todos los científicos implicados en la búsqueda de Nessie llegaron a una misma conclusión: vistos los resultados, está claro que hay algo ahí abajo y que su origen nos es desconocido. Según los contactos del sónar, los investigadores de las distintas expediciones coinciden en la existencia de animales de gran tamaño —mayores de 6 m—, que suelen nadar a unos 150 m de profundidad y cuyo comportamiento no se corresponde con el de ninguna de las especies registradas en el Loch Ness. No se trata de conclusiones apuntadas por ningún fanático de la criptozoología, sino de los resultados de rigurosos estudios científicos, llevados a cabo por reputados investigadores de todo el mundo. Entonces, si se confirma que hay algo ahí abajo, ¿de qué estamos hablando?

Las posibles explicaciones

Ya desde el momento en que se popularizó el enigma se empezaron a barajar múltiples teorías para explicar el extraño fenómeno que tenía lugar en el lago Ness. Las hay de todos tipos, algunas acuñadas por escépticos investigadores y otra sugeridas por los soñadores más románticos. Aquí tienes una recopilación de las más interesantes, para que tú mismo seas quien escoja la que te parezca más razonable. Lo que está claro es que una de las que aquí te expongo debe ser la buena.

✔ **Un plesiosaurio.** Se trata de un dinosaurio acuático, de sangre fría, que se extinguió hace 65 millones de años y que vivía en aguas más cálidas que las del Loch Ness. Según esta teoría, algunas colonias de este animal habrían sobrevivido a la gran extinción de finales del Cretácico. Protegidas por un entorno adecuado, como un lago profundo, se habrían reproducido hasta nuestros días.

✔ **Un anfibio desconocido.** La hipótesis favorita de Roy Mackal, el investigador de los micrófonos subacuáticos. No se conoce la especie ni cómo habría llegado hasta el lago Ness.

✔ **Una anguila gigante.** Las anguilas de tamaño normal son muy comunes en el Loch Ness, así que existiría alguna posibilidad de que una variedad de esta especie hubiera crecido de forma desmesurada. Se trataría de un fenómeno similar al que ocurre con el calamar común y con el calamar gigante.

✔ **Focas.** Por extraño que parezca, la presencia de estos animales es frecuente en la zona gracias a la intricada red de acuíferos submarinos que alimentan el lago. Se las ve con relativa frecuencia, y su comportamiento encaja con el del monstruo.

✔ **Corrientes de agua.** Masas de distintas temperaturas y calidad pueden dar la sensación de que algo se mueve bajo la superficie. Provocan cambios de color en el agua y un comportamiento extraño de las ondas y mareas.

✔ **Psicosis colectiva.** Después de las primeras noticias que hablaban de la existencia del monstruo, cualquier persona que veía algo moviéndose sobre el lago aseguraba que había visto al monstruo. Sin embargo es difícil que los contactos de sónar se expliquen con esta teoría.

✔ **Bolsas de gas.** El fondo del lago Ness esconde cierta actividad volcánica, que podría provocar burbujas de gas que subirían a la superficie y provocarían unas turbulencias muy similares a las que provocaría un posible monstruo.

Si tuviera que decantarme por una posible hipótesis, lo haría por la primera opción, la que sostiene que una colonia de plesiosaurios habría sobrevivido a la gran extinción de hace 65 millones de años. Las pruebas recogidas desde 1933, entre fotografías, películas y testimonios, parecen dejar claro que lo que hay en el lago no es una foca, una anguila gigante ni una bolsa de gas, sino una criatura muy parecida a ese animal prehistórico. Además, el Loch Ness no es el único lago del mundo en el que se han producido avistamientos de criaturas parecidas, lo que incidiría aún más en esta explicación. Para acabar de convencernos, pasemos al siguiente apartado y conozcamos de cerca quiénes son esos parientes lejanos del monstruo del lago Ness.

Los primos de Nessie

Lugares tan distantes entre sí como Rusia, Canadá o México tienen el honor de contar también con sus respectivos monstruos lacustres. Desde mi punto vista, un fenómeno estrictamente local, como el del lago Ness, podría tener su origen en el folklore o en una psicosis colectiva; en cambio, una situación que se repite en varios lugares del mundo sólo puede explicarse de forma global, tal y como hace la hipótesis del plesiosaurio. Si hacemos una visita a esos lejanos parientes del monstruo del lago Ness, quizá nos acabemos de convencer de que algunos afortunados dinosaurios sobrevivieron a la gran extinción de hace 65 millones de años.

Al otro lado del charco

Uno de esos parientes de Nessie sería el mexicano Chan. Para saber de él es preciso viajar hasta el valle de las Siete Luminarias, en el centro de México, en el estado de Guanajuato. En una superficie de 7 km² se alzan siete volcanes extinguidos, que han visto cómo sus cráteres apagados se llenaban de unas aguas profundas y de color turquesa. En uno de esos volcanes, el Tallacua, y según reza una tradición precolombina, habita una gigantesca serpiente de agua bautizada con el nombre maya *Chan*.

Para los nativos del valle de Santiago, la existencia de esa poderosa criatura en el fondo de las aguas que llenan el cráter del Tallacua es indiscutible. Respetado y temido, Chan ha permanecido en la memoria colectiva de los pueblos de esta región hasta el punto que, cada septiembre, los nativos ascienden en peregrinación hasta lo alto del volcán para ofrecer al monstruo los primeros frutos de la cosecha y suplicar su protección. Este ritual podría parecer una simple superstición, si no fuera porque decenas de testigos afirman haber visto con sus propios ojos a la bestia que habita en el Tallacua. Si no los hubiera interrogado personalmente, no habría dado crédito a ninguno de esos rumores. Tras hablar con pescadores, campesinos, policías y sacerdotes, todos coinciden en que han visto entre las aguas "un monstruo inmenso y rugiente como una ballena". ¿Ejemplos? A decir verdad, unos cuantos.

- ✔ **Vicente García,** conocido hacendado del valle de Santiago quien, a principios del siglo XX, cuando se bañaba en el lago Tallacua en compañía de un sacerdote amigo suyo, se vio sorprendido por un animal de grandes proporciones.

- ✔ **José Manuel García Rivera,** nieto de Vicente, afirma que su abuelo llegó al pueblo demudado y reconoció haber disparado contra la criatura. Pero Chan fue más rápido y se sumergió en las profundidades.

- ✔ **Santiago Ramírez,** por ejemplo, lo vio emerger en el centro del cráter: "Era negro y enorme y bufaba como una res".

- ✔ **Juan Hernández,** barquero y pescador, ha contemplado en más de diez ocasiones cómo, desde el centro de la siempre pacífica e inalterable laguna, las aguas se encabritan y provocan un oleaje inexplicable.

✔ El policía local **Refugio Silvia,** en compañía de otros agentes, fue a tropezar con el monstruo cuando patrullaba por las orillas del Tallacua. El inspector no lo dudó e hizo fuego contra Chan, pero el animal, de largo cuello y cuerpo abombado, desapareció dentro de un fuerte remolino.

Ante la evidencia, decidí acercarme personalmente a las aguas del Tallacua. Con la ayuda de los bomberos de Salamanca —una localidad próxima al volcán— verifiqué la profundidad y naturaleza de las aguas que llenan el cráter. Descubrí que a unos 20 m de profundidad se perciben unas fuertes corrientes, de oeste a este, que ponen de manifiesto la existencia de uno a varios canales subterráneos. Así, se establecería una red entre los siete volcanes de la zona, que permitirían la renovación de las aguas. Esta hipótesis fue confirmada por el comandante Juan Quiroga y por otros lugareños, que, en diferentes ocasiones, han arrojado troncos al lago del Rincón de Parangueo —uno de las Siete Luminarias— y, al poco, los han visto emerger en la superficie del Tallacua.

Si el monstruo existe, tal como declaran incontables testigos, cabe la posibilidad que el hábitat de Chan no se reduzca únicamente al Tallacua, sino a todo un complejo entramado de túneles submarinos. Un fenómeno idéntico al que ocurre en el lago Ness. Y es igualmente verosímil que Chan no sea un único y solitario ejemplar, sino toda una familia de animales prehistóricos, atrapada desde hace millones de años en el laberinto acuático de las Siete Luminarias.

Los primos de China

Chan no es el único primo de Nessie. También en China se tienen noticias de otro monstruo de parecido perfil y comportamiento. Ese ejemplar habría sido visto en el lago Karas, de 40 km² de superficie y ubicado en las montañas de Altai, cerca de la frontera noroccidental de Rusia y Kazajistán. Uno de los testimonios más célebres recogidos aseguraba que un grupo de pastores mongoles lo había sorprendido cuando se disponía a devorar un caballo.

Ya en Rusia, hoy se sabe de dos lagos, el Kol-Kol y el Labynkyr, en los que, según los testigos, pudieran haber sobrevivido sendas colonias de monstruos prehistóricos. En el primero, situado en Kazajistán, numerosos testigos hablan de un enorme animal de unos quince metros de longitud, parecido a una serpiente y al que se le ve nadar por la superficie. También en este lago se repiten los extraños oleajes y los sobrecogedores ruidos.

En el segundo lago, en las montañas orientales de Yakutia, al noroeste de Rusia, los primeros testimonios conocidos datan del año 1953. Los observadores en cuestión, el geólogo V. Tverdojlebov y su ayudante, narraron su experiencia con las siguientes palabras.

"Marchábamos por una de las escarpadas orillas de lago Labynkyr. Y de pronto distinguimos una mancha blanca bajo las aguas. Y al instante desapareció. Creímos que se trataba de algún reflejo solar, pero aquello regresó. A cosa de 300 o 400 m de la orilla observamos un objeto blanquecino que se movía a gran velocidad y en nuestra dirección. Nadaba o se desplazaba mediante impulsos, emergiendo periódicamente. Estaba claro que era un animal enorme y muy extraño. Tenía dos manchas simétricas que identificamos con los ojos y que destacaban del resto del cuerpo. Y en su parte superior, una especie de aleta. Al aproximarse unos 100 m detuvo la marcha, retrocediendo con lentitud. Y desde aquel punto surgió una cadena de olas, consecuencia de los movimientos de la bestia. Y allí mismo se hundió, desapareciendo."

El geólogo elaboró un informe pero, como era de esperar, sus colegas no se lo tomaron muy en serio. Para los nativos del lugar, aquel incidente no era ninguna novedad. El lago, de unos 15 km de longitud y unos 50 m de profundidad, siempre ha sido escenario de fenómenos muy extraños. Los cazadores perdían inexplicablemente a sus perros cuando éstos se arrojaban a las aguas en busca de las piezas. Las aves huían súbita y misteriosamente de las orillas. Y se cuentan por decenas los pastores y pescadores que han podido observar los violentos oleajes y remolinos, que se producen incluso cuando el tiempo está en calma. ¿El motivo de tan extraños acontecimientos? Para los lugareños, la presencia de un pariente cercano de Nessie.

La familia y unos cuantos más

También en América del Sur he tenido la ocasión de recoger testimonios de personas que afirman haber presenciado las evoluciones de uno de estos animales. En las bellas aguas del lago Nahuel Huapi, en las proximidades de la ciudad argentina de San Carlos de Bariloche, tiene su domicilio un animal conocido como el "Nahuelito". Parece responder a las mismas características y comportamiento que sus congéneres del resto del mundo: cuerpo abombado, cuello largo, jorobas y aletas laterales.

La lista es interminable. Los hay en Australia, en la Polinesia, en India, en África meridional, en Estados Unidos y en Canadá. En estos dos últimos países se han producido, por ejemplo, más avistamientos de bestias lacustres no identificadas que en Europa y Asia juntas. Según los investigadores estadounidenses, en la actualidad se tienen noticias de 90 lagos en los que, al parecer, han sido vistos otros tantos *Nessies*.

Raro es el pueblo americano que no dispone de leyendas relacionadas con estos seres, casi siempre de "largo cuello, cabeza de becerro y abultadas aletas". Desde hace siglos, los indios de las zonas de los Grandes Lagos y de las Montañas Rocosas han hecho mención de infinidad de criaturas, aparentemente fantásticas, a las que temían y veneraban. A principios del siglo XIX, por ejemplo, los indios potawatomi se opusieron a la construcción de un aserradero en el río Wabash (Indiana), porque la instalación "podía perturbar a la mítica serpiente que habitaba en sus aguas".

Los hermanos Pogo

Entre los numerosos parientes del monstruo del lago Ness, hay dos canadienses que acaparan el interés de la opinión pública, el Ogopogo y el Manipogo. Han sido vistos en decenas de ocasiones en la red lacustre de Manitoba, Sinicoe y Okanagan, lo que se explicaría por la presencia de varias familias de supervivientes prehistóricos en sus aguas. Los primeros informes que hablan de su existencia datan de 1850, y desde entonces los testimonios han sido frecuentes.

Uno de los avistamientos más célebres se produjo en 1959, cuando el matrimonio Miller fue testigo de excepción de los movimientos del monstruo. Navegaban por el lago Okanagan en una excursión y, a unos 75 m de la lancha, observaron la cabeza de un extraño animal. Al coger los prismáticos, el señor Miller comprobó que se trataba del mítico Ogopogo. La cabeza, achatada como la de una serpiente, se encontraba a unos 25 cm por encima del agua. La barca maniobró dirigiéndose hacia el monstruo, de forma que el matrimonio tuvo la oportunidad de verlo de cerca por espacio de tres minutos. Al poco, las cinco jorobas y la cabeza desaparecían en las profundidades.

Y así, hasta hoy, el misterio continúa en lagos de todo el planeta, lo que confirma la existencia de un fenómeno global. ¿Cómo explicarlo entonces? Habrá quien piense en leyendas y supersticiones, incluso en una contagiosa psicosis colectiva, pero yo prefiero repetirme y abrazar la hipótesis de los dinosaurios supervivientes a la gran extinción. No cabe duda de que los animales descritos son casi idénticos a los plesiosaurios, y que, curiosamente, todos ellos se agrupan en lagos extensos, profundos y con una amplia red de acuíferos subterráneos. Si existió un lugar donde ponerse a salvo del desastre que provocó la gran extinción, no me cabe duda de que una de las mejores opciones eran las profundidades de un gran lago. El enigma sigue abierto, sumergido en las profundidades, y ahí permanecerá... por el momento.

Capítulo 14

Tampoco tan abominable

Si los cientos de parientes de Nessie constituyen uno de los más intrigantes y escurridizos enigmas que hay sobre la Tierra, el misterio de los hombres-mono que se reparten por todo el planeta no se queda atrás. Hasta hoy, se han contabilizado más de 5000 testimonios de personas que afirman haber visto a criaturas peludas, semihumanas, siempre esquivas y perdidas en parajes de difícil acceso, en altas montañas y frondosos bosques. Hay noticias de encuentros de este estilo en las dos Américas, en Japón, en África, en la Europa Central, en China y en Australia; en resumen, en cualquier lugar remoto donde el hombre haya dejado su huella.

De entre todas estas criaturas, hay una que ha conseguido ganar la batalla de la popularidad sobre las otras. Se trata del Yeti, también conocido como "el abominable hombre de las nieves"; se trata de un críptido que tiene su hábitat natural en las montañas del Himalaya, entre el Tíbet y Nepal.

Reconozco que, desde que era niño, siento cierta fascinación por este enigma. Por eso no dudé en viajar hasta la zona en el invierno de 1987, para averiguar de primera mano qué había de mito y qué de realidad. Tengo que reconocer que yo no me topé con el Yeti durante mi estancia en el Himalaya, pero sí lo hice con decenas de testigos que afirmaban haberlo visto con sus propios ojos. Durante mi viaje me di cuenta de que el Yeti era una realidad estrechamente ligada a la vida de aquellas montañas desde hacía siglos. Y, más importante aún, conseguí hacer de mi sueño infantil una adulta realidad.

Construyendo al Yeti

Como la mayor parte de los investigadores que se han asomado a este enigma, llegué a Katmandú, en Nepal, cargado de un sano escepticismo. ¿Era el Yeti una superstición? ¿Qué base real, mínimamente científica, podía sostener la existencia de esta criatura, mitad hombre y mitad mono? Sólo podía ponerme a preguntar, así que empecé mi investigación en la misma ciudad, donde enseguida descubrí que pocos podrían orientarme. Ante mis preguntas, sólo encontraba escuetas respuestas y una singular expresión que no sabía muy bien cómo interpretar, por lo que preparé el equipaje y me dirigí hacia el interior. Según fueron pasando los días y las aldeas, y tras escuchar los testimonios de montañeros, monjes y, en especial, de los esforzados *sherpas,* mis dudas fueron disipándose.

El bautizo de la criatura

Tengo que decir que, durante las entrevistas, ninguno de los interrogados puso en duda la realidad de su existencia. Algunos habían tropezado con sus huellas en la nieve. Otros aseguraron haber escuchado sus pasos y sonidos guturales en los alrededores de las aldeas, de los monasterios y en las proximidades de los campamentos de los alpinistas. Los menos juraban haberlo visto en los bosques que preceden a las regiones de nieves perpetuas. Y los más recordaban infinidad de encuentros protagonizados y transmitidos por sus antepasados.

Aunque la criatura en cuestión es conocida en todo el mundo como el *Yeti,* su verdadero nombre, por el que es designado desde hace siglos en las altas montañas del Tíbet y del Nepal, es *yah- teh,* lo que vendría a significar algo como "hombre salvaje de los lugares rocosos" o "animal que habita en las rocas". Los nepalíes, al menos en el pasado, jamás utilizaron la expresión "abominable hombre de las nieves", de invención occidental. Entre otras razones lógicas, porque ningún hombre o animal podría sobrevivir en las severas cumbres del Himalaya. De hecho, según mis investigaciones, la mayor parte de los avistamientos suelen producirse a baja altura y en zonas generalmente boscosas. Curiosamente, en el idioma nepalí, *yeti* quiere decir "ermitaño".

Cada monstruo con su leyenda

Fueron los *sherpas*, los otros dueños y señores del Himalaya, quienes me proporcionaron la información más amplia y precisa. Estos espartanos guías de muchos de los alpinistas que se aventuran en la cordillera no comprendían mis dudas en lo que al Yeti se refiere. Tal y como me contaron los ancianos *sherpas,* su propia historia aparece ligada a la de los hombres de las nieves. Por su gran valor, te reproduzco íntegramente el relato que me hicieron, en el que se describe cómo el destino de *sherpas* y yetis quedó ligado para siempre.

"Allá arriba, por encima de las nubes y más allá de Katmandú y de las montañas azules que la rodean, hay una tierra virgen, de incalculable belleza, a la que llaman Khumbu. Es tierra de nieves y ventisqueros, de ríos salvajes y suaves y verdes valles, de yacs, águilas y leopardos de las nieves. Sus habitantes son los *sherpas*. Llegamos a Khumbu hace muchos años, procedentes de las montañas del Tíbet. Y aquí plantamos la patata y el trigo sarraceno. Y aquí criamos nuestras ovejas y nuestros yacs. Somos gente dura pero alegre…

"Y antes, mucho antes de que todo esto ocurriera, Khumbu era ya la patria de los *yeti*. Entonces, los *yeti* eran pacíficos y confiados. Hasta que un día, los hombres y las mujeres de las nieves observaron una larga hilera de *sherpas* y de yacs que traspasaban las fronteras del Tíbet y se instalaban en sus dominios.

"Y los *sherpas* montaron sus tiendas en la región de Tarnga. Y después construimos casas de piedra y cultivamos los campos. Y los *yeti* siguieron observándonos. Hasta que un día, después del monzón, los *sherpas* recogimos la cosecha. Y el apetitoso olor de las patatas llegó hasta ellos. Esa noche, uno de los *yeti* decidió aventurarse en la aldea, robando cuantas patatas pudo. Y lo mismo sucedió cuando, días más tarde, los *sherpas* celebraron la fiesta de la cerveza. Esa misma noche, mientras la aldea dormía, los *yeti* se adentraron en el poblado, probando la cerveza y emborrachándose. A partir de entonces se convirtieron en un problema para los *sherpas*.

"Robaban su comida y su cerveza, imitando en todo a los humanos. Finalmente, los *sherpas* celebraron un gran consejo e idearon un plan para librarse de los *yeti*. Primero dispusieron grandes cantidades de cerveza. Después, provistos de espadas de madera, simularon una pelea. Y esa misma noche, los hombres y las mujeres de las nieves entraron de nuevo a la aldea, apoderándose de la cerveza y de las espadas que, aparentemente, habían sido olvidadas por los *sherpas*. Lo que no sabían los *yeti* es que las armas de madera habían sido previamente sustituidas por otras de metal. Y tal y como habían visto hacer a los *sherpas*, bebieron y se emborracharon luchando entre ellos. Poco después, la tribu de los yeti yacía despedazada sobre la nieve. Todos murieron, excepto un yeti hembra y su hijo. Y al comprender que todo había sido un engaño, huyó hacia las montañas, lejos de los hombres. Desde entonces, el Yeti odia a los humanos."

Así es como narran los *sherpas* sus primeros encuentros con los hombres de las nieves. Aunque, obviamente, parece tratarse de una leyenda más, no es menos cierto que contiene algunas posibles verdades. Como ejemplo, y siempre de acuerdo con los testimonios de los que aseguran haberlos visto, los yetis formarían una nutrida colonia. Según los habitantes del Nepal, el Yeti no se trataría de un ser único y solitario, sino de varios grupos diferenciados de familias o razas.

Un retrato robot

Es obligado puntualizar que, hasta el momento, ninguna de las expediciones que se han puesto en marcha para localizar al Yeti ha obtenido resultados positivos. La creencia, por lo tanto, se sustenta en los testimonios de quienes afirman haberse tropezado con su rastro. Pues bien, a partir de esas descripciones podemos reconstruir qué aspecto físico podría tener el Yeti. Seguramente se corresponde con la imagen que ya tenías de él.

- ✔ Entre 1 y 3 m de altura
- ✔ Cuerpo fornido y de apariencia humana
- ✔ Largo y espeso pelo, que cubre todo el cuerpo y que va del gris al rojizo
- ✔ Cabeza puntiaguda

✔ Brazos largos y oscilantes

✔ Enormes pies, de 0,5 m de longitud

✔ Pulgares extrañamente desviados hacia el exterior

✔ Camina erguido, pero se ayuda de las manos al correr

Dentro de este retrato típico parece que habría que diferenciar entre varias tribus o grupos étnicos, que responderían a distintos niveles de peligrosidad. Según la leyenda que te transcribía en el apartado anterior, los hombres de las nieves tienen motivos más que suficientes para no llevarse muy bien con los humanos; de ahí que para los *sherpas* sea importante reconocerlos y estar precavidos ante una posible conducta violenta.

Los guías nativos del Himalaya, los que más y mejor saben sobre la naturaleza de los yetis, los clasifican en estos tres grandes grupos. Ojo, que el más pequeño es el más matón.

✔ Los **metrey** o yetis caníbales, de 1,5 m de altura. Son los únicos que atacan al hombre, y lo hacen para comérselo. Pueden llegar a hacer gala de una extrema violencia.

✔ Los **chutrey** o comedores de animales de gran tamaño, como el yac o el buey de las montañas. Atacan los rebaños y, en caso de un hambre extrema, se acercan a las aldeas y entran en los establos. Miden alrededor de 2,5 m.

✔ Los llamados **theima**, que habitan en los intrincados bosques del Himalaya, siempre por debajo de la línea de la nieve. Son herbívoros e inofensivos. Si se ven sorprendidos por la presencia de seres humanos, emprenden la huida y se ponen a cubierto.

A pesar de lo que nos cuenta la tradición *sherpa*, que nos advierte de la extrema violencia y peligrosidad de algunas familias de yetis, no tenemos noticias confirmadas de que ningún yeti haya mantenido combates cuerpo a cuerpo con seres humanos. Al menos, recientemente. Si se hubiera producido dicho encuentro, estoy seguro de que el misterio estaría en vías de resolverse, y de momento no es así. Sí que sabemos, en cambio, de ataques a vacas y a otros animales de pastoreo. Los cuerpos mutilados de ovejas y yacs, junto a un rastro de pisadas que se adentraban en el bosque, fueron las pruebas inconfundibles que demostraban que el Yeti había estado allí.

Así que, hasta la fecha, debemos basar toda la investigación sobre el Yeti en huellas, en testigos, en referencias escritas... No tenemos nada más. Nos toca, por lo tanto, abrir la puerta de la historia y echar un vistazo a la larga lista de testimonios existentes; las únicas fuentes que nos van a permitir poder conducir con tino la investigación.

Se busca, vivo o muerto

Todo los testigos coinciden en afirmar que el Yeti se deja ver a una altura que oscila entre los 3300 y los 5500 m. Pocas veces se lo ha podido ver en las altas cumbres, y tampoco tiene por costumbre bajar a los valles. La mayoría de relatos al respecto hablan de encuentros lejanos, de pocos segundos de duración, protagonizados por escaladores que pretendían acceder a las cumbres más altas del planeta o científicos que se encontraban en la zona haciendo estudios antropológicos. En principio, personas que no suelen ser muy dadas a inventarse historias y levantar falsas expectativas.

Primera ronda de testigos

Es más que probable que la más antigua representación gráfica conocida de un yeti sea la realizada por el antropólogo checo E. Viçek en el *Diccionario anatómico para el reconocimiento de diferentes enfermedades*. En este tratado de medicina tibetana se incluye un dibujo de una especie de hombre-mono, de pie sobre una roca. En el texto se aclara que se trata de un "hombre salvaje, habitante de las montañas y dotado de una fuerza extraordinaria". En cuanto a la primera referencia escrita que ha podido llegar a Occidente, la encontramos en el año 1832. El naturalista británico B. H. Hodgson lo describe en su diario como un "demonio peludo, sin cola, que, de pronto, apareció ante sus asistentes".

Pero quizá los testimonios más valiosos son aquellos que nos hablan de sus huellas. Son legión los que dicen haberlas visto y seguido con la esperanza de encontrar al mítico animal. En 1886, Myriad, miembro de una expedición de alpinistas británicos, encontró unas enormes y misteriosas pisadas en la nieve, a 4877 m de altitud. Un poco más tarde, en 1889, otro inglés, el comandante

L. A. Wadell, se tropezó también con una serie de huellas inexplicables, en la región nororiental de Sikkim, a 5182 m de altura.

La fiebre del siglo XX

En 1906, el célebre botánico Henry Elwes aseguraba haber visto un enorme bípedo peludo. Y otro tanto escribió un funcionario británico de bosques, conocido sólo por las siglas J. R. P., que halló unas gigantescas pisadas de casi 50 cm, con los pulgares en ángulo recto sobre el eje de los pies. En 1921, el teniente coronel Howard-Bury observó otras enigmáticas huellas a unos sorprendentes 6400 m de altura, durante una expedición al Everest. Tanto Howard como uno de los *sherpas* que le acompañaba distinguieron un ser de gran talla, peludo y que caminaba como un hombre. Un año más tarde, una patrulla del ejército británico declaró haber visto una extraña criatura en Sikkim, a 3000 m de altura. Era de aspecto humano y se movía con gran rapidez. Otro militar, el capitán Hunt, añadiría unos años después que lo que encontró "eran unas huellas enormes, que nada tenían que ver con los osos o leopardos de las nieves".

Los testimonios parecen no tener fin. En 1925, un botánico hindú, A. N. Tombazi, escribía en su *Relato de una expedición fotográfica a las laderas meridionales del Kanchenjunga* cómo en la nieve del monte Kabru, a 4572 m, habían contemplado a un ser claramente humano, arrancando raíces y arbustos. Caminaba de pie y sólo estaba cubierto por una capa de pelo. A los pocos instantes, el Yeti desapareció en la espesura sin dejar rastro, pero el botánico pudo encontrar huellas de pisadas recientes. Los pulgares y talones eran idénticos a los de un hombre, aunque la totalidad de la huella era tan larga como media pierna. En total, contó quince pasos en la nieve.

Uno de los escasos testimonios que nos hablan de un yeti que se aproxima a asentamientos humanos tuvo lugar en el año 1935. Según cuentan los nativos, un yeti se presentó por las buenas en la aldea *sherpa* de Kathagsu. El animal debería estar hambriento, porque entró en un cercado y mató a dos ovejas. Cuando los vecinos del pueblo se dieron cuenta de su presencia, lejos de asustarse, decidieron emprenderla a pedradas con él. El pobre hombre-mono, ante la ira y los ataques de los nativos, tuvo que salir de allí como pudo.

La lista de testigos, en fin, es interminable. Los más escépticos sostienen que muchas de estas declaraciones se podrían explicar por la influencia de las leyendas locales, tan arraigadas en el acervo cultural de los *sherpas*. No niego que podría ser así en lo que afecta a ese pueblo de expertos montañeros, pero es más complicado defender dicha teoría ante los centenares de testimonios provenientes de fuentes occidentales. Militares, médicos, científicos y alpinistas afirman haber visto a una criatura desconocida que encaja con la idea que tenemos de un yeti. Muchos otros se han topado con sus huellas en la nieve. No hay duda de que una criatura misteriosa merodea los altos bosques del Himalaya, pero... ¿de qué se trata exactamente?

¿Quién es ese tal Yeti?

A raíz de unas fantásticas fotografías tomadas por Eric Shimpton, en las que se podía apreciar una huella de unos 33 cm de longitud por otros 17 cm de ancho, la comunidad científica decide tomar cartas en el asunto. La visión de una pisada con cinco dedos perfectamente visibles, organizados de forma única —ni mono ni hombre—, marca un antes y un después en la investigación. Corría el año 1951. Desde entonces, más de treinta expediciones científicas se han desplazado hasta las laderas del Himalaya con el único fin de fotografiar o capturar al Yeti. Pero los resultados, como decía, han sido negativos.

Hasta el propio sir Edmund Hillary, el primer hombre que llegó a la cumbre del Everest, llegó a interesarse por el abominable hombre de las nieves. En ese crucial 1951, antes de alcanzar el techo del mundo, relataba lo siguiente: "Sen Ting, uno de mis más expertos *sherpas*, me aseguró haber visto al Yeti. Al año siguiente, George Lowe y yo hallamos un mechón de pelo negro a 5800 m, en un paso peligroso. Los *sherpas* aseguraron que era pelo del Yeti y lo tiraron aterrorizados".

Sea realidad o fruto de la imaginación, los cierto es que el hombre de las nieves forma parte del sentir popular de un pueblo. Personalmente, en vista de los cientos de testimonios que circulan sobre tan singular criatura, estoy convencido de su existencia. ¿Entonces de dónde ha salido? ¿Es un eslabón perdido en la evolución de la humanidad? ¿Una especie de simio desconocido hasta hoy? ¿Una simple alucinación? Veamos las hipótesis que barajan los investigadores.

El pariente perdido

Hasta el momento, los escasos científicos que se han atrevido a pronunciarse sobre el misterio han coincidido en la posibilidad de que estemos ante un ignorado animal, no incluido en la escala zoológica. Lo que llamaríamos un animal *críptido*, como lo es Nessie. En esta dirección apuntan los trabajos del eminente criptozoólogo Bernard Heuvelmans, que en 1955 propuso una tesis que fue bien recogida por el resto de la comunidad científica: afirmó que el Yeti podría ser un descendiente del *Gigantophitecus*, una especie extinguida de homínidos simiescos.

El *Gigantophitecus* apareció en la Tierra hará un millón de años, en la zona de China y la India, y desapareció hará unos 300 000. Se cree que fue el homínido más grande que jamás ha existido, con una altura de unos 3 m y un peso que podría rondar los 400 kg. De él sólo se han encontrado algunos restos fósiles, en especial dientes y mandíbulas, que se conservaban en los frascos de algunas farmacias tradicionales chinas. A pesar de lo extraño del descubrimiento, hoy no hay dudas sobre su existencia real en la prehistoria. Así, por lo que hemos deducido del estudio de las dentaduras, se trataba de un animal vegetariano, de gran tamaño y emparentado con los orangutanes. No se saben con precisión los motivos de su extinción, pero se supone que debió producirse por la presión de otras especies, que fueron ocupando su hábitat natural hasta dejarlo sin fuentes de alimentación.

Tres zoólogos británicos —Cronin, Emeryware y McNeely— acabaron de redondear la teoría de Heuvelmans. Concluyeron que algunos ejemplares del *Gigantopithecus* pudieron quedarse aislados en las inaccesibles cordilleras de China y el Asia central, empujados por la presión de otras especies, mucho mejor organizadas a la hora de conseguir caza y alimento. Es razonable pensar que algunos ejemplares del *Gigantopithecus* habrían podido encontrar un lugar que no interesaba a nadie, como las laderas del Himalaya, y haber sobrevivido allí a lo largo de los siglos, a pesar de las durísimas condiciones. La inaccesibilidad del entorno, al que sólo accedían los nativos *sherpas*, habría mantenido a esta especie perdida en el mayor de los olvidos hasta que, por fin, el auge del alpinismo llevó a los primeros occidentales hasta el Himalaya.

El Yeti de James Stewart

En 1950, James Stewart, uno de los mitos más célebres y queridos del cine, protagonizó una película titulada *Harvey,* en la que daba vida a un excéntrico personaje que tenía como mejor amigo a un conejo invisible de 2 m; un *pooka* de origen celta. Stewart no creía en la existencia de conejos gigantes, pero sí lo hacía en la del Yeti. De lo contrario, supongo que no se habría arriesgado a llevar la supuesta mano del abominable hombre de las nieves en su equipaje, desde la India a Inglaterra, y por vía aérea.

Según la historia que contó Loren Coleman, un respetado criptozoólogo, en 1959 un millonario tejano, Tom Slick, organizó una expedición al Tíbet para dar con el abominable hombre de las nieves. Una vez sobre el terreno, Slick se convenció de que la mano guardada y venerada en el monasterio de Pangboche era realmente la de un yeti, tal y como afirmaban los monjes. Con esta idea en la cabeza, Slick pidió a las autoridades del monasterio la mano para analizarla, pero los monjes se negaron a cederla. No le quedó otra que ingeniárselas para cambiar la mano auténtica por una réplica humana, y llevarla por carretera hasta la India. Parecía que lo más difícil ya estaba hecho, pero aún quedaba pasar el control del aeropuerto. Y es aquí donde James Stewart entró en juego.

El protagonista de *¡Qué bello es vivir!* y *Vértigo* estaba de vacaciones en la India con su mujer. Por lo visto, eran amigos de uno de los copatrocinadores de la expedición, que estaba atascada en el país sin saber muy bien cómo sacar la mano de allí. Así que le pidieron el favor a Stewart, suponiendo que, gracias a su fama, los agentes de aduanas no le revolverían el equipaje. Y así fue como sucedió. Su mujer escondió la mano entre la lencería y, sin mayores complicaciones, llegó sana y salva a Londres. Cuando los expertos la analizaron, atribuyeron el pelo de la reliquia a una especie de cabra. Pero al estudiar la mano… no lo tuvieron tan claro. Sólo dijeron que no era humana, pero no supieron decir de qué especie se trataba. Hace unos años, y después de que la historia se hiciera pública, la mano volvió a su emplazamiento original, en Pangboche, y los monjes tacharon al bueno de Jimmy de su lista negra.

Los más críticos con esta teoría alegan que el *Gigantopithecus,* como el resto de primates de gran tamaño, son unos voraces vegetarianos, por lo que necesitan enormes cantidades de bambú para pasar el día. No hace falta ser un lince para darse cuenta de que en el Himalaya no abunda la caña dulce, así que —según sostienen— no habría forma de que un simio así sobreviviera. A no ser que, presionado por el entorno, no hubiera tenido más remedio que evolucionar y cambiar su dieta, basándola en especies vegetales menos suculentas, aunque igualmente nutritivas. Una opción perfectamente viable, y que se ha dado en muchas otras especies animales. Si la teoría del *Gigantopithecus* se pudiera confirmar, lo que podría ocurrir si encontrásemos restos dentales de un supuesto yeti, confirmaría la existencia del hombre de las nieves. Sería una especie animal desconocida para la ciencia oficial, y con unas características físicas que encajarían con lo descrito en leyendas y testimonios. De momento, es sólo una conjetura, lo que nos obliga a contemplar otras posibilidades.

Te tomé por otro

Un segundo grupo de expertos considera que la larga lista de avistamientos es, en realidad, una imponente retahíla de confusiones e interpretaciones equivocadas. Así, el Yeti no sería el hombre las nieves, sino otro animal autóctono del Himalaya que, por culpa de una mala visibilidad y de las sugestivas leyendas, se habría tomado por lo que no es. Desde mi punto de vista, no tengo muy claro qué otro animal podría ser confundido por un simio de 3 m de altura, que deja unas huellas con cinco dedos bien definidos. Pero los defensores de esta hipótesis sí que proponen algunas alternativas; veamos cuáles son:

✔ El **oso del Tíbet.** Se trata de una especie en peligro de extinción, sobre la que se tienen pocos datos, aunque no se duda de su existencia. En principio, viven en zonas más frondosas que el Himalaya, pero se han visto ejemplares de paso por las zonas típicas de presencia del Yeti. Es capaz de ponerse de pie sobre las patas traseras, por lo que podría confundirse con una figura de aspecto humano.

✔ El **thar del Himalaya** o el **Goral.** Se trata de dos especies de cabra típicas del Himalaya que, a pesar de vivir en zonas altas y protegidas, se encuentran en riesgo de extinción. Aparentemente un yeti y una cabra no tendrían mucho que ver, pero si he decidido incluirlas en la lista es porque en varios monasterios budistas no lo tienen tan claro. En algunos de estos templos, como los de Pangboche, Namche y Khumjung, se guardan restos de pelo de un supuesto yeti que los monjes veneran como si fueran auténticos. Al analizarlos, se descubrió que eran de estas especies locales de cabra.

✔ Un mono, como el *Rhesus* o el **langur.** Aunque las especies de primates viven más al sur, en zonas mucho más verdes, algunos ejemplares podrían haberse movido a zonas más frías. Sin embargo, se trata de dos especies de primates de pequeño tamaño, y me resulta muy difícil creer que nadie las confundiera con un yeti.

Como ves, la lista de posibles yetis no es que sea muy extensa. El Himalaya es una región muy dura, donde no abunda la fauna, por lo que no hay muchas especies con las que comparar a nuestro hombre de las nieves. Personalmente, descartaría las versiones que hablan de una cabra o de un pequeño mono. La opción del oso es más plausible, sobre todo si tenemos en cuenta que las especies del Himalaya pueden ponerse de pie. No obstante, las pisadas de un oso no tienen nada que ver con las que se han encontrado en el Himalaya; la forma de las huellas del supuesto Yeti nos remite a un simio, no a un úrsido.

Entonces ¿qué opciones nos quedan? Algunos antropólogos hablarían de ermitaños y hombres santos, pero es difícil imaginar a alguien viviendo a 6000 m de altura, refugiado en un bosque y cubierto por la piel de un oso. Que sepamos, los únicos humanos oriundos del Himalaya son los *sherpas,* y no tenemos noticias de que se disfracen de Yeti por las noches. Queda claro que el misterio sigue abierto, porque tal como ocurre con tantos y tantos enigmas, no hay pruebas definitivas que confirmen o desmientan su existencia. En todo caso, la presencia de otros yetis repartidos por el mundo vendría a avalar la hipótesis de que una especie prehistórica de homínidos habría sobrevivido en algunas zonas remotas del planeta. Pasemos al siguiente apartado y conozcamos a esos otros hombres de las nieves que se esconden en las alturas.

Muchos y bien avenidos

En el capítulo anterior vimos cómo Nessie tenía primos repartidos por todo el mundo, lo que vendría a incidir en la hipótesis de que algunos plesiosaurios habrían podido sobrevivir a la gran extinción de hace 65 millones de años. Sería posible atribuir la existencia del monstruo del lago Ness a una leyenda local muy arraigada; pero es difícil pensar que en Kazajistán, donde también tienen monstruos lacustres, sepan algo del folklore escocés. Con el Yeti pasaría algo parecido.

Hoy sabemos de la existencia de una veintena de parientes del Yeti repartidos por todo el mundo, la mayoría en el Sudeste Asiático y en Estados Unidos. De hecho, alguno de ellos ha conseguido una popularidad mediática que sobrepasa a la del hombre de las nieves tibetano, sobre todo por ser autóctonos del país donde el espectáculo se convirtió en negocio. Así pues, desplacémonos hasta el noroeste de Estados Unidos, lugar de residencia del monstruo de los grandes pies.

El mono del disfraz

En 1967 pudo obtenerse una imagen de Bigfoot. En concreto, se trata de unos esquivos y temblorosos cincuenta segundos rodados en película doméstica, conocidos como el "film de Patterson-Gimlin" en honor a sus autores. En la película puede verse a un corpulento hombre mono, cubierto de pelo oscuro, que camina de una forma peculiar, doblando mucho las rodillas y balanceando los brazos. Incluso en un momento concreto parece que dirija una fugaz mirada a cámara. Cuando la película se hizo pública, la fiebre de Bigfoot volvió a desbocarse.

Las imágenes de la película de Patterson y Gimlin, rodadas en Bluff Creek (California), han sido analizadas hasta la saciedad, sin llegar a ninguna conclusión definitiva. Algunos expertos consideran que es auténtica, basándose en el patrón de desplazamiento del animal, que reproduce movimientos que a algunos no les parecen muy humanos. Hay quienes opinan, en cambio, que la película sería un fraude y que el protagonista no es más que un hombre disfrazado de mono. Añaden con burla, además, que el traje no debía de sentarle muy bien al supuesto Bigfoot, y de ahí los extraños andares. A día de hoy no se puede decir con seguridad que la película sea auténtica.

El de los pies grandes

El *Bigfoot*, también denominado *Sasquatch*, podría ser la versión yanqui del Yeti. Comparte con él tamaño, apariencia externa y comportamiento; sólo habría cambiado el Himalaya por las Montañas Rocosas del noroeste de América. Por lo demás, coinciden el color del pelo, la forma de la cabeza —algo triangular— y el tamaño de las huellas, que podrían llegar a medir 0,5 m. Como curiosidad, los que se han topado con él dicen que el Bigfoot huele bastante mal, como si fuera una mofeta.

Como ocurre con su homólogo tibetano, las primeras referencias a su existencia tenemos que buscarlas en las leyendas locales de los indios americanos, donde se recogen historias que se parecen mucho a las que cuentan los *sherpas*. Hay tribus que hablan de monstruos que atacaban a los hombres para comer su carne. Otras versiones no tan escabrosas nos hablan de hombres-mono que robaban la pesca a los nativos. Incluso se hace referencia a ellos como personajes legendarios, con conexiones con el más allá.

De nuevo, hay una fecha que marca un antes y un después en la historia del enigma. Ese momento llegó en 1958, cuando un obrero de la construcción, Gerald Crew, encontró unas enormes huellas de primate cerca del lugar donde estaba trabajando. Como nadie le creyó, buscó a un amigo con el que sacar unos moldes en yeso de las huellas... y el resto ya es historia. Crew apareció en la portada de un periódico local, el *Humboldt Times*, y de ahí al resto del país. En pocos días ya se había desatado una auténtica fiebre del Bigfoot en Estados Unidos, lo que llevó a decenas de buscavidas a poner rumbo hacia el norte de California. Inmediatamente las noticias de avistamientos empezaron a invadir las redacciones de los medios locales, sin que pudiera confirmarse ninguna de las historias.

Con pruebas o sin ellas, lo cierto es que hoy Bigfoot forma parte de la imaginería popular del pueblo americano. Es frecuente su presencia en cómics, películas y series de televisión de todo tipo, que siguen perpetuando el mito a pesar del escepticismo de la ciencia, que considera todo el asunto como una broma de mal gusto. Sobre las posibles explicaciones del fenómeno, se barajan las mismas opciones que en el caso del Yeti... Aunque aquí la hipótesis del *Gigantopithecus* resulta poco probable: no hay noticias de restos fósiles de grandes primates en Norteamérica. ¿Tendrá aquí razón la ciencia académica? ¿O quizás el *Gigantopithecus* habría podido llegar a América por el estrecho de Bering? La lista de hipótesis continúa abierta.

El Almas

Se trata de un pariente geográficamente cercano al Yeti, que tendría su hábitat natural en las montañas del Cáucaso y del Pamir, en Asia Central. Según las descripciones con las que contamos, el Almas, a diferencia del Yeti o el Bigfoot, tendría un comportamiento más parecido al de los humanos. Un ejemplo sería el uso de ropajes muy primitivos, hechos de piel de animal, cuyo uso, sin embargo, no estaría generalizado entre todos los miembros de la especie. Por contra, comparte con sus parientes la misma apariencia física: pelo por todo el cuerpo, unos 2 m de altura, frente pronunciada y una supuesta incapacidad para hablar. Se dice que son bípedos, aunque también se llegarían a apoyar en las manos para correr.

Almas significa en la lengua mongol "hombre salvaje", lo que concuerda con la percepción que los habitantes de la zona tienen de ellos. Según los mongoles, no estaríamos frente a un simio u homínido prehistórico, sino ante un humano que vive en la naturaleza, en estado salvaje. Se asemejaría más, por lo tanto, a un escurridizo personaje sacado de *El libro de la selva* que a una bestia antropófaga y violenta. De hecho, los nativos no les tienen miedo, y se dice que se llevan especialmente bien con los niños.

Zana y sus amigos los humanos

Hay noticias incluso de Almas que han convivido con personas. Según el criptozoólogo ruso Dmitri Bayanov, en 1850 los habitantes de un pueblo de Abjasia —al sudoeste del Cáucaso— se toparon con un ejemplar hembra. Aunque opuso una fuerte resistencia a la captura, finalmente pudo ser reducida e inmovilizada. Fue bautizada con el nombre de Zana y llevada a la capital como una curiosidad, donde pasó por las manos de varios potentados locales. Finalmente, Zana encontró su hogar en Tkhina, un pueblo del Cáucaso occidental, cercano al mar Negro.

Los que pudieron verla hablan de una mujer de rasgos faciales algo simiescos, de color oscuro, y cubierta por una capa de pelo corto entre marrón y rojizo. Tenía una complexión atlética, muy vigorosa, y hacía gala de una fuerza comparable a la de un caballo. En los primeros años de su cautiverio la trataron como un animal más, en parte por la hostilidad que mostraba hacia sus captores. Pero, según fueron pasando los años, Zana se calmó, aprendió algunas tareas domésticas sencillas y, por increíble que parezca, tuvo descendencia con algunos hombres del pueblo.

Según cuenta la historia descrita por Bayanov, Zana mató a varios de sus hijos al lavarlos en el río nada más nacer. Al darse cuenta de la tragedia, los habitantes del pueblo la separaron de sus retoños y los cuidaron por su cuenta. Así, del total de la descendencia de Zana, sólo habrían sobrevivo cuatro de sus hijos, dos niños y dos niñas, que vivieron una vida perfectamente normal como seres humanos. Se casaron, tuvieron hijos y se integraron sin problemas en la sociedad, hasta que la muerte se llevó al último de ellos en 1954. Según los expertos, los genes humanos habrían dominado sobre los de Zana, que serían recesivos, de forma que sus hijos apenas conservaban algunos de los peculiares rasgos faciales de su madre.

Los investigadores nunca encontraron la tumba de Zana, pero sí dieron con la de una de sus hijos. Al exhumar el cadáver y analizar el cráneo, las opiniones no fueron unánimes. Según las antropólogas M. Kolodieva y M. Gerasimova los huesos mostraban una combinación de rasgos humanos antiguos y modernos; líneas típicas del *Homo sapiens* mezcladas con otras más propias de los homínidos prehistóricos. En cambio, el doctor Grover Krantz, un célebre experto en críptidos, afirmó que el cráneo era completamente moderno. De ser así, Zana habría sido totalmente humana, aunque con unos rasgos salvajes quizás heredados de una tribu o comunidad aislada.

El caso de Zana no es el único del que se tiene noticia. Se habla de numerosísimos avistamientos, de menciones en leyendas locales e incluso de algún otro Alma que habría sido apresado por humanos, pero que habría fallecido al resistirse a la captura. No parece haber duda, por lo tanto, sobre la existencia real de la especie. ¿Posibles explicaciones? Hay quien habla de ejemplares perdidos de Neandertal, que habrían sobrevivido a la extinción resguardados por los altos muros del Cáucaso. Otros afirman que serían representantes del también extinto *Homo erectus,* que pobló Asia Central hará unos 300.000 años. Un tercer grupo opina que serían ejemplares de yeti que habrían emigrado hacia el oeste; no en vano, las montañas del Pamir, el territorio propio de los Almas, podrían verse como una prolongación del Himalaya. Por último, los más escépticos hablan de humanos que habrían sobrevivido en estado semisalvaje entre cumbres y bosques, como si fueran una mezcla entre Mowgli y Tarzán. De nuevo, la lista de hipótesis sigue abierta...

Un pariente en cada puerto

Almas, Yetis, Bigfoots... Parece que el mundo esté lleno de especies perdidas que representarían un puente actual entre el hombre y el mono. Las leyendas y tradiciones populares de los cinco continentes andan repletas de historias sobre hombres con aspecto de simio (o al revés); individuos medio salvajes que viven alejados de los núcleos poblados y que mantienen una actitud esquiva con respecto al hombre. Unas leyendas que, por lo que nos cuentan los que las viven de cerca, podrían ser mucho más reales de lo que creemos. Como resumen, hagamos un repaso a la extensa familia que el Yeti tiene repartida por todo el mundo.

✔ **Yowie** (Australia). Aparece en las leyendas de los aborígenes australianos, aunque numerosos testigos modernos afirman haber visto lo que describieron como "un aborigen peludo". Se dice que ataca a los rebaños y otros animales de pastoreo.

✔ **Fear Liath** (Escocia). Se dice de él que habita en el monte Ben Macdui, donde se lo conoce también como el "Hombre Gris". Bípedo, con pelo corto y un rostro que no parece humano.

✔ **Amomongo** (Filipinas). Peludo, del tamaño de un hombre y con las uñas largas. Se dice que es bastante sanguinario. Habría matado a varios hombres y asaltaría con frecuencia al ganado local con la intención de comerse sus entrañas.

✔ **Ban-manush** (Bangladesh). El más alto de la familia, con una talla que podría alcanzar los 6 m de altura.

✔ **Barmanou** (Afganistán). El Barmanou sería un críptido similar a un yeti, aunque usaría pieles para protegerse del frío. Se le atribuye una fuerte potencia sexual, que le llevaría a perseguir a las mujeres humanas de los poblados vecinos.

✔ **Chuchunya** (Siberia). De unos 2 m de altura y pelo oscuro. Se lo relaciona con especies de homínidos ya extinguidas, como el Neandertal.

✔ **Hibagon** (Japón). No llegaría a 1,60 m de altura, pelo oscuro, manos y pies de color blanco y un olor francamente desagradable. No parece mostrar actitudes agresivas. Vive en los bosques.

✔ **Yeren** (China). Más de 2 m de altura, y un color de pelo entre rojizo y marrón. Se muestra pacífico y sigiloso, al estilo del Bigfoot norteamericano. Evita el contacto humano en todo lo posible.

✔ **Skunk** (Estados Unidos). Habitaría en los bosques del sur, en especial en Florida. Tiene fama de ser el más maloliente de los parientes del Yeti. Se empezó a tener noticias suyas en la década de 1960, y los avistamientos han seguido hasta el día de hoy.

✔ **Orang Pendek** (Indonesia). El más bajito de todos, con un escaso metro de altura. Bípedo, con aspecto de homínido y cubierto de pelo. Aunque es vegetariano, posee una formidable fuerza en su tronco superior. Los testigos que confirman su existencia son numerosos.

Y la lista continuaría, porque no hay territorio sobre la Tierra que no tenga su versión local del Yeti. La posible existencia de un hombre-mono, una criatura que se comportaría únicamente según los bajos instintos que alberga el ser humano, es una potente figura mítica presente en la mayoría de culturas. Nos recuerda a aquello que los hombres hemos dejado atrás, a nuestra animalidad más primaria, y nos reafirma en el camino que decidimos seguir hace miles de años; el que nos ha permitido construir una civilización tras otra y progresar culturalmente.

La existencia de una figura que nos recuerde nuestro pasado como malolientes y primarios animales, con una escasísima capacidad intelectual, nos sirve para recordar hacia dónde escogimos ir. No es extraño, por ello, que en todas las leyendas protagonizadas por hombres-mono, el ser humano siempre acabe venciendo y sometiendo a la bestia desconocida. Así lo vimos al tratar la historia del primer encuentro entre *sherpas* y yetis.

El mito podría darnos una pista sobre el origen del fenómeno, pero ¿cómo explicar las huellas y las declaraciones de centenares

de testigos occidentales, desconocedores de las tradiciones locales? Como dije al principio de este capítulo, el misterio del Yeti
y de sus parientes es uno de los más intrigantes y escurridizos
que ocupan hoy a investigadores de todo el mundo. Y así será por
muchos años; sobre todo mientras el hombre siga alejado de sus
raíces, dando la espalda a la naturaleza y haciendo oídos sordos a
sus demandas de auxilio.

Capítulo 15

El Triángulo de las Bermudas

En este capítulo

▶ El origen de su mala fama

▶ Algunas desapariciones que marcaron historia

▶ Las posibles explicaciones del fenómeno

Triángulo del Diablo, Triángulo del Agua, Mar de la Perdición, Tumba del Atlántico… e incluso Triángulo de la Muerte. Con estos sugerentes nombres queda claro que el millón de kilómetros cuadrados comprendidos entre Puerto Rico, Miami y las Bermudas no deben de ser las aguas más plácidas del planeta. Al contrario, desde que el hombre navegó por primera vez aquel mar, hace ya más de 500 años, la lista de naves que han desaparecido sin dejar rastro es demasiado extensa como para ser ignorada.

Los investigadores más conservadores hablan de 20 aviones y 50 barcos desaparecidos por causas desconocidas; lo que ya de por sí no está nada mal. Otras fuentes, que son mucho más generosas a la hora de marcar los límites del triángulo, suben la cifra hasta más de 200 aviones y unos 2000 buques. Y según mis datos, que ponderan varios registros, la cifra rondaría los 1000 barcos y unos 100 aviones. Se mire por donde se mire, una cantidad de desapariciones que resulta desproporcionada, sobre todo si tenemos en cuenta que a día de hoy la mayoría de casos están aún pendientes de explicación.

Yo mismo he navegado entre las costas de Florida, Puerto Rico y las Bermudas en numerosas ocasiones. En uno de esos viajes, acompañado de mi amigo Fernando Múgica, pude comprobar con mis propios ojos cómo se alteraban los instrumentos de la pequeña avioneta que nos lleva a las islas Vírgenes. Afortunadamente, las brújulas recuperaron la cordura en cuestión de minutos y pudimos llegar a nuestro destino sanos y salvos. Pero otros, por desgracia, han corrido peor suerte.

En este capítulo te propongo un viaje —sin sobresaltos— al triángulo con peor fama que se conoce sobre la Tierra. No es el único, por supuesto; otros rincones del globo, como el mar del Diablo japonés, compiten con el de las Bermudas por el premio al triángulo más peligroso del mundo. Pero es, sin duda, el que está ubicado en el Atlántico el que se ha llevado la atención preferente de periodistas, escritores y directores de cine, hasta llegar a convertirse en un verdadero clásico de la enigmología. En este capítulo descubriremos el origen del misterio, los casos más espectaculares de los que se tiene noticia y unas cuantas hipótesis que tratarán de dar respuesta a un misterio que aún hace cruzar los dedos a más de uno.

Un triángulo de muchos lados

Lo primero, como es habitual, será situarse bien en el mapa. Denominaré "Triángulo de las Bermudas" a las aguas que quedan delimitadas por tres vértices de tierra situados en el Atlántico: Miami, en la Florida estadounidense; San Juan, en Puerto Rico, y la mayor de las islas Bermudas, hoy de soberanía británica. Estos tres puntos al norte del Caribe determinan su frontera oficial, aunque no todos los autores coinciden en esos límites. Los más generosos llegan a distorsionar su forma triangular y prefieren hablar de un trapecio delimitado por las islas Azores, el cabo Hatteras —en Carolina del Norte—, la isla de Jamaica y la isla de Trinidad, lo que ocupa buena parte del Caribe y de la zona central del Atlántico. Esta segunda versión del triángulo multiplicaría por seis su extensión original, lo que también hace aumentar espectacularmente el número de naufragios registrados. No es extraño que sea así, puesto que se trata de una de las zonas más transitadas del Atlántico, donde se cuentan por miles las naves que cruzan sus aguas a diario.

En este libro, por eso, me parece conveniente que no nos movamos demasiado de las fronteras clásicas del Triángulo. Es ahí donde el porcentaje de accidentes aumenta misteriosamente y, no menos importante, es ésta la zona que alberga un mayor número de casos de origen incierto y que quedan sin resolver. Son las aguas entre las Bahamas y las Bermudas las que llevan atemorizando a pilotos y navegantes desde el siglo XVI, cuando se bautizó una parte de esa zona con el nombre de "mar de los Sargazos". Es justo ahí cuando nace el mito de lo que más adelante será el Triángulo de las Bermudas.

El mar de los Sargazos

El primer europeo que dejó noticia de su paso por las aguas del Triángulo de las Bermudas no fue otro que Cristóbal Colón, a finales del siglo XV. Según escribió en su diario de navegación, al cruzar el mar de los Sargazos vio una luz desconocida que surcaba el cielo y notó que las brújulas daban vueltas sin motivo alguno. También escribió que el mar, de repente, se encrespaba sin que soplara el viento. Perdido como estaba —recordemos que Colón creía haber llegado a las Indias—, no dio mucha importancia al fenómeno y pasó de largo.

Serían los marineros portugueses quienes darían fama a la denominación "mar de los Sargazos" para referirse a una vasta extensión de agua de $3\,500\,000$ km^2 en mitad del Atlántico, alrededor de las islas Bermudas, y que ocupa una parte de lo que hoy es el célebre Triángulo. Ese mar no tardó en convertirse en sinónimo de naufragios y desapariciones; se hablaba de barcos que se encontraban a la deriva, sin rastro alguno de una tripulación que parecía haberse esfumado. En las islas Bahamas, en el lado sur del Triángulo, eran frecuentes las noticias de naves embarrancadas en los arenales, abandonadas a los vientos y al salitre. Las leyendas sobre "barcos fantasma" empezaron a extenderse por puertos y tabernas, y así el mar de los Sargazos empezó a labrarse su merecida fama. ¿Cómo explicar semejante aluvión de desapariciones?

Lo cierto es que, hasta finales del siglo XVIII, la zona de las Bermudas reunía a piratas llegados de todo el mundo, lo que podría explicar buena parte de las desapariciones. Por otro lado, piensa que en aquellos tiempos los barcos sólo contaban con la fuerza del viento y de las corrientes para navegar, lo que los hacía muy vulnerables al peculiar clima de los Sargazos, un mar donde las ráfagas de aire escasean y en el que las aguas giran en círculo sin llevar a ninguna parte.

En el último apartado del capítulo te expondré más a fondo las posibles causas del misterio de los Sargazos y de sus peculiares corrientes, pero ya te adelanto que soy de los que creen que la climatología y la piratería podrían explicar buena parte de los casos registrados antes del siglo XVIII. Pero ¿qué pasa a partir de entonces, cuando los barcos dejan de parecer una cáscara de nuez y el arte de la navegación se perfecciona? ¿Cómo pueden perderse cargueros de 160 m de eslora sin dejar rastro? ¿Y en qué momento el mar de los Sargazos se convierte en el Triángulo de las Bermudas?

Todo me da vueltas

El término "Triángulo de las Bermudas" no comenzó a utilizarse hasta 1964. Lo sugirió el periodista Vincent Gaddis para delimitar el territorio que ahora nos ocupa. Sin embargo, los pilotos y marineros de la zona llevaban ya muchos años hablando de una serie de fenómenos inexplicables que ponían en riesgo la navegación marítima y aérea. Sobre todo desde la desaparición del *Cyclops*, en 1918, un fabuloso carguero que se esfumó con más de 300 personas a bordo y que sería el primero de una larguísima lista de bajas. Tras él vendrían el *Cotopaxi*, el *Suduffco* o el *Anglo Australian*, todos ellos grandes buques que desaparecieron sin dejar rastro.

Como vemos, la llegada de la navegación moderna, a pesar de sus sofisticados sistemas de localización, no fue capaz de acabar con el misterio del Triángulo, pero sí que pudo, al menos, registrar con precisión las alteraciones que se producían en los barcos y aviones que lo cruzaban. Lo que en los años de los barcos a vela se describía como una mezcla de corrientes inexplicables y monstruos marinos, con la llegada del siglo XX se empezó a atribuir a tempestades electromagnéticas y fuerzas desconocidas. Desde entonces, los testimonios recogidos entre los que han sobrevivido a la maldición del Triángulo coinciden a la hora de describir una serie de fenómenos típicos de la zona.

✔ **Una fuerza desconocida.** Tanto marineros como pilotos de avión se han referido a una poderosa fuerza de atracción que inutilizaba el timón de la nave y que parecía tomar el control de los mandos; en algunos casos, precipitando su caída al mar.

✔ **Averías en el instrumental.** Charles Taylor, el jefe del famoso Vuelo 19, se refirió a este fenómeno antes de desaparecer del mapa. Brújulas que cambian de rumbo por arte de magia, altímetros que corren sin cesar, indicadores de todo tipo que no dejan de dar vueltas… Un fallo general de todos los sistemas eléctricos y magnéticos.

✔ **Niebla coloreada y luces en el cielo.** Son frecuentes las descripciones de un cielo que cambia de color del rojo al verde, así como la presencia de una niebla espesa que limita por completo la visibilidad. Taylor informó de cambios en el color de las nubes que rodeaban al escuadrón.

✔ **Alteraciones del tiempo.** Bruce Gernon, un piloto que sufrió los efectos del Triángulo en 1970, mientras volaba en su avioneta, afirma haber recorrido en unos 30 minutos una distancia que le solía llevar hora y media. No es el único que habla de una compresión del tiempo, que aceleraría todo lo que sucede alrededor de la nave.

✔ **Un túnel de nubes.** El mismo Gernon describió cómo las nubes formaron un túnel que se llevaba a la avioneta; un impactante pasadizo horizontal alrededor del cual las nubes se arremolinaban. Al entrar en él, el tiempo se aceleró. ¿Sería un túnel hacia otra dimensión?

✔ **Malestar de la tripulación.** Más allá del habitual mareo propio de un viaje en barco, tripulaciones de todo el mundo hablan de un desconocido síndrome que provoca dolor de cabeza, vómitos y desorientación. Así lo describieron los tripulantes del barco ruso *Vitiaz,* en el año 1982.

✔ **Visiones inexplicables.** Una ocupante del Vitiaz, Jurate Mikolaiunene, informó de que "al dirigirnos a las islas Bermudas, en mitad del océano apareció 'algo' increíble: una especie de ciudad, con enormes edificios y en la que la gente desplegaba una febril actividad". Otros hablan de ciudades submarinas o de estructuras piramidales.

No cabe duda de que una nave que se viera sometida a cualquiera de estos fenómenos perdería la referencia de su posición y seguramente se vería abocada al naufragio o a la colisión, al margen de su envergadura y de su nivel tecnológico. Así ha ocurrido a un millar de barcos y aviones desde principios del siglo XIX hasta el día de hoy. Buques como el USS *Insurgent*, el USS *Pickering*, el USS *Wasp* o el HMS *Atalanta* fueron los primeros que desaparecieron sin dejar rastro, hace ya más de cien años. De los que vinieron después, destacan sobremanera los que vas a encontrar a continuación.

Perdidos en combate

El *Carroll A. Deering*, un magnífico velero de cinco palos, apareció en 1921 embarrancado en las Bahamas, sin rastro de su tripulación. Poco después, el ya mencionado SS *Cotopaxi*, a pesar de sus 77 m de eslora, desapareció del mapa como si nunca hubiera existido. En diciembre de 1945, seis aviones y 27 personas se esfumaron sin dejar rastro cuando el célebre Vuelo 19 sobrevolaba las Bermudas. Tres años después, 32 personas a bordo de un Douglas C-3 corrieron la misma suerte. En 1963, dos *Stratotankers* colisionaron entre sí en pleno vuelo y se hundieron en las aguas del Triángulo... Y así hasta llegar a los más recientes *Genesis*, en 1999, o los *Tropic Bird*, *Holo Ki Ki* o *Tranquility*, todos ellos desaparecidos ya en pleno siglo XXI. La lista, como el misterio en sí, parece no tener fin.

Por curioso que pueda parecer, todos estos accidentes se produjeron sin que nada advirtiera del peligro que se avecinaba. Los diarios de los barcos que se han encontrado embarrancados, sin rastro alguno de la tripulación, hablan de travesías plácidas y dentro de la normalidad. Las últimas comunicaciones por radio, recibidas antes de perder contacto, se limitan a informar del buen tiempo y a realizar las comprobaciones de rutina. Sólo en contadas ocasiones, como en el Vuelo 19, los pilotos tuvieron tiempo de referirse a las alteraciones que experimentaban los indicadores de altitud y velocidad. Para la mayoría, en cambio, los poderosos efectos del Triángulo se manifestaron de súbito, sin previo aviso. No obstante, y gracias a las investigaciones posteriores y a los datos recopilados por estaciones de radio, hoy podemos reconstruir sus viajes y las condiciones de tan misteriosas desapariciones.

Los gemelos Proteus

Los *Proteus* fueron cuatro cargueros construidos por la marina estadounidense durante la primera guerra mundial. Se trataba de unos barcos formidables, de unos 160 m de eslora y unas 20 000 t, que solían llevar una tripulación de unos 300 hombres a bordo. De los cuatro *Proteus* construidos, tres de ellos desaparecieron misteriosamente en distintos accidentes, pero siempre en la zona de influencia del Triángulo de las Bermudas. El único que no acabó en el fondo del mar fue el USS *Jupiter*, un buque que, unos años después del fin de las hostilidades, se convirtió en el primer portaaviones de la marina estadounidense con el nombre USS *Langley*.

El primero de los *Proteus* desaparecidos fue el USS *Cyclops,* que se dio por perdido el 4 de marzo de 1918 con 309 pasajeros a bordo. Se trataba de un transporte cargado de manganeso, que se dirigía al puerto de Norfolk, en Virginia, desde las islas Barbados. Al cruzar el Triángulo de las Bermudas, y a pesar de ser unos de los primeros barcos provistos con aparato de radio, desapareció del mar sin dejar rastro. Aunque se llevó a cabo una exhaustiva búsqueda durante las semanas posteriores, no pudo encontrarse ninguna pista que aclarara el motivo del supuesto hundimiento.

Empiezan las investigaciones

Desde entonces, muchas han sido las explicaciones que se han barajado para explicar el mayor naufragio en la historia de la marina estadounidense. En primer lugar, hay que apuntar que el *Cyclops* servía en tiempo de guerra, lo que hacía de él un objetivo potencial de ataques submarinos. No obstante, en los registros alemanes no se ha encontrado ninguna referencia a un posible ataque sobre el carguero. Si un submarino alemán hubiera abierto fuego sobre el *Cyclops*, enseguida habría notificado y registrado el ataque. Nada de eso ocurrió en 1918.

Las investigaciones han sacado a la luz otros detalles, como que el *Cyclops* llevaba una notable sobrecarga, aunque no todos los expertos coinciden en este punto; los prácticos del puerto de las Bermudas, por ejemplo, afirmaron en su momento que la carga del barco estaba bien distribuida y que la línea de flotación no excedía lo permitido. Las investigaciones coinciden en destacar los problemas mecánicos que el motor sufrió durante toda la travesía, así como el peculiar carácter de su capitán, George Worley. No sólo era tiránico y cruel con sus subordinados, sino que también hacía gala de peculiares hábitos, como pasearse en calzones por la borda. Incluso más tarde se descubrió que había nacido en Alemania, la nación que estaba en guerra con Estados Unidos, lo que dio alas a las teorías que hablaban de un sabotaje alemán. Sin embargo, nada ha podido esclarecerse. Los registros germanos no dicen nada del *Cyclops* y no hay restos materiales que puedan ayudar a desvelar el entuerto. Así que, por el momento, fue el Triángulo de las Bermudas el que se lo llevó por delante.

Una familia con mala suerte

No fue el *Cyclops* el único de los *Proteus* que se perdió en la zona. En 1941, unos días antes de que Estados Unidos entrara en la segunda guerra mundial, el USS *Proteus* y el USS *Nereus* desaparecieron en las aguas del Triángulo. El primero lo hizo el 23 de noviembre, con 58 personas a bordo y un cargamento de bauxita. En este caso, los informes dejan claro que el barco no iba sobrecargado. Tampoco hay noticia de un ataque en los registros alemanes. Sí que sabemos, en todo caso, que el *Proteus* entró en una tormenta cerca de las Bermudas, pero se hace difícil pensar que un barco de 20 000 t, que llevaba 20 años de impecable servicio, se viniera abajo por culpa de la mala mar.

Y lo mismo ocurrió con el *Nereus*, que desapareció un 10 de diciembre de 1941 con 61 personas a bordo. Después de salir de las islas Vírgenes sin ninguna novedad, se adentró en las aguas del Triángulo… y nunca más se supo. No hubo llamadas de auxilio de ningún tipo, y tampoco se encontraron restos del naufragio en la zona. Como sus dos hermanos, el *Nereus* se esfumó en un instante, sin que en esta ocasión se pudiera achacar la pérdida a las malas condiciones meteorológicas o a problemas técnicos de ningún tipo. Entonces ¿quién fue el responsable? ¿La poderosa fuerza del Triángulo? A día de hoy no tenemos otra explicación.

El barco fantasma

En diciembre de 1920, el *Carroll A. Dearing*, una preciosa fragata de cinco palos fabricada sólo dos años antes, fue encontrada a la deriva y sin tripulación en las inmediaciones del cabo Hatteras. Los once marineros que iban en el barco habían desaparecido, y nunca se llegó a saber qué había sido de ellos. La fragata había zarpado de Río de Janeiro, donde había dejado una carga de carbón, el día 2 de diciembre, y se dirigía a Estados Unidos tras hacer una parada técnica en las Barbados. Al adentrarse en el Triángulo, se perdió el contacto por radio con la nave, sin que fuera posible retomarlo durante los días siguientes; el barco se dio por desaparecido el 30 del mismo mes.

Los guardacostas encontraron el *Dearing* el 31 de enero de 1921, perdido en una zona conocida como *Diamond Shoals*, frente a las costas de Carolina del Norte. El diario de navegación, el instrumental y buena parte de los efectos personales de la tripulación habían desaparecido, pero las cocinas aún humeaban rebosantes de platos recién preparados. También se descubrió que faltaban dos barcos salvavidas, lo que hizo pensar en una rápido abandono del barco. ¿Los motivos? Aún hoy se desconocen.

El hallazgo del barco fantasma no tardó en inspirar decenas de historias y rumores, lo que promovió la puesta en marcha de una investigación oficial. Por desgracia, el informe de los expertos no pudo concretar qué o quién se había llevado por delante a la tripulación del *Dearing*, aunque se apuntaron varios posible motivos; entre ellos, los que tienes a continuación:

✔ **Motín.** Una de las teorías que más se han repetido es la que habla de una rebelión de la tripulación contra el capitán, comandada por el segundo de a bordo. Por lo visto, las relaciones en el barco eran complejas: marineros de distintas nacionalidades, cambios en el mando, abuso de alcohol, etc. El mal ambiente podría haber provocado que la tripulación hubiera decidido robar y abandonar el barco.

✔ **Piratería.** En los siglos XVI y XVII las aguas del Triángulo estaban infestadas de piratas de todas las nacionalidades, a la caza de los preciados galeones españoles. Pero en 1920 la situación había cambiado bastante. Hubo quien insinuó que se trataba de piratas comunistas, financiados desde Estados Unidos... Una hipótesis que se comenta por sí sola.

✔ **Contrabando.** Otra interesante hipótesis sugiere que el *Dearing* se dedicaba en realidad al contrabando de alcohol. Piensa que en 1921 la Ley Seca estaba vigente en Estados Unidos, por lo que es posible que la fragata, tras parar en Barbados, se hubiera aprovisionado de una buena cantidad de ron para acabar de redondear el viaje. Tras descargar en una playa desconocida, los marineros habrían abandonado el barco a su suerte, y de ahí el misterio.

✔ **Mal tiempo.** Durante todo el mes de diciembre, la zona de las Bermudas se vio azotada por huracanes de diversa intensidad, que hicieron muy difícil la navegación por la zona. Sin embargo, la ruta marcada por el *Dearing* no pasó cerca de ninguna tormenta, así que opción descartada.

✔ **El Triángulo.** Tan imposible de probar como las anteriores, la teoría más popular insinúa que todo se debió al influjo del Triángulo de las Bermudas. El barco, al cruzar sus aguas, se habría visto sometido a los extraños fenómenos que allí se dan cita. Un fuerza inexplicable se habría podido llevar a los hombres, dejando el barco intacto.

Para complicar aún más el caso, ese mismo mes de enero de 1921 se perdió otro barco en la zona. Se trataba del SS *Hewitt*, un carguero que había salido de Portland, en el extremo nordeste de Estados Unidos, y que se dirigía hacia el sur, rumbo a Texas. Al pasar por Florida y acercarse a los límites del Triángulo, se perdió el contacto de radio. Días después, se dio el barco por desaparecido sin que todavía hoy se haya encontrado rastro alguno. En principio, se consideró que la nave se había hundido en el fondo del mar, pero los que sostienen la hipótesis de la piratería para explicar la desaparición del *Dearing* insinuaron una posible relación entre ambos. Según esta versión de la historia, el *Hewitt* habría asaltado al *Dearing*, quién sabe por qué motivo. Lo cierto es que no hay ninguna pista que avale la teoría, por lo que el caso del *Carroll A. Dearing* sigue abierto, sin una posible solución a la vista.

La reina del azufre

Algo más cercano en el tiempo, en febrero de 1963, nos encontramos con la desaparición de un enorme carguero, el *Sulphur Queen*. Llevaba una tripulación de 39 personas y una carga de azufre; una tarea para la que había sido reconvertido ex profeso. Los más escépticos con respecto al Triángulo argumentan que esa reforma habría sido la causa de su desaparición, mientras que aquellos que creen en el misterio sostienen que este caso es un verdadero clásico.

El *Sulphur Queen* salió de Texas el 2 de febrero, con las bodegas llenas y una tripulación experta. Sin embargo el barco no se encontraba en las mejores condiciones para navegar. Días antes se habían registrado varios incendios, y la dejadez y la corrosión campaban a sus anchas. El día 4, al acercarse a Florida, el *Sulphur Queen* mantuvo comunicación por radio con tierra para indicar que todo marchaba según lo previsto; no se hizo mención alguna de nuevos incendios ni de otros problemas técnicos. Tras dos días de silencio, y ante la imposibilidad de retomar el contacto, el barco se dio por perdido en los cayos de Florida. Enseguida se puso en marcha una exhaustiva búsqueda por la zona, pero, como ya va siendo habitual, los guardacostas sólo hallaron escombros y basura.

La posterior investigación no pudo aclarar las causas del naufragio, pero apuntó que el barco era una montaña de chatarra flotante y que no estaba preparado para navegar. Por lo visto, las reformas realizadas en el *Queen* habían alterado la estructura interna de los tanques, de forma que el casco había perdido consistencia en varios puntos, haciéndolo mucho más vulnerable a los golpes de mar. Según los expertos, las imprevisibles corrientes que circundan los cayos de Florida habrían podido partir el casco en dos y hundir la nave en pocos minutos. Sin embargo, no hay noticia alguna de que se hubiera producido la habitual llamada de socorro.

Un nuevo barco gemelo

Unos años más tarde, el 15 de octubre del 1976, un barco gemelo al *Sulphur Queen* se perdería en el Triángulo de las Bermudas. Su nombre era *Sylvia L. Ossa* y, como su idéntico hermano, podía pavonearse de tener una eslora de 180 m. De nuevo, el barco se esfumó sin dejar rastro del carguero ni de la tripulación. Tampoco se tuvo noticia de llamadas de socorro ni de comunicaciones de ningún tipo, por lo que la investigación asociada no pudo determinar las causas del naufragio. De nuevo, la pérdida tuvo lugar en las aguas del Triángulo.

El *Sulphur Queen* y el *Sylvia L. Ossa* no son los únicos cargueros modernos que se han perdido en el área de influencia de las Bermudas. Grandes buques, con miles de toneladas de desplazamiento, como el *Samkey,* el *Southern Districts* o el SS *Poet* —este último en 1980— han acabado engrosando la macabra lista de las naves que han desaparecido en el Triángulo, sin que ninguna causa definida haya explicado su desaparición. Si contamos, además, las pequeñas embarcaciones de recreo que se han volatilizado como por arte de magia en esas aguas malditas, el número final de barcos desaparecidos asciende al millar. Habrá quien quiera achacar tanta pérdida a las peculiares condiciones marítimas de la zona, llenas de corrientes cálidas y de arenales poco profundos, capaces de atrapar a cualquier barco que no tenga la ruta claramente definida. Pero ¿qué tiene que ver la mala mar y los arenales con los más de 200 aviones que se han esfumado en el Triángulo desde que el hombre aprendió a volar?

El legendario Vuelo 19

Si se tuviera que explicar el misterio de las Bermudas echando mano a un único caso, no me cabe duda de que el escogido por la práctica totalidad de los investigadores sería el del célebre Vuelo 19. El 5 de diciembre de 1945, hacia las dos del mediodía, cinco bombarderos *Avenger* salían de la base de Fort Lauderdale para realizar unas rutinarias prácticas de bombardeo sobre las Bahamas. Cada uno de los *Avenger* llevaba una tripulación de tres personas, exceptuando uno de los aviones, en el que sólo volaban el piloto y el artillero. En total, 14 aviadores, comandados por un experimentado piloto llamado Charles Taylor, que contaba con más de 2500 horas de vuelo. Tras realizar con éxito el ejercicio, y cuando ya se disponían a volver a casa, los pilotos informaron de problemas de orientación y de fallos del instrumental. Al caer el sol, los aviones ya se habían dado por perdidos.

La marina estadounidense mandó inmediatamente una flotilla de barcos y aviones de reconocimiento a la zona, situada en medio del Triángulo de las Bermudas. Hacia las 19.30, y sin encontrar un solo indicio del posible destino de los *Avenger*, los controladores aéreos no podían dar crédito a lo que les decía el radar. Otro avión, en este caso un *Mariner* de reconocimiento con 13 hombres a bordo, perdía el contacto y se esfumaba como por arte de magia. Unos quince minutos más tarde, un carguero que pasaba por la zona informaba de una gran bola de fuego que se precipitaba sobre el mar. En una sola tarde, la marina estadounidense perdía a 27 personas y seis aviones; y todos sobre el espacio aéreo del Triángulo.

El expediente oficial

La gravedad del accidente motivó la puesta en marcha de una investigación oficial que, como en muchos otros casos, no pudo determinar con exactitud las causas del accidente. Los expertos apuntaron que probablemente los *Avenger* se perdieron en mitad del Atlántico y se quedaron sin combustible, precipitándose sobre el mar. En el caso del *Mariner* no se pudo encontrar otra explicación mejor que la de una fortuita explosión aérea, de causas completamente desconocidas. Y ahí quedó el tema, hasta que, con la llegada de la década de 1960 y la difusión del enigma del Triángulo, se redescubrió la historia del Vuelo 19.

Gracias a la fiebre despertada, varios investigadores se pusieron a remover los viejos archivos para tratar de aclarar el caso. Según las transcripciones de radio que aún se guardaban, el jefe del escuadrón, Taylor, notificó que tenía serios problemas de orientación en el tramo final del vuelo. Afirmaba sobrevolar tierra firme, en concreto sobre los cayos de Florida, mucho más al oeste de la posición prevista. Desde la base, en cambio, se suponía que Taylor y sus hombres debían de estar hacia el este, sobre las Bahamas, por lo que la confusión empezó a reinar en las comunicaciones entre los dos grupos. Varios pilotos, Taylor incluido, informaron además de averías en las brújulas, que saltaban de posición sin motivo aparente, y explicaron que, tras el último cambio de rumbo, tenían la sensación de que se habían perdido y de que ya no podrían volver.

En medio del caos, Taylor decidió poner rumbo al nordeste para enfilar el camino de vuelta a Fort Lauderdale. Si estaba sobre Florida, el rumbo era el correcto; si estaba sobre las Bahamas, sabía que se quedaría sin combustible en mitad del mar. El jefe de escuadrón, más lúcido de lo que algunos investigadores han querido creer, sopesó esta última posibilidad, y anunció que, de ser así, no tendrían más remedio que hacer un amerizaje de emergencia. Después de repetir que las brújulas seguían sin funcionar, se empezaron a oír interferencias electromagnéticas en las comunicaciones por radio, hasta llegar a perderse todo contacto con los aviones. El resto ya es historia.

A pesar de la exhaustiva búsqueda, a día de hoy no se han encontrado restos del fuselaje de ninguno de los aviones. Sí se tiene noticia de la existencia de *Avenger* sumergidos frente a las costas de Florida, pero, tras comprobar los números de los motores, se descubrió que no se trataba de los integrantes del Vuelo 19. ¿Dónde están, por lo tanto, los cinco aviones que se perdieron aquel 5 de diciembre? Si se quedaron sin combustible, seguramente aterrizaron sobre el mar sin causar demasiados daños al fuselaje de los aviones, lo que habría permitido encontrar los restos sin muchos problemas. Pero, como decía, la búsqueda ha resultado del todo infructuosa. ¿Y qué decir del *Mariner* que explotó en pleno vuelo? En este caso, las respuestas brillan por su ausencia.

En la actualidad, las líneas de trabajo que intentan explicar la tragedia del Vuelo 19 apuntan en dos direcciones. La primera, la más escéptica, atribuye el accidente a un error humano. El teniente Charles Taylor habría confundido los cayos de Florida con las Bahamas, equivocando el rumbo y llevándose consigo al resto del escuadrón. Según esta teoría, un viento de cola un poco más fuerte de lo normal habría podido desviar a los *Avenger*, lo que, sumado a los problemas con las brújulas, habría desorientado por completo a Taylor. Pero ¿cómo explicar dichos problemas con los instrumentos? ¿Cómo se desorienta un piloto con 2500 horas de vuelo? ¿Y por qué no se pudieron encontrar restos de los aviones, teniendo en cuenta el amplísimo dispositivo de búsqueda que se puso en marcha?

Una segunda hipótesis se referiría a la poderosa influencia del Triángulo de las Bermudas. Los fenómenos descritos por los pilotos, como la avería de las brújulas y las interferencias, encajan perfectamente con las anomalías electromagnéticas relatadas por otros testigos que tuvieron más suerte. La desorientación y la confusión suelen aparecer también en las historias de los supervivientes del

Spielberg y el Triángulo de las Bermudas

En 1977, en plena fiebre del Triángulo, el director Steven Spielberg dirigiría *Encuentros en la tercera fase*, una película de ciencia ficción que nos describe el encuentro entre la humanidad y una civilización extraterrestre. A diferencia de muchas otras películas del mismo género, dicho encuentro no lleva a un enfrentamiento bélico, sino a una nueva era de entendimiento y concordia.

La primera secuencia de la película estaba situada en el desierto de Sonora, donde un grupo de investigadores de varias nacionalidades se topan con cinco bombarderos *Avenger* en perfecto estado de conservación. Como ya habrás supuesto, se trata de los aviones integrantes del Vuelo 19, que se perdieron en el Triángulo de las Bermudas en 1945. Más adelante, en una de las secuencias que se agregaron a la edición especial del film, el equipo de investigadores encuentra el *Cotopaxi* en mitad del Gobi, en Mongolia. El *Cotopaxi* se perdió en 1925 con 32 personas a bordo, en lo que es uno de los casos más recordados de los ocurridos en el Triángulo.

Por lo que se puede deducir de la película, Spielberg pensaba que el misterio del Triángulo de las Bermudas tenía un origen extraterrestre. Una idea que se acaba de confirmar en la última secuencia del film, cuando de la nave espacial descienden los pilotos del Vuelo 19 con el mismo aspecto que en 1945. Según el rey Midas de Hollywood, los extraterrestres habrían abducido a los integrantes del Vuelo 19 —y del SS *Cotopaxi*— para conocernos de cerca y saber de nuestra civilización. Un "secuestro" que habría terminado en 1977, cuando los rehenes son canjeados por un grupo de humanos; esta vez, voluntarios.

Como detalle, me gustaría apuntar que entre los científicos que aparecen en la escena final, cuando se produce el encuentro entre ambas civilizaciones, Spielberg contó con la presencia de J. Allen Hynek, uno de los ufólogos más respetados y rigurosos de todos los tiempos. Hynek aparece fumándose una pipa mientras comprueba con sus propios ojos que, tal como suponía, no estamos solos en el universo.

Triángulo; un estado de ánimo que, a juzgar por las transcripciones, enseguida poseyó a los pilotos del Vuelo 19. Y, finalmente, la ausencia de restos materiales también encaja con el patrón marcado por otros casos, en los que se describe cómo los aviones y barcos se esfumaron por arte de magia.

Sólo el hallazgo de los fuselajes de los cinco *Avenger* podría aportar verdadera luz sobre el caso; una posibilidad que, de momento, parece bastante remota. Así que, ante la falta de pruebas definitivas, no podemos hacer otra cosa que entrar en el terreno de la especulación. Está claro que la hipótesis de un error humano siempre es plausible, pero también lo es la teoría del Triángulo para aquellos que creemos en las extrañas fuerzas que allí se congregan. Los hechos son claros e incontestables, pero las respuestas dependen del oportuno juicio de cada uno de nosotros. El que tenga oídos, que oiga.

El Star Tiger

Aunque no sean tan famosos como los *Avenger* del Vuelo 19, los *Tudor* de fabricación británica superan a sus colegas estadounidenses en lo que se refiere a la gravedad de la tragedia. En el intervalo de doce meses, de enero de 1948 a enero de 1949, dos de estos aviones de pasajeros se perdieron al cruzar el espacio aéreo de las Bermudas. En total, 51 víctimas mortales. De nuevo, los equipos de rescate no encontraron restos de los aviones o de los pasajeros, y las investigaciones posteriores no pudieron determinar las causas del accidente.

El primero de los aviones, llamado *Star Tiger* y con 31 pasajeros a bordo, salió de las islas Azores con destino a las Bermudas el 29 de enero de 1948. Las condiciones meteorológicas eran bastante malas, con lluvias y vientos de una intensidad de moderada a fuerte; en principio, nada demasiado grave para un cuatrimotor de gran tamaño, acostumbrado a los vuelos transoceánicos. Un poco antes de despegar de las Azores, otro avión, un *Lancastrian* de la misma compañía que el *Tudor*, la BSAA, iniciaba la misma ruta. Ambos aviones iban intercomunicados, de forma que, mientras cruzaban la zona de tormentas, uno podía seguir las evoluciones del otro.

El *Star Tiger* sorteó sin problemas los escollos meteorológicos y, tras diez horas de duro vuelo a baja altitud, se plantó en la zona de influencia de las Bermudas siguiendo el horario estipulado. Después de pasar el punto de no retorno, el navegante se dio cuenta de que el viento había desplazado ligeramente al *Tudor*, por lo que tuvo que corregir el rumbo del vuelo. Nada que supusiera un problema grave para el avión, que llevaba combustible de sobras para cubrir un hipotético rodeo. Una vez corregido el rumbo, y ya sin problemas meteorológicos, los pilotos del *Tiger* calcularon que tardarían unas dos horas en aterrizar en las Bermudas. Mientras tanto, el *Lancaster* mantenía contacto por radio.

Interferencias electromagnéticas

De repente se perdió el contacto con el *Tiger*. La radio empezó a captar ruidos extraños y fue imposible recuperar la conexión. Ni el control de Bermudas ni los tripulantes del *Lancaster* pudieron dar con él, a pesar de la proximidad a la que se encontraba. No hubo demandas de auxilio ni ningún otro tipo de comunicación. Desde tierra, las llamadas de radio fueron persistentes, pero el silencio que se obtuvo por respuesta no dio esperanza alguna. Al poco tiempo, el *Lancaster* aterrizaba sin problemas en las Bermudas. Según declararían más tarde los pilotos, en el tramo final del vuelo ya no caía la lluvia, el viento era suave, y la visibilidad, excelente. Durante cinco días, barcos y aviones de la armada estadounidense y de compañías privadas buscaron al *Tiger* con una dedicación excepcional. Otra vez, ni rastro del avión ni de las personas que viajaban en él.

La investigación posterior tampoco ofreció pistas concretas acerca de las causas de la catástrofe, y sólo se apuntó tímidamente la posibilidad de que el *Star Tiger*, algo desviado de su ruta por culpa del viento, podría haberse quedado sin combustible al tener que dar un rodeo más largo de lo habitual. En sus conclusiones, el informe hablaba de la difícil simbiosis entre hombre y máquina, siempre impredecible, y situaba el error humano como única explicación posible de la catástrofe. Sin embargo, la tripulación había dado muestras de una pericia excepcional al sortear el mal tiempo; además, el último rumbo conocido del vuelo era correcto y los depósitos contenían combustible de sobra para dar unos cuantos rodeos. ¿El influjo del Triángulo de las Bermudas? Si el mal tiempo registrado durante el vuelo te podría hace dudar, espera a oír la historia del hermano gemelo del *Tiger*.

El Star Ariel

El *Star Ariel*, otro Avro *Tudor* IV al servicio de la BSAA, tenía previsto cubrir el vuelo entre las Bermudas y Kingston, Jamaica, el día 17 de enero de 1949. Una hora después de despegar, hacia las nueve y media de la mañana, la base de tierra perdía el contacto con el *Star Ariel* sin que fuera posible recuperarlo más tarde. El avión, con 20 personas a bordo, desapareció sin dejar ninguna pista, tal y como había hecho su hermano gemelo un año antes. ¿Las condiciones meteorológicas? Inmejorables: cielo azul, viento escaso, visibilidad perfecta y mar en calma.

Después de unas horas sin tener noticias del *Ariel*, el vuelo se dio por perdido, lo que puso en marcha la habitual operación de rescate. Barcos y aviones peinaron la posible ruta del *Ariel* durante varios días, sin encontrar rastro de aceite o restos del fuselaje. La investigación posterior añadió, además, que la tripulación del avión tenía una gran experiencia, conocía bien la ruta y había comprobado de arriba abajo la mecánica del aparato. No se encontró nada, por lo tanto, que pudiera explicar el accidente. De nuevo, se atribuyó a causas desconocidas.

Curiosamente, la única anomalía registrada por el informe oficial hablaba de las malas condiciones electromagnéticas imperantes aquel día, que hacían muy difíciles las comunicaciones por radio entre aviones y aeropuertos. Tal como comprobaron los operadores de medio mar Caribe, fue imposible utilizar la radio hasta las cinco de la tarde; y el epicentro de la interferencia, como era de suponer, se situó en la zona del Triángulo de las Bermudas. ¿Cómo explicar semejante fenómeno? ¿Problemas electromagnéticos en un día claro y soleado, sin nubes de ningún tipo?

Sin tormentas a la vista, lo único que podría explicar el fallo en las comunicaciones es la influencia de las extrañas fuerzas que frecuentan el Triángulo. Pero, en aquel lejano 1949, los investigadores aún no habían relacionado los accidentes con las misteriosas características de la zona. Y, menos aún, nadie hablaba de nieblas electromagnéticas ni de agujeros espacio-temporales. En aquella época, la única consecuencia que tuvieron los dos accidentes fue la retirada de los Avro *Tudor* IV del servicio de transporte de pasajeros. En poco tiempo los *Tudor* acabaron reconvertidos en aviones de mercancías, sin que dieran nunca el menor problema.

Al echar la vista atrás, y con la información que tenemos hoy en día, parece claro que el caso de los dos Avro *Tudor* IV bien se merece un lugar preferente en la historia del inquietante triángulo. En especial, el *Star Ariel* no parece ofrecer dudas acerca de lo inexplicable de su desaparición; el mismo informe oficial reconocía que no había forma humana de encontrar las causas del accidente. ¿No hay, por lo tanto, otra explicación posible que la influencia del Triángulo? ¿Qué fenómenos, de los conocidos por el hombre, podrían explicar el misterio de las Bermudas?

Teorías, hipótesis y delirios

Después de repasar las desapariciones más célebres ocurridas en el Triángulo, parece claro que algo ocurre en esa esquina del Atlántico. Durante el siglo XX, la lista de naves que se han esfumado como si nada pone los pelos de punta. Ya en el siglo XXI, el recuento de pérdidas no ha dejado de aumentar. Es cierto que se trata de una de las zonas más transitadas del mundo, vía de paso casi obligada entre todos los barcos que transitan entre el Caribe y el Atlántico, pero un elevado tráfico no puede explicar ni las misteriosas desapariciones ni las extrañas condiciones en que se han producido.

A lo largo de los años, muchas han sido las explicaciones que se han barajado para tratar de entender el fenómeno. Las hay de todas clases, desde las que se ciñen estrictamente a causas naturales, como la meteorología, hasta las que hablan de un posible origen extraterrestre o paranormal. No parece que una única causa sea capaz de explicar el misterio, así que me parece conveniente resumir a continuación las distintas hipótesis que se contemplan a día de hoy.

Por causas naturales

El mal tiempo y las bruscas corrientes explican una buena parte de las desapariciones ocurridas antes del siglo XIX, cuando los barcos no contaban con sistemas efectivos de localización y dependían del viento para navegar. Al precario desarrollo de la tecnología hay que sumar, además, que el mar de los Sargazos es una zona con una peculiar climatología. En concreto, está rodeado de un anillo de corrientes oceánicas que vienen desde el Golfo, el ecuador y América del Norte, lo que crea una zona de "calma chicha" en su interior. En esa especie de laguna oceánica, delimitada por unas fuertes corrientes, las aguas son cálidas, el viento apenas sopla y el oleaje es prácticamente ausente. Estas circunstancias favorecen el crecimiento de los sargazos, un alga común que asciende a la superficie y forma extensos bosques. Por acción de las algas, el agua parece espesarse, el plancton se multiplica y los sargazos se adhieren a los cascos de los barcos, lo que enlentece su marcha. No es nada serio para los cruceros actuales, pero un verdadero problema para aquellos pesados galeones que dependían de la fuerza del viento para llegar a buen puerto.

No es de extrañar, pues, que en aquellos tiempos de navegación a vela los barcos se quedaran detenidos en medio del mar, dando vueltas en círculo, incapaces de encontrar una brizna de aire que los sacara de allí. Después de días de vagar sin rumbo, la tripulación perdía la cabeza y lanzaba los botes de remo al mar, con la ilusión de llegar como pudieran a tierra firme. Unos pocos afortunados lo conseguían, pero la mayoría se perdían en mitad del océano quedando a merced del sol, el hambre y las corrientes. Mientras tanto, el barco fantasma quedaba a la deriva, hasta que meses después una escurridiza racha de viento lo sacaba del mar de los Sargazos y lo depositaba en los arenales de las Bermudas, las Bahamas o el cabo Hatteras.

Hoy en día, las costas de Florida y de las Bahamas son escenarios habituales de violentas tormentas tropicales, que se generan de forma espontánea sin previo aviso. Las cálidas aguas de la corriente del Golfo, que cruzan el Triángulo, propician la formación de violentas trombas marinas cuando chocan con las masas de aire frío que vienen del norte. De este modo, lo que parecía un mar plácido y tranquilo puede convertirse en un infierno en muy pocos minutos. Los grandes cargueros y los aviones transoceánicos no tienen muchos problemas para superar esta clase de adversidades, pero para una embarcación pequeña una tromba de ese estilo supone una sentencia de muerte. Piensa que, hoy en día, los marineros disponen de información suficiente como para poder prever el paso de un huracán, pero antes de que la meteorología se convirtiera en ciencia no había manera de anticipar esta clase de fenómenos. Aquellos marineros de los siglos XVI y XVII se encontraban, casi sin darse cuenta, en mitad de una tormenta devastadora que hacía saltar los palos de la nave y provocaba el pánico en la tripulación.

A las tormentas, corrientes y huracanes hay que sumar otros fenómenos meteorológicos más extraños, pero igualmente factibles. Algunos se han podido observar en la zona del Triángulo, pero otros no pasan de ser simples conjeturas, de existencia probable pero no confirmada.

✔ **Terremotos.** Está claro que las sacudidas que provoca un temblor de tierra, con el posterior *tsunami*, son capaces de llevarse por delante a cualquier embarcación. Sin embargo, no hay noticia de grandes terremotos en la historia reciente del Caribe. Y, en principio, no afectarían al tráfico aéreo.

✔ **Tormentas magnéticas.** Una tempestad con un fuerte componente eléctrico puede alterar las comunicaciones por radio y el funcionamiento de los aparatos electrónicos. Pero, para que así fuera, la nave tendría que estar en medio de la tormenta. ¿Qué decir, entonces, de las brújulas que se vuelven locas en un día soleado?

✔ **Arenales.** No son fenómenos meteorológicos, sino accidentes geográficos, pero responden a causas naturales y merece la pena que los incluyamos aquí. Toda la zona de las Bahamas está rodeada de aguas de escasísima profundidad, que no guardan un patrón ordenado. Cualquier navegante que no conozca la zona puede clavar el casco en la arena, lo que le obligaría a abandonar la nave a su suerte.

✔ **Olas gigantes.** Hasta hace poco, los científicos pensaban que eran una simple leyenda. Pero investigaciones recientes han demostrado que el océano Atlántico, como el coloso que es, va soltando olas de tamaño desproporcionado en medio de otras normales. Pueden llegar a medir 20 y 30 m de altura y poner en serio peligro a cualquier embarcación.

✔ **Burbujas de metano.** El fondo del Triángulo guarda importantes bolsas de gas metano. Se cree que estas bolsas podrían tener fugas importantes, que alterarían la densidad del agua y, por consiguiente, la flotabilidad de las naves. En un agua menos densa, los barcos se hundirían sin dejar rastro. A día de hoy, esta teoría es sólo eso: una teoría pendiente de comprobación.

Visto lo visto, la zona de las Bermudas puede presumir de reunir los más variados fenómenos meteorológicos. Las tormentas, *tsunamis* y huracanes podrían explicar un gran número de desapariciones, sobre todo antes de que se generalizaran los sistemas de predicción por satélite.

Pero resulta más difícil achacar a problemas climáticos la pérdida de grandes naves, en especial desde la década de 1950 hasta hoy. Siempre hay quien hace oídos sordos a las advertencias, como Harvey Conover, un acaudalado hombre de negocios que en 1958 se perdió con su lujoso yate en mitad del Triángulo. A pesar de que las previsiones meteorológicas hablaban de una fuerte tormenta en la zona, Conover y su tripulación se fueron derechos hacia el avispero, donde les aguardaría un trágico final. El juicio humano, como la naturaleza, resulta imprevisible, y también debería tenerse en cuenta a la hora de explicar una buena parte de las desapariciones.

Atlantes y marcianos

Uno de los mayores divulgadores del misterio del Triángulo fue Charles Berlitz, un lingüista y enigmólogo que publicó en el año 1974 el libro *El Triángulo de las Bermudas*. Berlitz, que estaba fascinado por la leyenda de la Atlántida, no dudó en relacionar ambas historias para construir un *best seller* que vendió millones de ejemplares en todo el mundo. En realidad, Berlitz se inspiró en las visiones del parapsicólogo y médium Edgar Cayce, quien decía haber hablado con un poblador de la mítica Atlántida mientras se encontraba en trance. Según Cayce y Berlitz, los restos de la isla descrita por Platón podrían estar junto al camino de Bimini, en el fondo marino de las Bahamas.

Siguiendo las explicaciones de Cayce, desarrolladas en la década de 1930, el hundimiento de la Atlántida habría acabado con la vida de sus habitantes, pero no con su avanzada tecnología, que todavía hoy yacería bajo el fondo del mar en algún lugar del Triángulo de las Bermudas. Las interferencias electromagnéticas que producirían unas máquinas tan avanzadas, que funcionaban a partir de unos misteriosos cristales de energía, serían las responsables de los hundimientos y de los problemas en las radios y brújulas. No hay duda de que se trata de una teoría francamente original, pero con la que resulta difícil comulgar; en especial si tenemos en cuenta que Cayce predijo que la Atlántida reflotaría y subiría de nuevo a la superficie en 1968.

En la misma dirección van las hipótesis que hablan de una mano extraterrestre. Según esta teoría, los desaparecidos en el Triángulo habrían sido abducidos por criaturas alienígenas, y con ellos, claro está, sus barcos y aviones, que estarían acumulando polvo en algún hangar interestelar. Aunque de todos es sabida mi pasión por la ufología, me cuesta trabajo creer que una civilización inteligente se pueda dedicar a secuestrar barcos, aviones y personas sin motivo aparente. ¿Y por qué en el Triángulo, además, y no en Nazca, Stonehenge o en el Tassili? No hay ninguna prueba que pueda sostener la teoría alienígena, aunque, como es lógico, una intervención extraterrestre podría explicar las desapariciones, las interferencias electromagnéticas, los cambios de color en el cielo, las nubes en forma de túnel y cualquier otro fenómeno que podamos imaginar. Personalmente, creo que la hipótesis extraterrestre es perfecta para dar vida a una buena historia de ficción, como la película *Encuentros en la tercera fase*, sobre la que puedes encontrar más información en uno de los recuadros grises del capítulo.

Piratas a la vista

Una tesis que sostienen bastantes investigadores, y que podría explicar muchas de las desapariciones ocurridas hasta finales del siglo XIX. Ya he comentado que la zona de las Bermudas fue, desde 1540 hasta bien entrado el siglo XVIII, el epicentro de la piratería mundial. Corsarios, bucaneros y cazadores de piratas se dieron cita en las aguas del Caribe, con la intención de dar cuenta de galeones españoles y barcos mercantes holandeses.

En un ataque típico, los piratas asaltaban la nave, se llevaban los objetos de valor, enrolaban a una parte de la tripulación y pasaban a cuchillo a los que se resistían. Las naves solían o bien ser abandonadas a su suerte, capturadas y rebautizadas por los mismos piratas, o bien hundidas a cañonazos en medio del mar. No hay cifras concretas sobre la cantidad de barcos que fueron víctimas de ataques piratas durante esos dos siglos, pero debieron ser miles las naves que desaparecieron por culpa de esta clase de asaltos.

Con la llegada del siglo XIX, la piratería clásica desapareció de las aguas del Caribe y la sustituyeron otras formas de dominación. El comercio de esclavos entre África y América experimentó un auge espectacular, y las aguas del Triángulo se convirtieron en una especie de autopista para aquellos desalmados mercaderes. Los relatos que nos han llegado nos hablan de naves sobrecargadas, repletas de esclavos enfermos y mal alimentados, que llevaban con ellos enfermedades desconocidas más allá de África.

Ajustes de cuentas entre mercaderes, motines de los esclavos, epidemias e infecciones que se extendían rápidamente entre la tripulación... Son muchas las causas asociadas al comercio de esclavos que podrían explicar que los barcos no llegaran a puerto. En concreto, se sabe de naves que fueron abandonadas en alta mar al descubrirse una epidemia entre los esclavos, lo que explicaría el fenómeno de los barcos fantasma, tan propio en las historias del Triángulo de las Bermudas.

Pero con la llegada del siglo XX y la desaparición de la piratería y la esclavitud —al menos en el área geográfica que nos ocupa— resulta más difícil adjudicar a esta razonable explicación las pérdidas de barcos y aviones. No se puede asegurar con certeza que no se hayan producido ataques piratas en la zona durante los últimos cien años, pero sí que podemos afirmar que es imposible atribuir la desaparición de centenares de barcos a esta causa. Algunos iluminados llegaron a insinuar que, con el ascenso al poder de Fidel Castro en Cuba, la piratería había resurgido de sus cenizas al adoptar una inspiración comunista; algo así como una puesta al día de la máxima que defiende robar a los ricos para repartirlo entre los pobres. Pero, que sepamos, las preocupaciones de Fidel Castro no pasaban por crear una flota de piratas comunistas que sembraran el terror en la zona de las Bermudas. La hipótesis de la piratería podría ser válida hasta la llegada del siglo XX, pero es de difícil aplicación en años posteriores.

Una puerta a otra dimensión

Una de las explicaciones más atractivas al misterio es la que insinúa que el Triángulo de las Bermudas podría ser una puerta abierta a otra dimensión o, para los que se conforman con menos, a otro punto de nuestro universo. Si bien no se han podido encontrar todavía puertas de este tipo en nuestra galaxia, la teoría de la relatividad general formulada por Einstein sí que recoge su posible existencia. Posteriores desarrollos de la teoría han insistido en la posibilidad real de que nuestro universo tenga unas cuantas de estas puertas, hasta el punto de recibir el nombre oficial de *agujeros de gusano* o puentes de Einstein-Rosen.

Su nombre, agujeros de gusano, explica muy bien cómo funcionan. Imagínate una manzana y a su correspondiente gusano, y calcula la distancia y el tiempo que emplearía ese gusano para ir desde el rabo hasta la base, reptando por la superficie. Ahora imagínate que el gusano, en vez de reptar por la superficie de la manzana, decide hacer un agujero en una punta y salir por la otra. En ambos casos, los puntos de destino y llegada son los mismos; pero la distancia y el tiempo que el gusano ha recorrido es mucho menor pasando por dentro de la manzana. Si ahora cambias a la manzana por el universo, y al gusano por cualquier entidad material, ya sabes cómo funciona un puente de Einstein-Rosen.

Los agujeros, por lo tanto, tienen una entrada y una salida conectadas a través de un único pasillo. Uno de esos extremos, la entrada, atraería a toda la materia, en lo que sería un agujero negro. El otro extremo, la salida, la expulsaría, como si fuera algo parecido a un agujero blanco. Aunque todo esto te suene a ciencia ficción, se trata de teorías que se han podido demostrar matemáticamente, con los números en la mano, pero que todavía no se han observado in situ.

Según los físicos, podría haber dos tipos de agujeros de gusano. El primero conectaría dos puntos lejanos del mismo universo, como si fuera un atajo que permitiría ahorrar millones de kilómetros en un viaje espacial. El segundo tipo sería más bien un puente entre dos universos paralelos; es decir, entre dos realidades que se manifestarían en dimensiones distintas. En este último caso, esa realidad alternativa podría estar formada por los mismos elementos que la nuestra, pero combinados de una forma completamente diferente.

Física aplicada en el Triángulo

¿Y cómo se aplica esta pequeña lección de física al misterio del Triángulo? Bien sencillo. Cojamos a los pilotos y a los aviones del Vuelo 19. En el primer caso, el teniente Taylor y el resto de la flotilla habrían viajado hasta el otro extremo del universo, a una galaxia lejana de la que difícilmente podrían volver (a no ser que encontraran otro agujero). En el segundo, aquellos 14 pilotos podrían estar viviendo en una Tierra parecida a la nuestra, pero que funcionaría bajo unas leyes físicas distintas.

Sin embargo, la existencia de un agujero de gusano en el Triángulo de las Bermudas es harto improbable. Aunque los físicos recogen la posibilidad de que el agujero podría aparecer y desaparecer a su antojo, lo que sí que sabemos es que su abismal fuerza de atracción no sólo absorbería a los barcos y a sus ocupantes, sino que también se llevaría por delante al mar y a una buena parte de nuestro querido planeta. De momento, y a la vista de lo que nos dice la ciencia, la opción queda descartada.

Otra posibilidad sería, claro está, algún tipo de fenómeno similar al de los agujeros de gusano, pero que funcionara a una escala más pequeña y selectiva. Así, el agujero podría abrirse unos instantes, llevarse por delante aquello que estuviera dentro de un limitado rango de acción y, por fin, cerrarse sobre sí mismo como si nada hubiera pasado. Esta posibilidad, de momento, sí que entra en el terreno exclusivo de la ciencia ficción.

Como ves, no hay una única explicación que nos desvele el misterio del Triángulo de las Bermudas. Puedo hablarte de errores humanos, inclemencias meteorológicas, acciones de piratería y puertas a otra dimensión, pero parece que todas las hipótesis resultan insuficientes a la hora de hallar una respuesta global al problema. Muchas de las desapariciones podrían atribuirse a problemas meteorológicos o a errores humanos, pero en otros casos, en los que el sol brillaba en el cielo y los pilotos lo tenían bien claro, sólo se puede hablar de hipótesis que son factibles sobre el papel, pero que nos sabemos si lo son también en la realidad. El enigma, como ya es habitual, sigue abierto.

Capítulo 16

¿Hay alguien ahí fuera?

Desde mis comienzos como investigador, hace más de 35 años, la ufología ha sido mi gran pasión, la especialidad a la que he dedicado más tiempo y esfuerzo. Un amor incondicional, perfectamente confesable y público, que me ha proporcionado algunos de los momentos más emocionantes de mi vida; y también, no hay por qué esconderlo, una pequeña colección de disgustos que siempre han venido de la mano de intoxicadores, vampiros y personajes de variado pelaje. Siempre hay —y habrá— individuos dispuestos a todo para desacreditar un fenómeno que está aquí, entre nosotros, desde que la humanidad empezó a plantar su semilla sobre la Tierra y que, por paradójico que resulte, aún es visto como una amenaza por algunos sectores, que se resisten a abordarlo como lo que es: una puerta abierta al conocimiento.

No albergo duda alguna sobre la veracidad y vigencia del fenómeno ovni, porque las pruebas que así lo demuestran son numerosas e irrefutables. Los primeros humanos que poblaron nuestro planeta ya dejaron constancia de ello en sus pinturas y dibujos, en los que retratan junto a cazadores y animales algunos objetos que sólo pueden ser ovnis. Más tarde, historiadores clásicos y pintores renacentistas harían lo propio. Y, ya en la actualidad, gobiernos de todo el mundo siguen llenando páginas y páginas de expedientes secretos que tratan de poner cerco al fenómeno. Una parte de esta información ya ha sido desclasificada y entregada a la opinión pública, pero muchos otros documentos, en especial aquellos que provocarían una sacudida en nuestra cosmovisión, aún se consideran información reservada y altamente secreta.

A lo largo de todos estos años de trabajo e investigación, he publicado una veintena de libros dedicados exclusivamente al fenómeno ovni. Un considerable volumen de información, que no puedo incluir en un solo capítulo de este *Enigmas y misterios para Dummies,* Si el tema te interesa y tienes ganas de ir más allá, permíteme que te invite a hacer un repaso a mi abundante bibliografía, a la que haré referencia en algunos puntos del capítulo. Ahora, en las páginas que siguen a continuación, me conformo con resumirte lo que he aprendido a lo largo de estos años, que es bastante menos de lo que muchos creen.

Los ovnis de cerca

Antes de empezar conviene precisar. Para la ciencia, los ovnis son solamente eso: objetos voladores no identificados. En cambio, para el gran público, la palabra suele ser sinónimo de una nave extraterrestre. Y para mí, al igual que para otros muchos investigadores, los ovnis son astronaves de origen no humano. Sé que esta afirmación puede sonar un poco fuerte, pero la información obtenida durante más de sesenta años, procedente de cientos de miles de testigos, me lleva a esta conclusión. Ningún avión o artefacto experimental puede desarrollar la velocidad y los movimientos de un ovni; los aparatos humanos no tienen esas extrañas formas y tampoco vuelan en silencio. Una vez dejado claro este primer punto, ya es hora de empezar este repaso. Lo haré tratando de responder un par de preguntas aparentemente sencillas. ¿Qué aspecto tiene un ovni? ¿A qué se parecen?

Un ovni para cada cosa

¿Son todos los ovnis iguales? ¿Y qué forma tienen? En mis archivos personales cuento con más de 1500 imágenes de distintos objetos voladores, y lo primero que puedo decir tras haber empleado mucho tiempo analizándolas es que los ovnis no tienen una única forma y tamaño. Hay cientos de modelos diferentes, que se corresponden con la peculiar naturaleza de los distintos pueblos extraterrestres que nos visitan. Los investigadores, un tanto a ciegas, hemos puesto un poco de orden a tanta variedad, y los hemos acabado clasificando en tres grandes tipos a partir de la funciones que llevan a cabo.

- ✔ **Nodrizas** o **porteadores.** Son objetos enormes, que en muy raras ocasiones se acercan al suelo. Atraviesan grandes distancias a una velocidad inalcanzable para el hombre. Suelen tener una forma alargada, de tubo o puro.

- ✔ **Naves de exploración.** Contenidas en las naves nodrizas, son las que se posan sobre la superficie terrestre. Son los objetos más frecuentes, y su tamaño es muy variable: de uno o dos metros hasta más de cincuenta.

- ✔ **Sondas** o *foo-fighters.* Los más extraños de todos, debido a su diminuto tamaño. Podrían ser artefactos teledirigidos, y miden muy pocos centímetros. Algunos testigos afirman que son capaces de atravesar paredes.

Acerca de sus colores y formas, hay tanta variedad que resulta imposible establecer una clasificación. Los hay redondos, ovalados, triangulares, metálicos, luminosos, con forma de platillo volante, alargados como un puro, similares a una plancha para la ropa, con

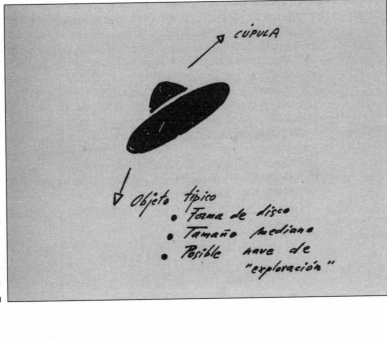

Figura 16-1:
Esbozo de una
nave de
exploración

ventanales en su parte superior, cerrados y sin ventanas... Incluso hay algunos modelos que cambian de forma y son capaces de camuflarse, adoptando la apariencia de una vulgar nube.

Todas las personas que han visto un ovni coinciden en apuntar su intenso brillo y su extraordinaria velocidad, que está fuera del alcance de cualquier aeronave humana. Los objetos se mueven en líneas rectas, sin necesidad de hacer largos giros —a diferencia de nuestros aviones—, y son capaces de recorrer kilómetros en un solo instante. La opinión general es que los ovnis son capaces de desplazarse como quieren, sin limitaciones de ningún tipo. Incluso hay testigos que hablan de objetos que, de repente, se volatilizan como si fueran invisibles. Ahora están aquí y, un segundo después, no queda ni rastro de ellos.

¿Qué objeto fabricado por el hombre puede comportarse así? ¿Y qué fenómeno natural tiene características semejantes? Los escépticos, que hablan de meteoritos o cometas para explicar los avistamientos, saben perfectamente que un meteorito no cambia de dirección ni puede controlar su vuelo. Tampoco un satélite artificial que perdiera su órbita y se precipitara hacia la atmósfera podría girar en el aire como si nada. Y mucho menos cambiar de forma y color, tal y como afirman miles de testigos.

Otros escépticos, para explicar los avistamientos, hablan de artefactos de fabricación humana, como aviones y globos meteorológicos. Acerca de la primera hipótesis, creo que a estas alturas del siglo XXI todo el mundo sabe diferenciar lo que es un avión de cualquier otro objeto. Sobre la segunda, la de los globos, debes saber que los utilizados en meteorología son de dos tipos. Los más pequeños y frecuentes tienen unos 2 m de diámetro. Se les suele llamar "sondas" y, al lanzarlos, suben hacia el cielo sin parar, hasta acabar estallando. Los segundos, mucho más grandes, son los "estratosféricos" y pueden alcanzar los 100 m de longitud. Su comportamiento es algo distinto, porque primero ascienden, después se mantienen a una misma altura y al final acaban cayendo sobre la Tierra. Aunque su presencia es más habitual de lo que la gente cree, su comportamiento no tiene nada que ver con el de los ovnis.

Pilotos y tripulantes

Todavía no sabemos de qué planeta vienen nuestros visitantes, pero, gracias a las declaraciones de aquellas personas contactadas o abducidas, sí que podemos hacernos idea de cuál es su aspecto. Necesitaría muchas páginas para hacer un estudio detallado. Sólo en mis archivos guardo descripciones que hacen referencia a más de 3000 tipos distintos de tripulantes o "seres no humanos". Si tuviera que hacer un resumen, podría concluir lo siguiente:

✔ El 80 % tienen aspecto humano. Los extraterrestres de las películas como *Alien* no se corresponden con la realidad.

✔ Ese restante 20 % se divide en tipos muy distintos. Los hay que están hechos de luz. Otros tienen cuerpo humano y cabeza de animal, como un halcón o un chacal. También los hay anfibios e incluso voladores.

✔ Tienen una altura muy variable. Los hay que son enormes, altísimos, de hasta 3 m. En cambio, hay otros que parecerían niños, con poco más de un metro de estatura.

✔ Suelen tener el cráneo y los ojos de un tamaño considerable, un poco al estilo de los hombrecillos "grises" que has visto en películas y seres de televisión.

✔ Algunos llevan escafandras, pero otros pueden vivir en nuestra atmósfera sin ningún problema.

✔ En cuanto a su peso, también hay variedad. En la sierra del Retín, en Cádiz, un testigo afirmó que el extraterrestre que vio tenía serios problemas de obesidad.

Sobre su comportamiento, tampoco hagas mucho caso a lo que has visto en el cine; por lo que sabemos, tienen más en común con nosotros de lo que podría parecer. No es que nadie los haya visto fumándose un pitillo o contando un chiste, pero sí que sabemos, por ejemplo, que tienen que alimentarse como hacemos nosotros. En Wisconsin (Estados Unidos) un granjero que tuvo un contacto relató cómo los extraterrestres le ofrecieron una especie de galletas. Al probarlas, descubrió que sabían a "miel y cartón". A pesar de lo curioso de la situación, los visitantes no esbozaron la más mínima sonrisa… Una seriedad que coincide con lo descrito por muchos otros testigos; por lo visto, los alienígenas no tienen un sentido del humor como el nuestro.

No sabemos nada acerca de su fisiología, pero algunos contactados han averiguado que viven más que los humanos, lo que en cierto modo resulta bastante lógico. Si poseen una tecnología mucho más avanzada que la nuestra, parece razonable que tengan una mayor resistencia frente a las enfermedades; de hecho, hace 2000 años la supervivencia media de un ser humano era de 35 o 40 años, mientras que hoy es precisamente el doble. Para una civilización extraterrestre, que quizá nos lleva un millón de años de ventaja, envejecer puede no resultar un gran problema.

Para acabar es posible que te estés preguntando acerca de su sexo. Sobre si son varones o hembras. Hay numerosos ejemplos en que se ha visto a "mujeres extraterrestres", que, en algunos casos, poseían una belleza excepcional; mientras que en otros… pues quizá no tanto. Los testigos se refieren a estas "extraterrestres hembra" como las jefas del grupo, con la capacidad de mandar sobre todos los demás. Y sí, en mis archivos tengo registrados una docena de encuentros sexuales entre humanos y alienígenas, lo que encajaría perfectamente con lo visto en las pinturas de Tassili y Tanzania. En los dibujos bautizados como *La abducción*, y que pueden encontrar-

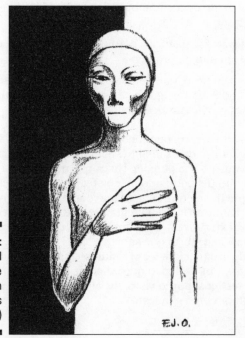

Figura 16-2: Retrato del ocupante de un ovni, en Los Villares (España)

F.J.O.

se en ambos emplazamientos, se aprecia cómo un grupo de seres de aspecto alienígena se llevan a una mujer humana. Su intención, probablemente, sería la de realizar algún tipo de experimento genético. ¿Con qué intención? Dejo la respuesta abierta a la imaginación de cada uno.

Sin recargar la batería

Es evidente que las civilizaciones que nos visitan vienen de muy lejos. Ni en el sistema solar ni en las estrellas más cercanas los científicos han sido capaces de encontrar rastros de vida inteligente, por lo que hay que suponer que sus planetas de origen son muy lejanos. ¿Cómo consiguen recorrer esas grandes distancias? La verdad es que ni yo ni nadie tenemos la más remota idea, pero la pregunta en sí me lleva a hacerme otra. ¿En qué se basa la tecnología extraterrestre? ¿Cómo entienden la física?

Desconozco la respuesta, pero sí puedo soñar e imaginar. Nuestra física dice que no es posible superar la velocidad de la luz, unos 300 000 km/s. ¿Pero quién ha dicho que los extraterrestres tengan que superar esa velocidad para llegar hasta aquí? Posiblemente, utilicen técnicas distintas al clásico viaje "en dirección hacia delante" tan propio de los humanos. Quizás exista un sistema que permita el salto casi instantáneo de un planeta a otro, o de una galaxia a otra. Y quizás ellos lo conozcan.

Los extraterrestres podrían controlar la desmaterialización; es decir, la capacidad de desaparecer en un sitio y reaparecer en otro. Gracias a este sistema, nave y astronautas podían ser desmaterializados aquí, en la Tierra, y vueltos a recomponer unos instantes después en el último rincón del universo. Un viaje de años luz en unos segundos. También podrían controlar los viajes en el tiempo o conocer atajos espaciales que el hombre sólo intuye, como los agujeros de gusano de Einstein y Rosen, pero que todavía no se han podido observar desde cerca.

Una técnica muy avanzada

Como ya he apuntado, el adelanto de esas civilizaciones respecto a nosotros es tal que su técnica parece magia. ¿Eres capaz de imaginar una civilización que nos lleve un millón de años? Por supuesto que no; ni siquiera somos capaces de concebir cómo será nuestra sociedad dentro de cincuenta. Gracias a los encuentros que ha habido en la Tierra, sabemos que los ovnis han logrado fabricar luz "sólida" y que la utilizan en muchos momentos. Con esa luz construyen escaleras, rampas por las que suben a las naves e incluso herramientas con las que pueden atrapar objetos, como si usaran una grúa. El concepto en sí es inimaginable para los humanos.

Poco más sabemos de la naturaleza de los ovnis y de sus ocupantes. Los que sí tienen las respuestas, las fuerzas aéreas de las principales potencias mundiales, han decidido quedarse con esa información en su propio beneficio. Sin embargo, algunos militares sí se han atrevido a romper el código de silencio y nos han dado pistas sobre la naturaleza de su tecnología. Uno de ellos fue el coronel estadounidense Philip J. Corso, que afirmó bajo juramento haber presenciado las tareas de recuperación del ovni de Roswell durante sus años de servicio en la base de Fort Riley (Kansas). Según Corso, buena parte de los avances tecnológicos de la segunda mitad del siglo XX, como la fibra óptica, los chips o el *kevlar*, se han desarrollado a partir de la información extraída de ovnis que han sido derribados.

¿Sorprendido, quizá? No es para menos, la verdad. No es que esté poniendo en duda la autoría humana de esos avances tecnológicos, pero sí sé que una civilización capaz de cruzar la galaxia es capaz de eso, y de mucho más. Pero hasta que no llegue el día en que se desclasifiquen todos los expedientes secretos, y los investigadores podamos examinar con detenimiento la información disponible sobre esos insólitos avances, lo único que podremos hacer es seguir imaginando.

Comunicación extraterrestre

Cuando se pregunta a los contactados cómo se entendían con los extraterrestres, se habla de manera casi unánime de algo cercano a la telepatía. Los testigos afirman que tenían la sensación de que los visitantes eran capaces de introducirse en sus mentes y conocer todos y cada uno de sus pensamientos. No era necesario verbalizar ninguna pregunta o respuesta, porque, antes de que pudieran pronunciar una sola sílaba, los alienígenas ya tenían la réplica a punto. Del mismo modo, los contactados comentan que ellos usaban este mismo sistema para comunicarse; al menos, en presencia de los humanos. No hay constancia, por lo tanto, de que utilicen un idioma fonético como el nuestro, con sus palabras y frases.

Unos viejos amigos

¿Desde cuándo se producen contactos entre extraterrestres y humanos? ¿Qué fragmento de la historia compartimos con esos visitantes venidos desde el espacio exterior? Personalmente, creo que los ovnis han estado aquí desde siempre. Y aunque la opinión generalizada es que el fenómeno Ovni nace después de la segunda guerra mundial, hay suficientes indicios que prueban la presencia de naves de procedencia incierta desde hace miles de años. Unos tiempos en los que el hombre no fabricaba ningún tipo de artilugio volador, por lo que no existe posibilidad de confusión alguna. Aquí tienes todo un recorrido a la historia común que compartimos los humanos y nuestros extraterrestres visitantes.

Astronautas de piedra

En los capítulos 5 y 7, dedicados al pueblo dogon y a los "cabezas redondas", has podido ver que algunas civilizaciones extraterrestres llegaron a la Tierra hace siglos y contactaron con los primitivos pobladores de nuestro planeta. Las pinturas y leyendas orales, transmitidas de generación en generación, así lo certifican. Pero Argelia y Mali no son los únicos puntos de contacto entre humanos y alienígenas en la antigüedad. Los testimonios sobre naves voladoras y seres de apariencia no humana se extienden por los cinco continentes. Aquí tienes algunos ejemplos.

✔ **Tanzania** (África). En un abrigo rocoso llamado Chungai-3, se encuentra una pintura de un ser con casco, brazos muy cortos y un traje de una sola pieza. En otra cueva llamada Itololo-1, se descubrió el dibujo de un insólito objeto con cuatro patas y antenas. Y en Kolo-1, la antropóloga Mary Leakey encontró la representación de un ser de gran cabeza dentro de un globo aerostático. Se calcula que estas pinturas tienen una antigüedad de entre 16 000 y 50 000 años.

✔ **India** (Asia). En el *Ramayana*, uno de los textos sagrados de los hindúes, se habla de los *vimanas*, una especie de naves espaciales que traían a los dioses hasta la Tierra. En el libro se describe que eran capaces de volar a gran velocidad y en cualquier dirección, y que tenían una apariencia brillante y muy luminosa, lo que encaja con las descripciones de ovnis recogidas en los últimos cien años.

✔ **Australia** (Oceanía). En Victoria se encuentra una pintura, que data de hace 40 000 años, en la que se puede ver un ser con casco, guantes, botas y traje espacial. En los montes Kimberley, en la Australia noroccidental, los aborígenes pintan a unos individuos llamados *Wan-djina* que tienen grandes ojos, extrañas indumentarias y anchas bandas colocadas alrededor de las cabezas.

✔ **Italia** (Europa). Plinio el Viejo, en el siglo I d. C., escribe en su *Naturalis Historia* que las visiones de ovnis son frecuentes, e incluso los clasifica en varios tipos que encajan a la perfección con lo que nos cuentan miles de testigos en la actualidad: los *clipei*, en forma de platillo volante; los *chasma*, que serían como una bola de luz, y los *trabes,* alargados como un puro.

✔ **México** y **Centroamérica** (América). Toda la civilización maya gira alrededor de los astros, los planetas y la observación del cielo; disponían de unos conocimientos que en Occidente no se descubrieron hasta la llegada de la Edad Moderna. El *Popol Vuh,* el libro sagrado de los indios quiché, integrantes del pueblo maya, habla de criaturas venidas de los cielos que tienen todo el saber que existe sobre la Tierra.

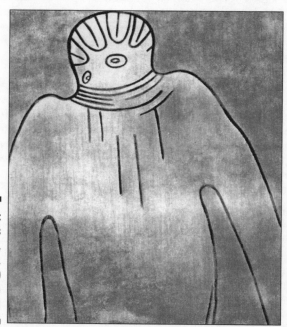

Figura 16-3:
El Gran dios marciano, en el Tassili, Argelia; 8000 años de antigüedad

Como puedes ver, no hay rincón del planeta que no se haga eco de la presencia de seres desconocidos, de presumible origen extraterrestre, en sus manifestaciones culturales más arcaicas. Los arqueólogos, cuando son preguntados acerca de las pinturas rupestres, hablan de "extrañas criaturas de cuatro patas", "curiosos animales", "figuras mitológicas" o "humanos desconcertantes". Según mi parecer, estas explicaciones provocan risa... aunque, claro, ellos se resisten a creer en la existencia de ovnis y extraterrestres.

Si avanzamos en el tiempo, y llegamos hasta los albores del año 1000 d. C., nos topamos con más testimonios que hablan de extraños objetos en el cielo. Entre los años 1027 y 1034 se tiene noticia de la observación de unas extrañas "antorchas en llamas" que iluminaron el cielo durante varios días en Italia, algunas ciudades de Centroeuropa y Egipto. Más adelante, en el siglo XIII, monjes de los monasterios británicos de Saint Albans, Byland y Saint Mary of the Meadows dejaron constancia de la presencia de objetos muy brillantes en el cielo, que causaron terror en aquellos que los contemplaron. Se dice, incluso, que varios de estos objetos se enzarzaron en una batalla en toda regla.

Los ovnis y las bellas artes

En el siglo XV, una pintura titulada *Virgen María con el Niño y San Juan* nos ofrece una prueba demoledora sobre la presencia de ovnis mucho antes de la llegada del siglo XX. La obra se puede contemplar en el Museo del Palazzo Vecchio de Florencia y no se sabe a ciencia cierta quién podría ser su autor, aunque se rumorea que podrían ser Filippo Lippi, Sebastiano Mainardi o Jacopo del Sellaio. El cuadro recoge una típica imagen religiosa, con la Virgen María en actitud de oración junto a san Juan y el niño Jesús, que en principio no tendría nada que ver con el fenómeno ovni.

Pero si uno se fija con detenimiento, a la derecha del cuadro se aprecia un detalle sorprendente en un segundo término. En el cielo se puede ver perfectamente una nave de la que salen unos rayos de luz y, desde un promontorio cercano, a un hombre que la contempla tapándose la cara con la mano, como si estuviera deslumbrado por el brillo del objeto. A la izquierda del cuadro, otras pequeñas bolas de luz de difícil identificación parecen surcar los cielos.

Un combate de las mismas características tuvo lugar en la ciudad
alemana de Núremberg, el 14 de abril de 1561. Según sus habitantes, al salir el sol el cielo se llenó de un sinfín de objetos redondos
de color rojo, azul y negro. Junto a ellos también se pudo observar
la presencia de dos grandes figuras en forma de tubo, de las que
salieron otros objetos más pequeños, lo que encajaría a la perfección con la imagen de varias naves de exploración saliendo de
una gran nodriza. Después de que los ovnis tomaran posiciones
en el cielo, los ciudadanos de Núremberg relatan que las naves
iniciaron una gran batalla que se prolongó durante una hora y que
horrorizó a aquellos que la vieron. Unos años más tarde, en 1566,
el artista Hans Glaser hizo su propia interpretación de la batalla
en un grabado sobre madera que puede verse hoy en Zúrich. En él
se puede ver un cielo lleno de objetos de distintas formas y unas
columnas de humo en el suelo, que podrían provenir de las naves
derribadas durante la batalla.

El primer ovni español

En los siglos siguientes, las noticias sobre objetos voladores no dejaron de aparecer en los periódicos de la época, incluso en España.
Una de las primera referencias a un avistamiento en la Península se
encuentra recogida en el *Diario Mercantil de Cádiz* del 6 de marzo
de 1826. El suceso tuvo lugar en Campo de Criptana (Ciudad Real)
el 14 de febrero de ese mismo año. El periódico gaditano recoge que
"a las 7.50 h se dejó ver en el aire un globo de fuego de una magnitud extraordinaria, y de figura piramidal [...], del todo semejante a
una gran tinaja vuelta boca abajo, descendiendo sobre la Tierra
en un movimiento oblicuo [...] y su luz era tan resplandeciente que
deslumbraba a cuantos lo vieron acercarse a la Tierra". El artículo
puntualiza además que el día era claro y despejado, por lo que no
podía haber confusión posible. Evidentemente, y debido a la mentalidad de la época, no se habla de ovnis y extraterrestres, pero la
descripción del fenómeno es tan clara que sobran los comentarios.

Los últimos años del siglo XIX y los primeros del XX son especialmente prolíficos en cuanto a avistamientos de objetos no identificados. Pero nada se puede comparar a lo que ocurrirá después
de la segunda guerra mundial. Ya durante el conflicto, los pilotos de
ambos bandos informaban casi a diario de la observación de naves de origen desconocido, en especial de *foo-fighters,* que aparecen en multitud de fotografías aéreas tomadas por los servicios de
inteligencia. Sin embargo, tras el fin de las hostilidades y la llegada
de la era atómica una verdadera oleada de ovnis cruzó los cielos de
todo el planeta. ¿Acaso nuestros visitantes estaban preocupados

ante la posibilidad de que la Tierra acabara destruida en una catástrofe nuclear?

Los platillos volantes

Hoy en día parece que no hay discusión a la hora de señalar el momento en que nació la ufología moderna. Todos parecen estar de acuerdo en que el incidente de Roswell, ocurrido en julio de 1947 en Nuevo México (Estados Unidos) marca un antes y un después en la historia de la investigación. Pero lo cierto es que antes de ese verano de 1947, ya se empiezan a oír los primeros ecos de lo que está a punto de llegar. Durante el año 1946, en toda la península escandinava, y en concreto en Suecia, los avistamientos de ovnis se cuentan por decenas. De hecho, llegan a ser tan numerosos que el ministerio de Defensa sueco expresa públicamente su preocupación ante la constante invasión de su espacio aéreo.

El caso más representativo se produce el 18 de mayo, en el bosque de Kronoskogen, cerca de Ängelhom, cuando un testigo, Gösta Karlsson, afirma haber visto una nave espacial y a sus ocupantes de aspecto extraterrestre. La nave habría aterrizado en el bosque y Karlsson mantuvo algún tipo de contacto con sus ocupantes, que le habrían entregado un anillo como obsequio. El suceso sacudió de tal manera a la pequeña comunidad que unos años después se construyó una estatua conmemorativa en el lugar del avistamiento. Aún hoy puede visitarse.

Figura 16-4:
Ahí lo tienes, todo un platillo volante

Pero fue en 1947, y en Estados Unidos, cuando se desencadenó una verdadera fiebre por los ovnis. El primer testigo que marcó época fue Kenneth Arnold, un piloto que durante la madrugada del 24 de junio, mientras sobrevolaba el monte Rainier, en el noroeste del país, se cruzó con nueve objetos con forma de media luna. Los ovnis se movían a una gran velocidad, siguiendo un patrón de vuelo que Arnold definió como "a saltos, como si fueran platillos que saltan sobre las aguas de un estanque". Cuando los periodistas lo entrevistaron, confundieron sus declaraciones y atribuyeron a los ovnis una forma de "platillo volante".

A partir de ese momento, el término se usó en todo el mundo para denominar a la típica nave extraterrestre. Es el nacimiento de una nueva era. Ante el revuelo y la popularidad conseguida por Arnold, la USAF, las fuerzas aéreas estadounidenses, lanzaron una campaña para desprestigiar al piloto y atribuyeron el avistamiento a un simple espejismo. Pero poco pudo hacer el ejército para ocultar lo que pasó en el sur del país unos días después.

El incidente de Roswell

Lo relatado por Arnold desató una verdadera fiebre de los platillos volantes en Estados Unidos. Unos días después, en la primera semana del mes de julio —no se sabe la fecha exacta—, un granjero del pueblo de Roswell, W. W. Brazel, salió con su caballo a comprobar los efectos de una brutal tormenta que había tenido lugar la noche anterior. Le acompañaban los hijos de sus vecinos, la familia Proctor.

Según la versión oficial de los hechos, al acercarse al campo donde tenían buena parte del ganado, Brazel descubrió infinidad de restos materiales esparcidos por toda la zona, como si se hubiera producido un accidente. En concreto, Brazel encontró restos de algo parecido a goma, papel de aluminio, varillas y una especie de papel extraordinariamente duro. El granjero, después de informar de su hallazgo a los Proctor, se fue hacia el pueblo y dio parte al *sheriff* de Roswell. En concreto, Brazel le dijo que había encontrado los restos de un disco volador; algo que nunca había visto. Unas horas después, militares de la base aérea de Roswell, del Grupo 509, hicieron acto de presencia en la zona y restringieron el acceso.

El 8 de julio de 1947, el periódico local *Roswell Daily Record* abría página con un espectacular titular en el que se leía que las fuerzas aéreas "recuperan un platillo volante en un rancho de Roswell".

Ese mismo día, el coronel William Blanchard, del Grupo 509, hizo llegar a los medios de comunicación un cable en el que se afirmaba que un "disco volador" había caído en Roswell y el ejército lo había recuperado con éxito. De inmediato, periodistas de todo el país acudieron a Nuevo México para cubrir lo que podía ser la noticia del siglo. Las centralitas de la oficina del *sheriff* y de la base aérea de Roswell se colapsaron, y a lo largo y ancho de Estados Unidos miles de personas empezaron a contar que habían visto platillos volantes surcando los cielos.

El 9 de julio, el ejército emitió un nuevo comunicado en el que se desmentían las declaraciones del coronel Blanchard. En la nota de prensa, los militares reconocen que un globo del tipo *Mogul,* diseñado para captar las vibraciones de una explosión atómica, había caído en las cercanías de Roswell. El objeto es descrito como un gran globo del que cuelga un panel metálico, un reflector de radar, que se ha lanzado con la intención de realizar pruebas secretas. Parece que la nueva versión hizo efecto entre los periodistas, que en unos días abandonaron la zona y se olvidaron del tema. Unas semanas después, parecía que nunca hubiera ocurrido nada en el pueblo de Roswell.

La versión oficiosa

Esta es la historia oficial, la que las autoridades y escépticos han difundido a lo largo de los años. Pero, afortunadamente, a finales de la década de 1970, un investigador llamado Stanton Friedman volvió a fijarse en el incidente de Roswell, que ya había sido archivado en el cuarto trasero de la historia. Friedman entrevistó a los testigos y localizó a algunos militares de la base del Grupo 509. La mayoría ya se habían jubilado y dejado atrás los días de obediencia militar, por lo que empezaron a contar su versión sobre lo sucedido en 1947. Y lo que Friedman descubrió poco tenía que ver con la versión oficial.

Uno de esos testigos era el comandante Jesse Marcel, oficial de inteligencia del Grupo 509 en el año 1947. Marcel confesó que, el 7 de julio, él mismo había visitado la zona del accidente, y que el material que encontró y analizó no parecía ser de origen humano. A pesar de que las hojas de papel de aluminio de las que habló el granjero Brazel eran tan finas como el papel, al llevarlas a la base no hubo manera de doblarlas ni perforarlas, ni siquiera con una taladradora. El comandante Jesse Marcel añadió que en muchos fragmentos se podían leer unos grabados indescifrables, que no se correspondían con nada que hubiera visto anteriormente. No dudó en atribuir un origen extraterrestre al ovni de Roswell.

Como oficial de inteligencia, asignado al único grupo de bombarderos atómicos de Estados Unidos, Marcel tenía que saber muy bien a lo que se refería. Tenía que haber visto globos meteorológicos de todos tipos, y posiblemente sabía de la existencia del proyecto *Mogul*. Ante lo revelador de las declaraciones de Marcel, Friedman decidió proseguir su investigación, a la que pronto se sumarían otros estudiosos del fenómeno. Se pudo constatar, por ejemplo, que la historia del globo no era más que una tapadera, un pequeño secreto que se había revelado para poder guardar uno mayor.

Fuentes militares así lo confirmaron. Tras buscar testigos del incidente entre la población local, dieron con Glenn Dennis, un hombre que en julio de 1947 trabajaba en una funeraria que solía prestar sus servicios a la base aérea del Grupo 509. Según una declaración jurada que hizo pública en 1991, a principios de julio recibió una llamada de teléfono desde la base, en la que le preguntaron si tenía algún tipo de ataúd hermético de pequeño tamaño. Los militares también querían saber cómo se podrían embalsamar varios cuerpos que habían estado unos días a la intemperie. Cuando Dennis preguntó si se había producido algún tipo de accidente, desde la base le respondieron que sólo estaban contemplando futuras necesidades.

Después de recibir varias llamadas para hablar de los ataúdes, a Dennis lo llevaron a la base aérea de Roswell. Allí pudo ver, sobresaliendo de una furgoneta, restos materiales de lo que parecía un accidente y que se asemejarían a lo que ya había descrito el comandante Marcel. Sin prestar mayor atención, Glenn Dennis entró en la base, donde se encontró con una joven enfermera que salía de una habitación, nerviosa y con un pañuelo en la boca. Mientras se quejaba de lo desagradable del olor, recomendaba a Dennis que saliera otra vez al exterior. Pero el chico de la funeraria desoyó el consejo y, tras una breve y tensa conversación, la enfermera —de nombre desconocido— le contó una historia que ha dado la vuelta al mundo.

La autopsia de los cadáveres

Según la enfermera, esa mañana habían llevado a la base tres cuerpos desde un bosque cercano a Roswell. Se trataba de los cadáveres de unos seres de poco más de un metro, de largos brazos y piernas y sólo cuatro dedos en cada mano. La cabeza era grande y desproporcionada con respecto al cuerpo, y los huesos se parecían al cartílago, incluso los dientes. La nariz estaba hundida, como las orejas, y no tenían pelo. El olor que emitían era nauseabundo. De los tres cuerpos, dos de ellos estaban bastante destrozados por lo que parecía la acción de un perro o un lobo, mientras que el otro estaba en buen estado. Según los comentarios de los médicos, aquellos seres no se parecían a nada que apareciera en un libro de medicina. La conversación terminó cuando la enfermera le ofreció unos dibujos que había hecho de los alienígenas, mostrando los detalles de los dedos de la mano y de la cabeza.

Unos días después la misteriosa enfermera desapareció y, por más que el joven la buscó desesperadamente, sólo consiguió averiguar que la habían transferido a una base en Inglaterra; hasta el día de hoy ha sido imposible dar con ella, y tampoco se han podido recuperar los dibujos que realizó. Según Dennis los originales se perdieron y sólo se guardaron unas copias que hizo mucho más tarde un dibujante profesional, siguiendo sus propias instrucciones. A partir de ahí nunca más se volvió a saber. El pueblo de Roswell volvió a la normalidad y Glenn Dennis retomó su empleo en la funeraria, no sin antes haber recibido unas cuantas amenazas por parte de los militares del Grupo de Operaciones 509.

El destino de los restos

Después de oír esta versión de los hechos, la siguiente pregunta es bastante lógica: ¿Y qué pasó con los cuerpos de aquellos alienígenas, si realmente los hubo? Hay varias teorías al respecto, pero todas coinciden en que, tras realizar la autopsia a los cadáveres en el mismo Roswell, los restos del accidente y los ocupantes de la nave se llevaron a una base militar fuertemente vigilada. Hay quien habla del Área 51, en Nevada, unas instalaciones secretas de la USAF donde se realizan pruebas e investigaciones sobre aeronaves experimentales. Aunque se sabe de la existencia de la base, se desconoce realmente qué hace ahí el ejército. El perímetro está fuertemente custodiado por mercenarios privados y nunca se han abierto sus puertas al público. A pesar del secretismo, los antiguos trabajadores de la base siempre han desmentido que en el Área 51 hubiera restos de alienígenas o de ovnis de ninguna clase.

Otras versiones apuntan a Fort Worth (Texas). Según la versión oficial, los restos del globo de observación caído en Roswell se llevaron ante el general Roger M. Ramey, jefe de la base, que los identificó afirmativamente como típicos de "un globo meteorológico". Según la versión oficiosa, Fort Worth sólo fue la primera escala de un viaje de los restos del ovni hacia la famosa Área 51, en Nevada. Otras hipótesis indican que el destino final de los restos fue la gigantesca base aérea de Edwards, en California, o incluso el campo de pruebas de Dugway, en Utah, donde aún hoy se hacen ensayos con armas químicas y bacteriológicas. La verdad es que nadie sabe a ciencia cierta adónde fue a parar tan delicado material.

Lo sí queda claro es que las declaraciones de Glenn Dennis y de Jesse Marcel ofrecieron una nueva versión, y muy precisa, de lo que realmente había pasado en Roswell aquel julio de 1947. La historia adquiría así un color completamente original, lo que renovó el interés sobre el caso durante la década de 1990. El gobierno estadounidense lanzó una investigación oficial para tratar de aclarar lo sucedido, que terminó con las conclusiones que todos predecían: de nuevo se repetía la historia del globo, y se dijo que los cadáveres de extraterrestres eran muñecos para pruebas, usados en vuelos experimentales.

Para acabar de crear mayor confusión, en 1995 los informativos de todo el mundo abrían con una noticia sensacional. Por fin se había encontrado la película de la autopsia de Roswell; más de 15 minutos en blanco y negro, donde se podía ver el cuerpo de un extraterrestre con seis dedos en cada mano. Las imágenes dieron la vuelta al mundo, pero, en 2006, un productor musical y cineasta *amateur* llamado Ray Santilli confesó que todo era un fraude. La película se había rodado en Londres, en un piso de Camden Town, con ayuda de técnicos en efectos especiales. Lo cierto es que hasta los más firmes creyentes en el incidente de Roswell habían mostrado sus dudas sobre la veracidad de la película.

Y a día de hoy el enigma sigue abierto. El gobierno de Estados Unidos se resiste a desclasificar la información secreta sobre el incidente y las hipótesis sobre lo que realmente pasó crecen como setas. Mientras tanto, escritores y guionistas siguen sacándole jugo al suceso, al igual que los ciudadanos de Roswell, que han encontrado en el accidente del ovni una curiosa manera de poner a su ciudad en el mapa. El museo sobre ufología, fundado por varios ciudadanos de Roswell, Glenn Dennis entre ellos, recibe miles de visitas al año y se ha convertido en un centro de peregrinación para los aficionados a la ufología de todo el mundo. La verdad aún sigue oculta, pero el negocio ya está bien abierto.

Los ovnis, asunto de Estado

Aunque el punto culminante de la investigación sobre Roswell tuvo lugar hace relativamente poco, el incidente de 1947 puso en medio del debate público la posible existencia de ovnis y extraterrestres.

En plena guerra fría, los gobiernos de todo el mundo empezaron a preguntarse si esos objetos voladores representaban una amenaza real para la seguridad, por lo que pusieron en marcha un conjunto de programas de investigación y propaganda con la intención de controlar el fenómeno. Tanto Estados Unidos como la Unión Soviética elaboraron protocolos de actuación en caso de avistamiento, que indicaban a pilotos y operadores de radar lo que debían hacer si se tropezaban con un ovni. Otras potencias, como el Reino Unido, abrieron departamentos únicamente dedicados a registrar todas las noticias que se recibían sobre el asunto.

En estos años se inició una política sistemática de ocultamiento, caracterizada por el engaño y la amenaza hacia aquellos que intentaban difundir la verdad. Aparecieron los "hombres de negro", agentes especiales de dudosa filiación cuya misión consistía en perseguir y destruir cualquier prueba que pudiera contradecir la versión oficial. Mientras los contactos y los avistamientos se multiplicaban de forma exponencial, los gobiernos callaban y daban la espalda a una opinión pública que se preguntaba qué eran esas luces en el cielo.

La actitud cambiante de los gobiernos salta a la vista al hacer un repaso a los distintos programas que el Pentágono estadounidense puso en marcha para esclarecer el asunto. Aunque se llevaron a cabo con una finalidad claramente propagandística, más que nada con la intención de tranquilizar a la ciudadanía y ofrecer una imagen de transparencia, la evolución de sus objetivos y conclusiones a lo largo de los años es muy significativa.

✔ El **Proyecto Sign** (1947-1948) se propuso averiguar qué había de cierto tras los avistamientos, sin partir de ninguna premisa inicial. Formado por científicos y militares, llegó a la conclusión de que el fenómeno ovni era real, aunque una buena parte de los informes podían atribuirse a causas humanas. Sin embargo, dejó apuntado que había un porcentaje elevado, casi un 20 %, que sólo podría atribuirse a un origen extraterrestre.

✔ El **Proyecto Grudge** (1948-1951) nació como reacción al anterior, con el claro objetivo de desprestigiar todo lo que tenía que ver con los ovnis. Se negó sistemáticamente cualquier contacto y se concluyó que el cien por cien de los casos podía explicarse por causas naturales o humanas. Incluso calificaba de enfermas mentales a las personas que decían haber visto ovnis.

✔ El **Proyecto Blue Book** (1952-1970) adoptó unas formas más
sutiles, pero continuó apostando por el origen natural o humano del fenómeno. Aunque reconocía que los objetos no
identificados existían, concluía que no suponían ningún tipo de
amenaza para la seguridad nacional y que no tenían un origen
extraterrestre. Es más, se llegó a decir que los ovnis no hacían
ninguna maniobra que no pudiera realizar una aeronave humana. En sus conclusiones se aconsejaba el fin de los programas
de investigación sobre el tema.

Es fácil ver cómo la postura oficial cambia rápidamente de una actitud curiosa, más o menos transparente, a otra totalmente destructi-
va, que niega los hechos incluso antes de analizarlos. Al final, y tras
el fracaso de la política del enfrentamiento directo, se optó por una
posición más pasiva, que apostaba por la indiferencia. Era como si
se creyera que la opinión pública iba a dejar de interesarse por el fenómeno ovni en el mismo momento en que los gobiernos le quitasen
importancia al tema. En la actualidad, ésta es la línea que siguen las
principales administraciones occidentales, incluida la española.

La transparencia británica

En el Reino Unido, por ejemplo, se llevó a cabo una publicación ma-
siva de archivos ovni en el año 2008, coincidiendo con el anuncio de
que el gobierno cerraría todos los organismos y oficinas dedicados
a su investigación. La explicación de las autoridades fue sencilla:
después de años de trabajo y estudio, se había llegado a la conclusión de que los ovnis no suponen ninguna amenaza para la soberanía británica. Este proceso de desclasificación, anunciado a bombo
y platillo, sigue hasta el día de hoy en correspondencia con una supuesta política de transparencia llevada a cabo por el ministerio de
Defensa. La realidad, como es de suponer, es bien distinta.

Los archivos desclasificados no aportan información relevante
sobre los casos ovni y los incidentes más importantes ocurridos
en el Reino Unido siguen sin explicación. Entre ellos, el llamado
"incidente de Rendlesham Forest", ocurrido en diciembre de 1980, en
el que varios militares y civiles vieron cómo un ovni aterrizaba en el
bosque del mismo nombre. Aunque hay pruebas fehacientes de que
el suceso ocurrió, e incluso se sabe que uno de los soldados llegó a
tocar la nave, el ministerio de Defensa siempre negó que se hubiera llevado a cabo una investigación a fondo. Algo parecido habría
ocurrido en el "incidente de Lakenheath-Bentwaters", en agosto de
1956, cuando varias bases y aeronaves británicas se toparon con
gran cantidad de contactos visuales y de radar con naves no iden-

tificadas. De nuevo, y a partir de la información desclasificada, el gobierno no sabe y no contesta.

Comunistas contra alienígenas

En la Unión Soviética, en cambio, el asunto se llevó de manera muy distinta. El régimen comunista no tenía por qué aparentar ninguna política de transparencia, así que siempre negó de forma tajante cualquier contacto con ovnis o extraterrestres. Sin embargo, la realidad tras el telón de acero era muy distinta. El mismísimo Stalin mostraba su preocupación ante la constante visita de naves no identificadas y se establecieron órdenes muy claras sobre lo que debían hacer los pilotos que se toparan con ellas. A diferencia de las directrices estadounidenses, que aconsejaban seguir al objeto sin adoptar una actitud hostil, los soviéticos adoptaron un comportamiento mucho más agresivo. Las órdenes del Kremlin consistían en atacar y derribar el objetivo.

Según el testimonio de los pilotos de la época, los duelos aéreos entre pilotos de *Migs* rusos y de naves no identificadas fueron más habituales de lo que se cree. Algunas fuentes hablan de más de una docena de ovnis derribados sobre suelo soviético; una hipótesis que, de ser cierta, habría dado a los científicos rusos la posibilidad de estudiar de cerca la avanzada tecnología extraterrestre. Según esta hipótesis, los experimentos se habrían llevado a cabo en la base de Kapustin Yar y en el cercano complejo subterráneo de Zhitkur, unas instalaciones secretas donde los soviéticos desarrollaron y probaron infinidad de misiles atómicos de alcance intercontinental. La base de Zhitkur, hoy en un estado cercano al abandono, se habría convertido en un verdadero centro de investigación sobre tecnología extraterrestre; el Área 51 de la Unión Soviética, donde se analizaban a fondo los restos de ovnis y los cadáveres de sus ocupantes. De ahí habrían surgido algunas revolucionarias ideas sobre ingeniería, como el desplazamiento físico a partir del electromagnetismo. Unas líneas de trabajo que, con la caída del comunismo, se habrían abandonado hasta caer en el más absoluto de los olvidos.

Otros investigadores, en cambio, sostienen que en Zhitkur nunca hubo ovnis ni alienígenas; sólo un pequeño puesto militar con algunos búnkeres subterráneos. Sí se sabe que Kapustin Yar, en cambio, fue el centro de investigación sobre misiles más importante de la antigua Unión Soviética. Una base creada a toda prisa después de la segunda guerra mundial, en la que trabajaron muchos científicos provenientes de la Alemania nazi. En Kapustin Yar también se llevaron a cabo algunas pruebas nucleares de baja intensidad, lo que indudablemente contribuyó a aumentar el halo de misterio que aún hoy tiene la base.

En lo que sí que están de acuerdo todos los investigadores es en reconocer la actitud hostil de los pilotos soviéticos frente a los ovnis. Una directriz que se mantuvo hasta bien entrada la década de 1970, cuando el alto mando recomendó cambiar la táctica y ordenar a los pilotos que se limitaran a seguir a los objetos, sin disparar. Según la documentación desclasificada tras la caída del régimen soviético, las fuerzas aéreas rusas perdieron bastantes aviones en estas persecuciones, sin que en ningún caso se lograse derribar el objeto identificado. No es que los ovnis destruyeran a los *Migs* con sus avanzadas armas; más bien los aviones habrían sido derribados por los misiles antiaéreos soviéticos, que se lanzaban a la desesperada para intentar hacer caer al invasor.

Toda esta información permaneció oculta hasta la caída del telón de acero, en 1991. A partir de esta fecha, los ufólogos rusos disfrutaron

---

El ovni espía

El 1 de mayo de 1960, un ovni entró en el espacio aéreo soviético desde el Asia central, proveniente de Pakistán. Varios cazas interceptores se abalanzaron inmediatamente sobre él, pero el objeto no identificado volaba tan alto y corría tan deprisa que los dejó atrás enseguida. Pero en un momento en que el ovni pareció descender, una batería de misiles antiaéreos de alto alcance fue capaz de dar en el blanco. Mientras el objeto se precitaba al vacío, de la cabina del aparato saltó un hombre en paracaídas. Se llamaba Francis Gary Powers.

El ovni resultó ser un avión espía estadounidense U-2, enviado con la misión de fotografiar las bases de misiles nucleares soviéticos. Los rusos pudieron recuperar el ultrasecreto avión en buen estado y Gary Powers fue capturado y condenado a diez años por espionaje, en lo que se convirtió en uno de los pasajes más célebres de la guerra fría. Pero los misiles antiaéreos no sólo hicieron caer el U-2; además también se llevaron por delante un *Mig-19* que había despegado para interceptarlo, pilotado por el teniente Sergei Safronov. Aunque pudo saltar en paracaídas, murió por las heridas del impacto. Ante semejante falta de puntería y de éxito es comprensible que una Unión Soviética con serios problemas económicos decidiera ahorrar en aviones, pilotos y misiles.

de unos años de tímida apertura al mundo que permitieron conocer esta página oculta de su historia. Sin embargo, con la llegada al poder de Vladimir Putin en 1999, el acceso a los archivos se volvió a controlar y el pueblo ruso se quedó sin saber qué había pasado realmente entre los pilotos soviéticos y sus camaradas extraterrestres. De nuevo, un gobierno democrático decidía esconder a su pueblo una información a la que debería tener legítimo acceso. La nueva Rusia, a priori despojada de la pátina soviética, decidía mantener una política de negación y ocultación más propia de tiempos pasados.

Mis ovnis favoritos

Con el nacimiento de la ufología moderna, en el verano de 1947, los testigos que reconocían haber visto ovnis y extraterrestres se empezaron a multiplicar por todo el mundo. Desde entonces el fenómeno ha sido imparable, aunque no siempre ha recibido la misma atención por parte de los medios de comunicación. En Estados Unidos, la década de 1950 es un periodo especialmente prolífico. Empiezan a salir a la luz pública los primeros contactados, como el polémico George Adamski, quien decía haber hablado y viajado con extraterrestres de Venus. Algunas de sus fotografías de ovnis se han convertido en imágenes icónicas dentro de los círculos ufológicos, aunque hay serias dudas sobre la veracidad de sus declaraciones y de las pruebas que presentó para corroborarlas.

Adamski fue la primera persona que se reconoció como un contactado en todo el mundo. Detrás de él, centenares de testigos han contado relatos semejantes, aunque no siempre con la coherencia y consistencia que sería deseable. Algunos de esos testimonios sí que me parecen genuinamente auténticos, pero también los hay que son simples fraudes. No puedo poner la mano en el fuego por aquellas historias que no he conocido en primera persona, como las del mismo Adamski y las de otros contactados residentes lejos de nuestras fronteras. Pero sí puedo hacerlo por aquellos que he investigado de primera mano, tanto en España como en América Latina, y de los que te voy a ofrecer una pequeña selección en este apartado.

En España, los primeros estudios ufológicos aparecen en la década de 1960, por obra de Antonio Ribera, un investigador pionero y dedicado que llegó a recibir, en reconocimiento a su trabajo, la Cruz de Sant Jordi, la condecoración más alta que otorga el gobierno de la Generalitat de Cataluña. Gracias a sus trabajos el interés por la ufología

CONFIDENCIAL

LISTA DE EXPEDIENTES OVNIs

FECHA	LUGAR	TIPO	VALORACION
620806	SAN JAVIER (MURCIA)	LUZ MOVIL	3
620807	SAN JAVIER (MURCIA)	LUZ MOVIL	3
620826	SAN JAVIER (MURCIA)	LUZ MOVIL	2
670603	BADAJOZ	OVNI	7
680314	VILLA CISNEROS	LUZ MOVIL	6
680515	MADRID/BARCELONA	OVNI	5
680517	LERIDA	OVNI	6
680906	CUENCA	GLOBO SONDA	3
680917	CANARIAS	BOLA LUZ EN PLANO AVION	6
681013	ALGECIRAS	OVNI CON LUCES MOVILES	4
681104	ENTRE VALENCIA Y SAGUNTO	LUZ MOVIL GRANDE (3)	4
681106	CASTELL BISBAL (BARCELONA)	DISCO LUMINOSO	4
681124	PUENTE ALMUHEY (LEON)	CIRCULO LUMINOSO	3
6812--	VARIOS	LUCES MOVILES	3
681219	MADRID	OBJETO LUMINOSO FORMA DE ESTRELLA	4
690124	MADRID	LUZ PARPADEANTE	2
69 08	SACEDON	ESFERA LUMINOSA	3
690225	SAGUNTO (IB-435)	LUCES DESDE AEROPLANO	4
690402	LUGO	OVNI	3
690513	B.A.REUS	ESFERA LUMINOSA	4
690626	ASTURIAS AEROPUERTO	OVNI TRANSLUCIDO TRAPEZOIDAL	3
690926	GERONA	GLOBOS SONDA	2
700616	BURGOS	OVNI	6
710223	VALLE DEL EBRO	OBJETO DEJANDO ESTELA	4
710314	MAJADAHONDA	OVNI TRIANGULAR	4
730926	VALENCIA	LUZ MOVIL	4
740320	AZNALCOLLAR (Sevilla)	OVNI	8
741124	CANARIAS	LIUCES MOVILES	4
750101	BURGOS	OVNI TAZA INVERTIDA	6
750102	BARDENAS	ECOS MOVILES GCA	5
750114	B.A.TALAVERA	LUZ MOVIL	3
750325	MADRID	OVNI PEONZA	1
750803/04/05	POZUELO	OVNI/ALIENIGENAS	9
760622	CANARIAS	APARICION HUMANOIDE	6
761112	B.A.TALAVERA	LUZ	9
76 19	CANARIAS	CUPULA BRILLANTE	5
	MALAGA		
770213	GALLARTA/VIZCAYA	OVNI/HUELLAS	6
780319 a 0501	ALCORCON	LUZ MOVIL	5
780704	BARCELONA	Pregunta sobre OVNIs	1
780720	AGONCILLO	LUCES MOVILES	4
781024	MENORCA	OVNIS (2)	4
790214	MALLORCA	METEORITO	3
790305	CANARIAS	ESTELAS LUMINOSAS/OVNI	9
790313	MEDOC	ECO RADAR	9
791111	PALMA-VALENCIA	OVNI	8
791117	MOTRIL	ECO RADAR/LUCES	7
791128	MADRID	OVNIS/ECO RADAR	6
791216	LEBL-LEZA	LUZ MOVIL	6
800329 a 31	ZARAGOZA	LUCES MOVILES/ECOS RADAR	5
800522	CANARIAS	ECO RADAR/LUZ	1
801120-21	TENERIFE	LUCES Y OLAS	

Página 1

(*) LA VALORACIÓN SE REFIERE AL INTERÉS DE CADA EXPEDIENTE, SEGÚN CRITERIO SUBJETIVO DEL OFICIAL DE INTELIGENCIA (MOA/EM/INT)

CONFIDENCIAL

LISTA DE EXPEDIENTES OVNIs

FECHA	LUGAR	TIPO	VALORACION
801208	ATLANTICO RIF	AERONAVE DESTRUIDA	4
801225	BARDENAS	OVNI	6
81----?	ALICANTE	OVNI	6
820819	BLANES (GERONA)	OVNI DISCOIDAL	7
830712	D-104 / VINAROZ	ESTELA	1
840111	VILLANUBLA	GLOBO SONDA	5
850212	LANZAROTE	OVNI LUMINOSO	5
851223	"MANUEL SOTO"/CANARIAS	LUCES	0
880501	PAMPLONA/BURLADA	OVNI TRIANGULAR	4
910913	EVA4/ROSAS	ESFERA LUMINOSA	

Figura 16-5: Lista secreta para el ministerio de Defensa, con los casos ovni más importantes recogidos en España

aumentó paulatinamente, hasta convertirse en tema habitual de periódicos y semanarios en los primeros años de la década de 1970. Será también en esa época, que coincide con mi bautismo de fuego, cuando las autoridades militares españolas empezaron a mostrar interés por el fenómeno. Como si calcaran al resto de sus homólogos occidentales, la actitud del Ejército pasó por tres etapas bien diferenciadas: la curiosidad de la década de 1970, la negación de la de 1980 y una supuesta transparencia en la de 1990; momento en el que se pudo tener acceso a buena parte de los archivos clasificados, lo que permitió descubrir que el Ejército del Aire tenía también un protocolo bien definido para abordar los expedientes ovni.

Si quieres saber más sobre la actitud del Ejército Español con respecto al fenómeno ovni, te recomiendo que eches un vistazo a uno de mis libros, *Materia reservada*, donde abordé el tema en profundidad. Ahora, como te adelantaba más arriba, ha llegado el momento de exponerte algunos casos de avistamientos y contactos que he podido investigar en primera persona y sobre los que puedo poner la mano en el fuego. Entre ellos, tres sucesos que merecieron una valoración máxima —un 9 sobre 10— por parte los servicios de inteligencia del Ejército del Aire español. Me refiero a los avistamientos de Manises en 1979 y a los de las Canarias de 1976 y 1979.

El ovni de Maspalomas

Si he decidido empezar por aquí se debe a lo excepcional de un caso que se conoce en todo el mundo como "el ovni de Canarias". Su importancia reside en que se trata del único documento gráfico de un ovni proporcionado a un civil por la Fuerza Aérea Española. Creo que el acontecimiento tiene, por sí mismo, el suficiente peso y valor como para hacer del caso toda una estrella en el firmamento de la ufología internacional. ¿Cuándo se ha registrado en España un hecho semejante? Sencillamente, nunca. Que yo sepa, jamás la fuerza aérea de ningún país había hecho entrega a un periodista de un testimonio tan definitivo. Todo esto sucedía a los pocos meses de que la Fuerza Aérea me entregara 12 expedientes sobre otros tantos casos ovni, registrados en los cielos y campos de nuestro país entre los años 1964 y 1976, y sobre los que puedes encontrar abundante información en mi libro *Alto secreto*.

La historia del ovni de Maspalomas empieza en una de mis entrevistas con el entonces general jefe del Estado Mayor del Aire, teniente general don Felipe Galarza. Mientras conversábamos sobre los ovnis, el militar se levantó del butacón y con paso decidido se dirigió a su mesa de despacho. Yo permanecí ahí de pie, esperando. No conocía las intenciones del general. De ahí que mi sorpresa fuera mayúscula cuando, al regresar, noté que entre sus manos llevaba una fotografía en color, unida por una esquina a un folio mecanografiado. Era una fotografía de un ovni, que el general afirmó haber preparado para mí.

La fotografía en sí se había tomado de noche. En su parte inferior se apreciaba la silueta de una urbanización, en la suave ladera de una montaña. Y, en mitad del cielo, enorme y radiante, una gigantesca bola de luz muy intensa, cruzada por una línea horizontal ligeramente inclinada. La esfera parecía tener un tamaño descomunal, y bien podría decirse que brillaba como un sol en mitad de la noche.

El contenido del informe oficial

Las preguntas empezaron a atropellarse, mientras el militar sonreía y me recomendaba que leyera el documento anexo a la foto. Aquel folio, que naturalmente conservo, era el expediente que explicaba el origen de la foto. Según la inteligencia militar española, la foto había sido encontrada por el conserje de un hotel. Por lo visto, venía por error en un sobre destinado a un ciudadano extranjero que estaba alojado en dicho establecimiento. Cuando el turista la devolvió, y ante lo extraño de la imagen, el conserje se la quedó como curiosidad.

Al abrirse la investigación sobre el caso de Maspalomas, la Guardia Civil dio con el conserje, que fue quien les entregó la foto. La policía entrevistó al personal del laboratorio, quienes confirmaron que la imagen era auténtica, que no había sido retocada, pero añadieron que no podían precisar el nombre de la persona que había tomado la instantánea. El documento oficial también decía que no se podía afirmar con seguridad ni el día ni la hora ni el paraje exacto desde donde fue obtenida, aunque al parecer se trataba de la localidad de Playa del Inglés, en el complejo turístico de Maspalomas, en Gran Canaria. El informe militar recogía que al enseñársela a los testigos y tripulantes del vuelo T-12:461-43, que habían dado el primer parte del avistamiento del ovni, todos reconocieron el fenómeno.

Cuando terminé de leer el documento, el militar me aseguró que la foto era auténtica y que, según él creía, la habían tomado en la noche del 22 de junio de 1976. Al preguntarle acerca de los detalles del expediente, sus respuestas no fueron tan generosas; quedaba claro que el general sabía mucho más de lo que me estaba mostrando, pero tampoco era cuestión de presionarlo. Ya había hecho suficiente.

Dos expedientes y el mismo ovni

Al regresar a Bilbao y consultar los 12 expedientes oficiales que me habían entregado con anterioridad, caí en la cuenta de que el documento anexo a la fotografía hacía referencia a otro informe, el 1/76. Al buscar en mis archivos, me di cuenta de que el caso que se mencionaba en aquel folio no era otro que el relatado por un médico de Guía, también en Gran Canaria, En dicho informe 1/76, un médico canario, Francisco Padrón Leo, había sido testigo, junto con otros vecinos del barrio de Las Rosas, de la presencia de un objeto esférico, transparente y de gran luminosidad, en cuyo interior fueron vistas dos criaturas de más de dos metros de estatura, enfundadas en escafandras negras y trajes rojos. Esto tuvo lugar a las 21.30 h del mencionado 22 de junio de 1976.

Unos minutos antes, la tripulación completa de la corbeta *Atrevida*, de la Armada Española, observó un curioso fenómeno —totalmente inexplicable— cuando navegaba a unos 6 km de Punta Lantailla, al sur de la vecina isla de Fuerteventura. El capitán y el resto de la tripulación vieron cómo un objeto se elevaba desde tierra, inmovilizándose en el espacio y creando una especie de gigantesca burbuja azulada, que parecía apoyarse en el suelo. En una tercera fase, el ovni se despegó de la burbuja, dirigiéndose a gran velocidad hacia la isla de Gran Canaria.

La tripulación de la corbeta española había observado el fenómeno a las 21.27, mientras que el médico y los vecinos lo habían hecho tres minutos más tarde. Este mismo objeto, según todos los indicios, había sido visto poco después al sur de esa misma isla de Gran Canaria, en la costa de Maspalomas. Y allí, tal y como refería el documento que acababa de poner en mis manos don Felipe Galarza, lo fotografió un turista extranjero.

Las sorpresas continuaron. Y así, dos años después, en 1978, otro alto general de la Fuerza Aérea Española ponía en mis manos dos nuevos informes oficiales sobre ovnis. Uno de ellos era el avión T-12:461-43, al que hacía alusión el folio que yo había leído en presencia del general. Y no pude dar crédito a lo que estaba viendo. Aquel nuevo avistamiento, el del avión, se había producido el 19 de noviembre de 1976, en aguas de las islas Canarias. No el día 22 de junio. Era muy posible, por lo tanto, que el ovni fotografiado y visto el 22 de junio fuera el mismo, o muy similar, al que observaron cientos de testigos cinco meses después.

A bordo de aquel avión militar T-12 viajaba, nada más y nada menos, que el general jefe de la zona aérea de Canarias, don Carlos Dolz del Espejo y González de la Riba, quien también vio el gigantesco ovni. Además de los tripulantes de dicho avión, vieron el objeto los tripulantes del buque escuela español *Juan Sebastián Elcano*, otro avión de pasajeros de la compañía Spantax y numerosas personas desde las islas. Curiosamente, como decía el jefe instructor en aquel famoso folio, "al enseñar [la fotografía de Maspalomas] a los testigos y tripulantes del avión T-12:461-43, reconocieron el fenómeno en su fase segunda inmediatamente antes de convertirse en un semicírculo apoyado en el horizonte".

En el mes de marzo de 1977, el extraordinario "ovni de Canarias" saltaba a la páginas de numerosos periódicos y revistas del mundo. Televisión Española, por primera vez en su historia, y de la mano de ese gran profesional que es Eduardo Sotillos, hacía llegar dicha fotografía hasta los hogares de millones de españoles en uno de los momentos de mayor audiencia, el telediario de las nueve de la noche. La emoción al ver en la pequeña pantalla, y en las primera páginas de los más importantes rotativos, a mi ovni de Canarias me compensó con creces de otras muchas angustias, tristezas y soledades que había vivido en esos primeros años como investigador.

De nuevo, en las Canarias

Se trata de un caso mundialmente conocido y que fue registrado el 5 de marzo de 1979, de nuevo en las islas Canarias. Hacia las siete de la tarde, y para sorpresa de miles de vecinos, surgieron en el horizonte unas extrañas nubes en forma de anillos iridiscentes. Unos anillos de colores vivísimos que, lógicamente, llamaron la atención de casi todas las islas. Según se hacía de noche, esas misteriosas nubes circulares ganaron en viveza y luminosidad

Los testigos observaron unas líneas zigzagueantes amarillas que recorrieron la totalidad de los anillos. Éstos fueron ensanchándose, alcanzando unas proporciones gigantescas. Al cabo de una hora, aproximadamente hacia las 20.10, miles de personas asistieron a otro fenómeno no menos espectacular, la aparición de un objeto volador no identificado. Instantes después el ovni se elevaba hacia el firmamento, dejando una brillante y colosal campana de luz. Minutos después, los anillos fueron difuminándose hasta desaparecer.

Sería prácticamente imposible citar a todos los testigos que contemplaron las dos grandes fases del fenómeno. Puedes encontrar el relato completo de los hechos en mi libro *La gran oleada* o en el expediente desclasificado por el Ejército del Aire español que publiqué en mi web `www.planetabenitez.com`. No obstante, y con el objetivo de que dispongas ahora mismo de una amplia panorámica de lo que se vio aquella tarde, he creído oportuno mostrar alguna de las descripciones de modo resumido.

✔ **Ildefonso Altamirano,** técnico de TVE, desde Izaña: "El ovni, que voló primero en dirección horizontal y después en vertical era un disco, con un tamaño aparente similar a un tercio de la luna llena. Aquel disco plateado dejaba una estela similar a la de un barco que surca las aguas. Al llegar a la altura de los 'anillos', el objeto subió casi verticalmente, con inclinación sudeste".

✔ **Antonio González Llopis,** fotógrafo: "El objeto se paró unas décimas de segundo y después se desplazó casi horizontalmente hacia arriba. A continuación se paró menos de medio segundo. Recogió como unas patas o compuertas que cerraron las toberas. Y salió disparado hacia el firmamento. No desprendía humo, gases o energía lumínica".

✔ **Francisco Guardia:** "La silueta del objeto era como metálica, bordeada por una luz intensa muy brillante, semejante al neón".

✔ **Lourdes Hernández,** desde La Gomera: "Parecía un caldero achatado de gran tamaño que lanzaba una luz anaranjada, que subía y subía hasta que muerta de susto me puse a rezar. Tenía el tamaño de un edificio de tres plantas".

✔ **José Ojeda,** médico: "El objeto tenía forma ovalada, que parecía alargarse con la enorme velocidad de su desplazamiento. Parecía detenerse por décimas de segundo para continuar luego de forma lateral".

✔ **Gilberto Naranjo,** técnico de TVE, en Izaña: "Aquello no era un misil. La estela era totalmente diferente".

✔ **Julio Quintero,** desde Tenerife: "Cuando estábamos comiendo bajo las dos piedras famosas del Teide, recuerdo que sentí un zumbido penetrante que hizo estremecer mis oídos, al mismo tiempo que unos pinos cercanos movían sus ramas. Unos remolinos de polvo se formaron en aquella misma zona y me extrañó porque no soplaba ni la más leve brisa".

✔ **Fidel Fernández** y otros testigos, desde la isla de La Palma: "Primero vimos como una estructura en el mar. Había como una torre que sobresalía de un rectángulo, bajo el cual se destacaban tres protuberancias, como patas. Entonces, las dos esferas de luz que habíamos visto anteriormente entre los anillos se fundieron con la plataforma. Y la estructura toda se elevó".

Al divulgar el caso, algunos intoxicadores profesionales dijeron que el ovni era realmente un misil disparado por un submarino soviético. Dejando de lado que un incidente de este estilo hubiera desencadenado la tercera guerra mundial, la observación de las fotografías no dejaba duda alguna.

Para acabar de asegurarme, decidí enviar una carta a la Armada Soviética preguntándole sobre el suceso. Su respuesta fue clara: "Le comunicamos que el 5 de marzo de 1979 ninguno de los submarinos soviéticos estuvo en la región de las islas Canarias, no efectuando, por lo tanto, lanzamientos de misiles balísticos. Le deseamos éxitos en la investigación de los fenómenos ovni. Firmado, K. Makarov, jefe del Estado Mayor de la Armada". Y por si quedaba alguna duda, la desclasificación de los archivos ovni en España en el año 1991 reveló que los servicios secretos habían considerado el suceso como "muy importante", otorgándole un 9 en una escala de 10. Creo que sobran los comentarios.

El incidente de Manises

Aquel mes de noviembre de 1979 marcó un hito en la historia de la ufología española. No todos los días se tiene noticia de un avión comercial, con 109 pasajeros, que resulta desviado de su ruta a causa de un ovni. Sí que hay cientos de casos de aviones civiles y militares que han tenido encuentros con estas naves no identificadas, tal y como puedes comprobar si hojeas mi libro *Encuentro en Montaña Roja*. Lo que ya no es tan corriente es que uno de estos aviones comerciales, un *Super Caravelle* de la desaparecida compañía española TAE, tenga que abandonar su rumbo para tomar tierra en un aeropuerto no previsto.

Esto fue lo que sucedió aquella noche del 11 de noviembre de 1979 en los cielos españoles. No me extenderé sobre el suceso, que describo con gran amplitud en mi libro *Incidente en Manises*. A título de resumen diré que, aquella noche, el citado *Super Caravelle*, con 109 turistas alemanes y austríacos, fue abordado por un objeto de unos

200 m de longitud, que voló en paralelo al reactor por espacio de ocho minutos.

Como consecuencia de la violenta aproximación del gigantesco ovni, que fue detectado en las pantallas de radar del Mando de la Defensa Aérea, en Madrid, el comandante Lerdo de Tejada, que dirigía el *Super Caravelle*, suspendió su vuelo desde Palma de Mallorca a las islas Canarias para aterrizar en el aeropuerto valenciano de Manises. En el citado aeropuerto, más de 40 personas, entre ellas el propio director, el ingeniero aeronáutico Miguel Morlán, pudieron contemplar por espacio de dos horas la presencia de tres ovnis de gran luminosidad, que permanecieron estáticos sobre la zona. Hacia las dos de la madrugada la Fuerza Aérea Española hizo despegar desde la base de Los Llanos, en Albacete, un caza *Mirage* pilotado por el capitán Fernando Cámara, con la misión de interceptar los ovnis.

El piloto de combate persiguió a tres discos de gran luminosidad durante casi 1 hora y 45 minutos. La persecución fue tan infructuosa como insólita. Según mis informaciones, extraídas de altos círculos militares, los ovnis bloquearon en diversas ocasiones el radar, la cámara y los misiles del caza español. Una de estas persecuciones ocurrió precisamente sobre el mar Mediterráneo. El ovni y el *Mirage* llegaron incluso hasta las islas Baleares. Pero, como digo, el esforzado piloto nada pudo hacer ante las formidables velocidades y capacidad de maniobra de los discos. Antes de poder establecer un contacto cercano con ellos, la alarma que avisa de un bajo nivel de combustible saltó y el piloto tuvo que volver a la base.

Esta persecución sobre las islas se registró justamente hacia las 2.30 o 3 de la madrugada. Por supuesto, los habitantes de las Baleares se encontraban ajenos a lo que pasaba en sus cielos, pero algunos vecinos de Palma de Mallorca sí observaron un extraño objeto volador no identificado. Y precisamente a la misma hora en que el caza intentaba llegar hasta el brillante ovni. La posterior investigación oficial, que llegó incluso al Congreso de los Diputados, confirmó que no había una explicación coherente para el fenómeno. Aquellas luces no eran helicópteros, aviones, estrellas ni ningún otro tipo de objeto identificado. Las hipótesis de los intoxicadores, que hablan de interferencias originadas por la Sexta Flota estadounidense o del reflejo de las llamas de una refinería, han sido desmontadas una a una. Las llamas de la refinería de Escombreras, en Cartagena, jamás han medido 200 m y tampoco había barcos estadounidenses en la zona. A día de hoy, el incidente de Manises sigue sin respuesta y el caso permanece abierto.

El ovni de los Villares

Probablemente se trata de uno de los relatos más extraños que he conocido en estos años de investigación. Estoy seguro de que, algún día, el caso de Los Villares pasará a la historia de la ufología como un clásico. Sin duda, uno de los enigmas más redondos e inquietantes. Aquí tienes una síntesis de esta desconcertante historia, registrada en el verano de 1996 en el pequeño pueblo de Los Villares, en Jaén. Un misterio que todavía nadie ha descifrado.

El protagonista de nuestra historia es un hombre llamado Dionisio Ávila, que iba acompañado de su perra *Linda*. Ávila es un jubilado muy querido y respetado en su pueblo. Siempre ha vivido en Los Villares, donde ha trabajado como carbonero y agricultor, y no sabe leer ni escribir. Su vida, en definitiva, ha sido muy sencilla, hasta que el 16 de julio de 1996 todo cambió. Siguiendo la costumbre, Dionisio salió esa mañana de su domicilio y se dispuso a dar su paseo habitual por las cercanías de la localidad. El cielo aparecía azul y despejado.

Figura 16-6: Dionisio Ávila y el lugar del aterrizaje; la hierba quedó alterada

Al subir la suave loma de Los Barrero, a cosa de medio kilómetro del pueblo, la perra se mostró inquieta. El hombre se detuvo, tratando de animar al atemorizado animal, pero *Linda* terminó desapareciendo de la vista. El anciano, sospechando que la culpa la tenía otro perro, prosiguió por su camino sin darle mayor importancia, dispuesto a llegar a una vieja encina en la que tenía por costumbre descansar durante unos minutos. Pero, al coronar la loma, se llevó la sorpresa de su vida. A escasos metros del atónito jubilado flotaba algo extraño. Un objeto que, en su ignorancia, Dionisio confundió con un contenedor del ICONA (un antiguo organismo estatal dedicado a la conservación del entorno natural).

El testigo observó el aparato durante unos segundos y, presintiendo algo, llamó a gritos a la perra. Poco después, *Linda* regresó junto a su amo. "Era circular, parecido a una media naranja y con una cúpula en lo alto." Dionisio caminaba todos los días por la zona y sabía que aquella máquina nunca había estado allí. "Era muy raro. Flotaba en el aire, a corta distancia del suelo, y noté un olor muy desagradable, parecido al carburo. Por debajo se escuchaba un ruido, como el del gas cuando escapa de la botella de butano."

Ni corto ni perezoso, fue a rodear el curioso artefacto. Hasta esos momentos, Dionisio seguía creyendo que aquello no era otra cosa que un trasto dejado en el lugar por los guardas forestales. Y sin prisa, ignorando la naturaleza de lo que tenía delante, fue rodeando el objeto. En lo alto, en la cúpula, se distinguían unas ventanas redondas y oscuras, similares a los ojos de buey de los barcos. De pronto, cuando se hallaba a tres metros del objeto, Ávila, instintivamente, volvió la cabeza. Fue entonces cuando los vio.

Un encuentro en la tercera fase

"No sé de dónde salieron ni cómo llegaron. Sencillamente, al mirar atrás los vi junto al cacharro. Eran tres: dos mujeres y un hombre. Me miraban. Tendrían 1,70 m de altura. Vestían unos buzos muy ajustados y resplandecientes. Tenían la cabeza pelada y los ojos rasgados, como los indios del Perú. No vi labios..." Entonces ocurrió algo no menos insólito. El jubilado vio aparecer una pequeña luz, de características similares a la bombilla de una bicicleta o de una moto. "No sé de dónde salió. Lo que recuerdo es que vi cómo se acercaba. Puede que la arrojaran ellos, no lo sé. Trazó un arco y fue a caer a mis pies. Era como un lucerillo." Dionisio, según sus palabras, se inclinó y tomó la luz entre los dedos: "¡Qué misterio, oiga! Al agarrar el lucerillo ya no era un lucerillo. Aquello era una piedra, redonda como una pelota de tenis y con muchos laberintos...".

¿Laberintos? Dionisio, con su parco y peculiar lenguaje, fue a explicar que los "laberintos" en cuestión eran signos. Unos grabados muy extraños, que jamás había visto. Instantes después, la nave y sus ocupantes desaparecieron del campo, dejando un cerco de vegetación quemada. "Tampoco me pregunte cómo. No sabría decirle o, lo que es peor, le mentiría. Estaban allí y, en un abrir y cerrar de ojos, dejaron de estar. Se esfumaron." Allí se quedó el atemorizado y descompuesto jubilado, con la extraña piedra en la mano y sin saber adónde mirar. Fue entonces cuando el pánico lo dominó y le hizo correr camino abajo en dirección a Los Villares. "Durante varios días, oiga, no fui persona. No comía ni bebía."

Ésta es, en síntesis, la historia de lo sucedido en el sur de España aquel mediodía del 16 de julio de 1996. Después de conocer a Dionisio y charlar con él, puedo asegurar que no es la clase de hombre que se inventa una historia así. No es un loco ni un fabulador. El misterio de Los Villares se cuenta entre los contactos más claros y mejor detallados de todos los ocurridos en España, y a día de hoy aún no se ha podido dar con una respuesta lógica y racional que lo explique. El enigma, como siempre, sigue abierto.

El salar de Uyuni

Después de casi cuarenta años de investigación, he entrevistado a miles de personas que decían haber tenido experiencias con ovnis o con criaturas de origen extraterrestre. Si me preguntaras con qué testimonio me quedo de entre todos los que he obtenido, probablemente me decantaría por un suceso registrado en 1967 en el altiplano boliviano, muy cerca del salar de Uyuni.

Primero hay que situarse en la época y en el lugar. En la región, casi desierta, viven familias de indios quechuas, prácticamente aisladas del resto del país. Ni siquiera hablan castellano y casi todos son analfabetos. En aquellos tiempos no disponían de radio o televisión, y tampoco de periódicos. Para llegar hasta la zona, es preciso caminar durante días o soportar un infernal viaje en todoterreno por mesetas, colinas y valles tan ásperos como olvidados. En uno de esos desiertos, a casi 4000 m de altitud, vivía en 1967 la familia Flores. Unos campesinos que sobrevivían humildemente de la cría de ovejas y de lo que les daba un suelo duro y áspero.

Un buen día, cuando los hombres habían salido a trabajar en el campo, Valentina Flores, con su niño a la espalda, se dirigió a uno de los corrales en el que guardaban el ganado. Son rediles de piedra, de un metro de altura, en los que encierran a las ovejas durante la noche. Valentina quedó sorprendida. Uno de aquellos corrales aparecía cubierto con una especie de red.

En el interior se movía un hombrecito, de un metro de estatura, vestido con un extraño traje de buzo. Tenía algo a la espalda, una especie de mochila. De la sorpresa, la india enseguida pasó a una creciente indignación. Aquel individuo estaba matando a sus ovejas y corderos. Más de sesenta se estaban desangrando en el interior del corral. En el exterior del redil observó también a un segundo hombrecillo de la misma estatura, y vestido con una indumentaria similar.

Agresión en legítima defensa

Aquel segundo ser corrió hacia un montículo cercano y, de pronto, se alzó por los aires, desapareciendo como un pájaro. Valentina, enloquecida, ignorando la naturaleza de los intrusos, se hizo con un palo y comenzó a golpear con furia al que todavía se encontraba en el corral. El individuo pulsó una máquina que tenía a su lado, recogió la red y trató de defenderse de la lluvia de golpes lanzando una especie de cuchillo sobre la mujer. "El cuchillo —según me contó Valentina— iba y venía de la mano del hombrecito hasta mi pecho y me hirió." Uno de los golpes abrió la cabeza de la criatura y la sangre cayó sobre las piedras. Finalmente, el hombrecillo puso en marcha como pudo el mecanismo de la mochila y emprendió el vuelo, y se perdió en la misma dirección de su compañero.

Días después, avisadas las autoridades de Uyuni, una comisión del ejército boliviano visitó el lugar para examinar las heridas de Valentina, así como la matanza de ovejas y la sangre que había quedado en las piedras. Nadie supo dar una explicación satisfactoria a lo sucedido en el caserío de los Flores. Fue un crimen sin culpables a los que identificar, que dejó a la familia en la ruina y que provocó su emigración forzosa hacia la capital.

Si digo que estamos ante un caso ovni de especial interés se debe a que, fundamentalmente, no hay posibilidad de duda con respecto a la pureza de la narración y a lo observado por los militares. Las ovejas aparecían sin sangre, con heridas practicadas con algún tipo de instrumental de origen desconocido. Y me resisto a creer que aquellas gentes que jamás habían visto una película, la televisión o leído un libro de ciencia ficción pudieran inventarse una historia de hombrecillos de un metro vestidos con trajes de buzo. A lo largo de todos estos años, he entrevistado a muchas personas que fabricaban sus historias a partir de las declaraciones de otros testigos o de lo que habían leído en algún novela barata. En el caso de la familia Flores, nada de esto era posible. Su candidez me hizo creer que su testimonio era auténtico. Espero que puedas estar de acuerdo conmigo.

Parte V
Los decálogos

—PUES SÍ, YO SOY EL FAMOSO BIGFOOT...

En esta parte...

Si te has quedado con ganas de más, sólo puedo decirte que estás de enhorabuena. Bienvenido al tramo final del libro; unas páginas en las que te vas a encontrar con una gran cantidad de información presentada en pequeñas porciones, como si estuvieras delante de un menú del que puedes probar lo que más te apetezca. Para mí esta última parte es toda una invitación a que continúes la investigación por tu cuenta. Como verás, los enigmas del mundo parecen no tener fin.

Abriré con una selección de enigmas a los que no he podido dedicar el tiempo y el espacio que me habría gustado. Y no por falta de ganas o interés.

Capítulo 17

Diez enigmas de propina

- -

En este capítulo

▶ Objetos fuera de época

▶ ¿Ciudades míticas?

▶ Profecías que se cumplen

- -

Cuando escogí los temas para este libro, dos fueron los criterios que puse por delante de los demás. En primer lugar tenía muy claro que, en la medida de lo posible, quería ofrecerte una selección de aquellos enigmas que he investigado personalmente, aquellos a los que he dedicado los mejores años de mi vida. Estamos de acuerdo en que no hay nada mejor que poder contar lo que uno ha visto con sus propios ojos. Por otro lado, quería que todos los temas escogidos fueran verdaderos clásicos de la enigmología. Tenían que combinar un fuerte arraigo en una tradición local, hasta el punto de formar parte de la identidad propia de un pueblo, con una relevancia que hubiera traspasado fronteras, otorgando al enigma una considerable repercusión internacional.

Tras finalizar la selección, y como se suele decir coloquialmente, no están todos los que son, pero sí son todos los que están. Como me parece imposible estudiar todos los enigmas del mundo en una sola vida, y mucho menos meterlos a todos en un solo libro, no me queda más remedio que apuntar brevemente algunos misterios a los que me hubiera gustado dedicar más tiempo. Encontrarás un poco de todo. Desde objetos que parecen estar fuera del tiempo, y que nos plantean apasionantes interrogantes acerca del desarrollo de la tecnología en la Tierra, hasta misterios criptozoólogicos que alimentan las pesadillas de más de un investigador. En algunos casos, no he podido entretenerme más con cada uno de ellos por la falta de espacio; en otros, la culpa la tienen las limitaciones propias de la vida humana, que no contiene la cantidad de tiempo suficiente como para estudiar todos los enigmas que me hubiera gustado. Te invito a que seas tú quien tome el relevo.

El mecanismo de Anticitera

¿Cómo explicar la presencia de una tecnología propia del Renacimiento, como los mecanismos de engranajes, en los siglos I o II a. C.? La ciencia aún no sabe muy bien qué responder, pero ante la existencia del mecanismo de Anticitera no puede hacer otra cosa que rendirse ante la evidencia. Dicho mecanismo es un extraño artefacto que se asemeja a un reloj moderno, con un complejo sistema de engranajes, y que se puede ver en el Museo Arqueológico de Atenas. Se encontró a principios del siglo XX entre los restos de un naufragio frente a las costas de Grecia, y se cree que se construyó en algún punto entre los siglos I y II a. C.

La mayoría de investigadores piensan que su probable función era medir las órbitas del sol y de la Luna, mientras que otros estudiosos afirman que también puede calcular el recorrido de otros planetas, siempre con la Tierra como centro del universo; Nicolás Copérnico aún quedaba un poco lejos. Lo que no tiene discusión es la avanzada tecnología del mecanismo, comparable a la de un reloj suizo del siglo XIX. Los engranajes —más de treinta— tienen un tamaño realmente pequeño y están encajados con una precisión asombrosa. ¿Cómo pudieron los antiguos griegos concebir una máquina así? ¿Y por qué no se vuelve a tener noticia de un mecanismo similar hasta el siglo XV?

El Dorado

La ciudad mítica del Amazonas aún hoy es objeto de un vivo debate. ¿Realmente existió un lugar construido enteramente de oro, perdido en la selva que se esparce entre Colombia, Perú, Venezuela y Brasil? Los conquistadores españoles del siglo XVI así lo creyeron, hasta el punto de sufragar costosas —y fracasadas— expediciones en su búsqueda, algunas de ellas pagadas por la misma Corona.

No se sabe muy bien de dónde nació la leyenda de El Dorado. Algunos historiadores la relacionan con una ceremonia indígena que se celebraba en el lago de Guatavita, en la cual el jefe de la tribu era recubierto de un polvo de oro. Durante el ritual, el jefe entraba en las aguas sobre una balsa, desde la que se arrojaban al fondo del lago multitud de ofrendas hechas también de oro, lo que hizo pensar a los conquistadores que por ahí debía haber alguna ciudad donde abundaba el preciado metal. Otros investigadores sostienen que El Dorado sería un lugar secreto donde se guardaron los restos del tesoro inca, pero esta suposición nunca se ha podido probar. De momento, la existencia del lugar no deja de ser una leyenda mítica comparable a la del Grial.

El Mary Celeste

La historia del barco fantasma *Mary Celeste* suele incluirse entre los casos clásicos del Triángulo de las Bermudas, pero lo cierto es que el suceso tuvo lugar frente a las costas de Portugal en 1872. La preciosa fragata se encontró a la deriva y sin rastro de su experimentada tripulación un mes después de salir del puerto de Nueva York. Según las crónicas, llevaba comida para seis meses y el barco estaba perfectamente preparado para soportar una larga travesía.

Cuando el barco se encontró, las velas estaban desplegadas y navegaba hacia el estrecho de Gibraltar. Al inspeccionarlo, se echó en falta un bote salvavidas y parte del instrumental de navegación, lo que hizo pensar en un abandono voluntario del barco. Sin embargo, la nave no mostraba daño alguno que pudiera justificar el abandono, aunque estaba encharcada por todas partes, y tampoco se pudo dar con ninguno de sus tripulantes. La carga estaba intacta y no había rastro alguno de violencia, lo que podría haber dado la pista de un ataque pirata. Nadie sabe realmente lo que ocurrió, aunque se han apuntado más de una docena de explicaciones que hablarían de *tsunamis*, explosiones de la carga o de una fuerte tormenta. Aún hoy no se ha dado con una hipótesis convincente, por lo que el *Mary Celeste* es todavía uno de los mayores misterios de la historia de la navegación marítima.

La Atlántida

La existencia del mítico continente insular es un tema que me ha fascinado durante años. Personalmente, estoy convencido de su existencia y de su probable y cataclísmica desaparición, ocurrida hace 11 000 o 12 000 años. La primera referencia al mítico continente aparece en los *Diálogos* de Platón, quien la ubica más allá de las columnas de Hércules —supuestamente, el estrecho de Gibraltar— y la describe como una isla de un gran tamaño, mayor que todo el norte de África. La Atlántida era un territorio rico en recursos, que poseía una avanzada tecnología y un nivel de conocimientos superior al de todos sus coetáneos.

Según Platón, el final de la civilización atlante se produjo por culpa de su afán belicoso y expansionista. Como castigo a su soberbia, los dioses habrían enviado a los atlantes algún tipo de catástrofe natural que habría hundido la isla, que hasta el día de hoy permanece perdida. Los esfuerzos por encontrarla se multiplicaron a partir de la segunda mitad del siglo XIX, así como las teorías que apuntan su posible ubicación. La tradición la sitúa en algún punto del océano Atlántico, pero se ha llegado a insinuar que podría encontrarse en la zona de Doñana, en Andalucía, o en el camino de Bimini, en las Bahamas. De momento, sigue en el fondo del mar, y sólo podemos investigar el rastro que dejó en los pueblos vecinos. Pero eso, como se suele decir, es ya otra historia.

El mapa de Piri Reis

¿Cómo es posible que en los albores del siglo XVI alguien tuviera conocimientos geográficos y cartográficos de tierras que no habían sido descubiertas? ¿Cómo entender que en esas fechas hubiera noción de los perfiles de un continente antártico "sin hielos" o de las cordilleras septentrionales de Canadá? Los mapas que muestran tan sorprendentes descubrimientos se encontraron en 1929, cuando se hizo inventario del viejo palacio de Topkapi, en Estambul. Confeccionados sobre piel de gacela, llevan fecha de 1513 y fueron realizados en la ciudad de Gallípoli por Piri Reis Ibn Hadji Mehemet, un notable cartógrafo y navegante de la época.

Al analizarlos, se descubrió que en los mapas aparecían ríos, montañas, escollos y bahías inexplorados en esas fechas, así como los perfiles de las costas europeas, americanas, africanas, árticas y antárticas. Algunos de los macizos antárticos dibujados no fueron descubiertos hasta bien entrado el siglo XX. La precisión y detalle son inauditos, como si quien los dibujó hubiera contado con una visión más propia de un satélite, algo totalmente imposible para la época. Y, para acabar de complicar el tema, algunos territorios aparecen dibujados con la forma que tenían hace miles de años, antes de que los continentes acabaran de adoptar su forma actual. Demasiados interrogantes.

Las profecías de Malaquías

El misterio empieza en el siglo XVI, cuando un monje de gran fama por su sabiduría, Arnoldo de Wion, publica un libro titulado *Signum vitae*. Corría el año 1595. En dicha obra, Wion incluyó una lista de 113 lemas o leyendas que había escrito san Malaquías hacia el siglo XII. Se trataba de un serie de predicciones y profecías sobre los futuros papas de la Iglesia de Roma que, por increíble que parezca, se han ido cumpliendo milimétricamente. Hay quien asegura que Malaquías tenía la capacidad de ver el futuro, y que fue capaz de adivinar la fecha de su propia muerte.

Como no se han encontrado los textos originales, hay quien pone en duda que san Malaquías fuera quien escribió las profecías. Pero, independientemente de quién sea el autor, lo que sí se puede constatar es que acertó. No sólo describe los nombres de los papas de los últimos siglos, sino que además refiere con exactitud los acontecimientos más destacados de cada papado; entre ellos, el atentado contra Juan Pablo II. Según la profecía, el mandato del actual papa Benedicto XVI terminará con una salvaje persecución que se llevará a cabo contra la Iglesia católica. Tras su muerte llegaría el último de los papas, al que denomina "Pedro Romano", con el que comenzaría una nueva era dentro de la Iglesia que algunos asocian al fin del mundo. ¿Tendrá razón san Malaquías? Dentro de unos años lo veremos con nuestros propios ojos.

Los círculos de cosecha

Uno de los fenómenos que más atención ha acaparado estos años es el de los círculos de cosecha, también conocidos por su denominación inglesa de *crop circles*. Se trata de unas formas circulares de gran tamaño que aparecen dibujadas en los campos de cereales, y que surgen de la noche a la mañana sin que nadie sepa muy bien a qué atribuirlas. La mayoría se concentran en el sur de Inglaterra y, aunque hay noticias de que el fenómeno viene de antiguo, se empezó a difundir por todo el mundo a finales de la década de 1970, coincidiendo con un momento en que aparecían con especial frecuencia.

Las hipótesis que tratan de explicar su proliferación apuntan a variadas causas, desde aterrizajes de naves extraterrestres a fenómenos eléctricos naturales que causarían el aplastamiento de los campos. Los estudiosos de los *crop circles*, que han creado incluso una palabra para denominar la especialidad que los estudia, la *cerealogía*, opinan que hay algunos que están hechos por creativos seres humanos, mientras que otros serían fruto de alteraciones electromagnéticas.

Las esferas de Centroamérica

Se cuentan por centenares —algunos hablan de miles— las "bolas" de piedra, como gustan llamarlas los nativos, que se hallan repartidas por Costa Rica y que pueden encontrarse en plantaciones de bananeros, en las orillas de ríos, en las llanuras y hasta en lo más alto de las colinas. Esferas generalmente de granito, aunque también las hay de basalto, de todas las medidas y de una perfección que hace enmudecer. Algunas tienen unos pocos centímetros, mientras que otras llegan a los tres metros. Esferas "del cielo", según las viejas leyendas, que, en el caso de las más voluminosas, superan las 16 t y, por su pulcro y meticuloso tallado, no parecen ser obra de manos humanas, sino más bien de máquinas.

Lamentablemente, nada se sabe de sus constructores y de su verdadera finalidad. Hay algunas que están distribuidas por grupos, los más numerosos de 45 y 60 esferas, pero otras están aisladas en mitad de la nada. Algunos científicos, como Samuel K. Lothrop, opinan que varias de las esferas podrían marcar rumbos marinos, como si fueran un gran mapa oceánico colocado en la Tierra. Acerca de su antigüedad hay quien piensa que se hicieron en el siglo XVI, aunque los conquistadores españoles no dicen nada de indios cortando y tallando piedras. Otros estudios, en cambio, las datan hace miles de años; una opinión en la que parecen coincidir con los nativos. En realidad, nadie tiene la menor idea. Son, sin duda, uno de los misterios más recalcitrantes del planeta.

La pila de Bagdad

Otro misterio tecnológico, protagonizado por un objeto que parece estar fuera del tiempo. Se trata de unas vasijas de arcilla de unos 20 cm de alto, que se encontraron en 1936 en la zona de Bagdad, en Irak. En su interior contenían una barra de cobre que, a su vez, guardaba otra varilla de hierro recubierta de plomo. En resumen, un mecanismo capaz de producir electricidad. Una auténtica batería, que habría sido inventada unos dos mil años antes del descubri-

miento oficial, que se atribuye a Alessandro Volta. Algunos investigadores fechan la pila de Bagdad hacia el siglo III a. C., mientras que
otros, basándose en la forma de la tinaja, la sitúan hacia el siglo IV o
V d. C. Sea como sea, muchos siglos antes de la pila de Volta.

A pesar de que se han hecho pruebas que demuestran que las
pilas pueden emitir electricidad, y alimentar incluso una bombilla
pequeña, algunos investigadores opinan que la inserción de las
barras metálicas en las tinajas se produjo por "pura casualidad".
Prefiero no decir nada al respecto... El problema que hoy existe es
que, a raíz del caos en el que cayó Irak durante la última guerra,
el museo donde se guardaban fue saqueado y las pilas fueron
robadas. Hoy todavía no se han recuperado y se especula que
pueden haber caído en manos de coleccionistas. No hay forma,
por lo tanto, de estudiarlas a fondo y obtener una conclusión
definitiva.

Capítulo 18

Diez avistamientos ovni que ocurrieron muy cerca de casa

- -

- -

*N*o se me ocurre mejor manera de cerrar este *Enigmas y misterios para Dummies* que volviendo a la ufología, la especialidad a la que he dedicado más tiempo y esfuerzo en estos 40 años de investigación. Estoy seguro de que, después de leer las crónicas que incluía en el capítulo 16, te habrás quedado con ganas de mucho más. Así que he decidido incluir aquí, en este decálogo final, una nueva colección de contactos y avistamientos. Todos los casos que vas a encontrar a continuación me han llegado de primera mano, y a día de hoy, a pesar de los esfuerzos de los intoxicadores profesionales, aún no tienen una explicación científica razonable ni una refutación consistente. Se trata de información genuina, proveniente de fuentes a las que doy una fiabilidad total, que vuelve a poner de manifiesto la existencia de un fenómeno que sigue planteando demasiadas preguntas. Cuando acabes de leer este decálogo, estoy convencido de que los interrogantes van a seguir danzando en tu cabeza.

Madrid, un ovni provoca un atasco

El jueves 5 de septiembre de 1968, al atardecer, Madrid conoció un importante atasco circulatorio.

Creo que era la primera vez en la historia de España que un objeto volante no identificado provocaba un colapso en el tráfico. Aquella tarde, miles de madrileños detuvieron sus vehículos y echaron pie a tierra para contemplar un objeto con forma de pirámide y tres ampollas de luz.

El espectáculo llamó poderosamente la atención de ciudadanos, periodistas y científicos, hasta tal punto que la Fuerza Aérea Española hizo despegar de la base de Torrejón a un reactor F-104.

El misterioso objeto permaneció sobre los cielos de la capital por espacio de 65 minutos. Tiempo más que suficiente para que pudiera ser observado con prismáticos, telescopios de todo tipo y, por supuesto, fotografiado.

Después de ese tiempo, la pirámide flotante desapareció por detrás de una nube.

Alertada ante la presencia del ovni, la Fuerza Aérea Española mandó a un caza F-104 a que se dirigiera hacia el objeto. Cuando el reactor había llegado a los 50 000 pies (unos 15 000 m) de altura, el piloto comunicó que el ovni se hallaba mucho más arriba y que regresaba a la base puesto que se le agotaba el combustible. El informe del piloto militar fue ratificado por otro avión que volaba a 36 000 pies. Y, según mis noticias, las pantallas de radar del Ejército del Aire llegaron a precisar que el ovni se movía muy lentamente y a una altura de 30 km.

El objeto pudo ser visto también desde el observatorio astronómico de Madrid. Allí, un periodista dio fe de la luz cegadora que emitía el ovni:

"Su forma —afirmaron desde el observatorio— es triangular. A primera vista parece sólido por una de sus caras, aunque resulta traslúcido por otros lados".

A raíz de estas observaciones, otros testigos declararon haber visto extraños objetos sobre España. Recuerdo, por ejemplo, el importante caso del farmacéutico de la localidad de Dueñas, al norte de

Madrid, que dos días después del incidente de la gran pirámide fue seguido por un objeto de forma ovoide. La ola de ovnis sobre España en 1968 fue tan intensa que ese mismo otoño, la oficina de prensa del Ministerio del Aire español hacía pública una nota en la que solicitaba a cuantos ciudadanos pudieran ser testigos de uno de estos objetos, lo comunicaran al correspondiente Sector Aéreo. Aquella nota oficial iba a ser el primer reconocimiento indirecto de la existencia de ovnis por parte de las autoridades aeronáuticas hispanas.

Vigo, una nave nodriza

En una de mis múltiples correrías tras los ovnis por tierras de Galicia tuve conocimiento de un caso importante. Miles de personas de la ciudad viguesa pudieron contemplar en la tarde del 7 de mayo de 1970 un objeto de aspecto metálico, plateado, que brillaba intensamente. El objeto, según testimonio del jesuita Pablo Requejo y de otros muchos vecinos de Vigo, debía encontrarse a gran altura. El avistamiento empezó hacia las siete de la tarde y el objeto permaneció sobre la vertical de Vigo hasta las nueve o nueve y media de esa misma noche.

A través, precisamente, del prefecto del citado colegio supe que uno de los vecinos de Vigo había logrado filmar el ovni. Se trataba de Matías Álvarez García, interventor del Banco Pastor en la referida ciudad gallega.

Algún tiempo después de mi investigación en Vigo, el padre Requejo me enviaba una carta en la que, entre otras cosas, decía:

"Sobre la nave que estuvo en la vertical de la ría de Vigo y que fue observada el 7-5-70, en mi archivo tengo estos datos, enviados desde Coruña por Óscar Rey, que lo observó a 24º de altura sobre el horizonte y 230º de acimut. Brillaba algo más que Venus, era triangular y sus lados tenían una tonalidad rojo verdosa, siendo blanquecino por el centro y algo difuminado. Su tamaño aparente era de aproximadamente 1 minuto de arco. A las 20.00 horas TMG brillaba más que Venus..."

La confirmación de que el triángulo estaba a 40 km de altura y medía 300 m me la dio de palabra Óscar Rey un día que le visité, después del avistamiento, en La Coruña.

Por otra parte, la película que sacó el interventor del Banco Pastor, solamente confirmó que estaba a una altura superior a los 8 000 o 10 000 m, pues desde Vigo, el objeto quedaba oculto tras unos cirros.

El gran investigador Óscar Rey Brea, quien suministró los datos al jesuita, ha sido uno de los hombres más fríos y honestos en la investigación de los fenómenos ovni. Sus afirmaciones son suficientes como para sentenciar el caso.

Pero si se trataba de un objeto situado a 40 000 m de altura, su tamaño, efectivamente, tenía que ser grandioso. Es posible, incluso, que Óscar Rey se quedara corto al estimar su longitud en 300 m. Sea como fuera, lo cierto es que nos encontramos ante lo que en ufología se denomina "nave nodriza" o "portadora".

Barcelona, el ovni que se volatiliza

Ocurrió en Barcelona el 10 de noviembre de 1975. Una carta en la revista especializada *Karma 7* advertía de la obtención de unas fotografías en las que se apreciaba en el cielo un objeto de aspecto metálico. Su autor era un observador aficionado del Servicio Meteorológico, con estación en la plaza de Ibiza de la Ciudad Condal. Según sus propias declaraciones, "al hacer mi acostumbrada observación, y, al propio tiempo disponerme a fotografiar unas nubes denominadas altocúmulos en bandas y cirrocúmulos, llamó mi atención un objeto con apariencia metálica que destacaba poderosamente en primer término de las citadas nubes, por lo que disparé mi cámara y ¡ahí está el resultado!".

Enseguida me dirigí al autor de la imagen, Jordi Miró Dalmao, interesándome por el caso. Muy amablemente, Jordi me respondía con fecha 3 de abril de 1981. En su carta, el testigo y fotógrafo me decía que "el objeto en cuestión no debía estar a más de un kilómetro de altura. Su color era gris metálico y su forma ya la puede ver en la fotografía de mi artículo. No se distinguían ventanillas, ni cambios de colores, ni movimientos en su interior. Parecía una masa compacta, formada por una circunferencia y una parte inferior aplanada (como el típico dibujo ovni). No emitía ningún tipo de ruido".

Está claro que el objeto no se había desplazado o alejado; sencillamente desapareció de la vista del testigo —en este caso, una persona con cualidades especiales, dado su carácter de observador aficionado a la meteorología—. Curiosamente, una vez más, el ovni permaneció ante la cámara del fotógrafo el tiempo justo para apretar el disparador.

Una nodriza sobre Cádiz

Manu Cecilio, periodista y fotógrafo con quien he compartido momentos inolvidables en la labor informativa en el País Vasco, y acreditado como uno de los reporteros más audaces y responsables, viajaba el 26 de agosto de 1976 desde Algeciras a Cádiz capital. Su objetivo, el trofeo Ramón de Carranza de fútbol.

Al llegar al cruce denominado La Barca de Vejer, Manu observó en dirección sur un objeto de gran luminosidad y forma alargada. Por supuesto, el periodista vasco me había oído hablar en muchas ocasiones del tema ovni. Y había compartido conmigo algunas operaciones de caza y captura de testigos. Sin embargo, y según sus propias palabras, se mantenía prudentemente escéptico.

Como buen profesional, sin embargo, detuvo el coche y preparó el equipo fotográfico. "El objeto —me comentó días más tarde— estaba muy lejos. Pero se destacaba a la perfección. Como te digo, me llamó tanto la atención que paré. Saqué el trípode y una de las Nikon y le coloqué un objetivo de 200. Creo que en total efectué unos seis u ocho disparos. Al cabo de un rato me fui."

Si tenemos en cuenta que el periodista hizo las imágenes poco antes de la puesta de sol, la posibilidad de que el objeto fotografiado fuera el planeta Venus queda descartada. Aquel día el sol se puso a las 21 horas y 1 minuto (hora local). Por su parte, Venus fue visible 1 hora y 14 minutos después. Esto imposibilita que Manu Cecilio hubiera podido confundir el brillante planeta con un ovni.

Ese día, además, Venus apareció en el horizonte, en dirección oeste (270-280 °). Si las imágenes fueron realizadas en dirección sur-sudoeste, difícilmente podía tratarse del hermoso lucero. Analizando las fotografías se descubre igualmente que el objeto tenía un volumen muy considerable. Ello me lleva a pensar que el periodista y fotógrafo consiguió una secuencia de un ovni nodriza.

Igualada, una advertencia telepática

En los primeros días del mes de enero de 1978, buena parte de la prensa nacional difundió cuatro fotografías de un supuesto ovni. El suceso había tenido lugar en la noche del 9 de diciembre de 1977 en la montaña de La Tossa de Montbui, en Cataluña. Así rezaba exactamente la noticia: "Miembros de la Sociedad de Parapsicología de Igualada (Barcelona) han conseguido fotografiar un ovni a horas nocturnas, con la utilización de película infrarroja. La fotografía fue hecha tras una serie de experiencias realizadas por los miembros de la mencionada sociedad. El uso de la película infrarroja permitió que quedara grabado el ovni, el cual se aprecia en la fotografía".

La noticia concluía afirmando que "el retraso en dar publicidad a dicha foto se supone se debió a que sus autores se aseguraron primero de que el ovni no era en realidad un defecto de la película empleada o cualquier otra interferencia que desvirtuara su autenticidad". Según mis informaciones, estos miembros de la Sociedad de Parapsicología de Igualada fueron advertidos telepáticamente, en concreto un mes antes, de la aparición del objeto. El misterio permanece abierto.

Navarra, un ovni muy de cerca

En el mes de agosto de 1978 se produjo en mi querida tierra natal un suceso que, a la vista de cuanto llevo investigado y de lo que puede apreciarse en este informe sobre fotos de ovnis de todo el mundo, bien puedo calificar de único. Un navarro, tan audaz como sincero, tuvo el coraje y la sangre fría de detener el vehículo en el que circulaba por la carretera de Arguedas a Tudela y aproximarse a un objeto luminoso. Pero la cosa no quedó ahí. Francisco Azagra Soria, industrial de profesión, me describió lo sucedido en los siguientes términos:

"No recuerdo muy bien las fechas, pero fue hacia el 15 de agosto. El pueblo de Arguedas estaba en fiestas y mi sobrino y su primo habían ido a divertirse un poco. Yo no les acompañaba en aquella ocasión. Ni tampoco en la segunda vez que les salió el ovni. La primera noche, hacia la una o una y media de la madrugada, los dos jóvenes montaron en el coche, un Taunus, y enfilaron la gran recta de

Arguedas. Ese tramo, como sabes, tiene 16 km y es perfectamente rectilíneo. Pues bien, cuando habían recorrido tres o cuatro kilómetros les salió una luz muy rara. Los muchachos se asustaron y aceleraron a todo lo que daba el automóvil. Pero la luz les siguió siempre a la misma velocidad. Marchaba por detrás y como a unos 40 o 50 m. Si reducían, la luz aminoraba también su marcha. Si aceleraban, la cosa aquella hacía lo propio. Total, que llegaron al pueblo muy atemorizados. Mi sobrino tenía entonces 19 años y estudiaba para arquitecto en Bruselas. Es un joven muy culto y no se asusta con facilidad. Al día siguiente volvieron a Arguedas. Y al abandonar el pueblo y entrar en la misma recta, la bola de luz salió nuevamente y se colocó junto al coche. El miedo de los chicos debió ser grande. El objeto, según me contaron, se comportó de la misma forma que la noche anterior".

Fue entonces cuando el navarro tomó la decisión de acompañar a su sobrino y al primo de éste. Azagra Soria, como digo, es un hombre decidido que no se arruga con facilidad. Tomaron una cámara fotográfica, una Kodak Instamatic, y acudieron a Arguedas. Y también hacia las doce y media de esa noche, los tres navarros se pusieron en camino. Conducía, como siempre, el sobrino de Francisco. La oscuridad era total cuando penetraron en la mencionada recta. Y ocurrió por tercera vez: un objeto luminoso se presentó por detrás del automóvil:

"Era como un círculo de color rojo —prosiguió Azagra— que flotaba sobre la carretera. Mi sobrino aceleró al verlo, pero la luz nos seguía a la misma velocidad que marcaba el cuentakilómetros. Se fue aproximando poco a poco y debió llegar a unos 60 m. Una vez parado el coche tomé la máquina fotográfica y salí del turismo. El objeto se había situado detrás del coche, también junto a la cuneta. Estaba quieto y como a 1,5 o 1,7 m del suelo. Era una luz muy intensa. Al principio, cuando caminé hacia ella, tenía una tonalidad blanquecina. Después fue cambiando al anaranjado".

Y Paco Azagra, sin inmutarse, se llevó la cámara a los ojos y disparó. Aunque los negativos, no han sido estudiados aún, creo que la honradez y honestidad del fotógrafo son tales que las fotografías pueden darse por buenas sin más. No he descartado, sin embargo, el correspondiente análisis de los mismos porque, entre otras razones, es muy posible que al disponer de dichos originales, las copias e investigaciones que se hagan arrojen nuevos e interesantes detalles sobre el ovni. Por las características proporcionadas por los testigos, y a juzgar por la imagen que aparece en las fotografías que pude ver, la esfera de luz parece ser un *foo-fighter* o "bola de fuego". Un ovni casi siempre de pequeñas dimensiones, no tripulado, y que pudiera tener la misión de inspeccionar o explorar zonas o lugares donde no llegan las naves más grandes.

Y decía que estamos ante un caso único en la ufología mundial porque apenas existen fotografías de *foo-figthers,* y mucho menos a 10 m de distancia. Ni siquiera en el célebre caso francés de Uzes, investigado por el grupo Verónica, estuvo el ovni tan cerca del testigo como en esta ocasión. En el caso francés, el protagonista, Christophe Femández, tomó una de sus fotografías a 23 m de la bola luminosa. En el caso navarro, Francisco Azagra batió ese récord.

Zaragoza, el Pilar se ilumina

En los primeros días de enero de 1979, tuve conocimiento de la existencia de una película, tomada hacía meses por un vecino de la ciudad de Zaragoza. Un film que, hasta hoy, no ha sido presentado oficialmente. Cuando, llegado al domicilio de A. B. D., en la capital zaragozana, pude contemplar la película, debo reconocer que sentí temor. Por aquellas fechas yo no conocía al testigo y autor de la filmación. Y experimenté un miedo lógico a ser engañado. La película era sencillamente espléndida.

Aquella noche, A. B. D., su mujer y un grupo de amigos se habían desplazado hasta una zona rural próxima a Zaragoza. Desde hacía tiempo, nuestro hombre sentía un profundo interés por los ovnis. Y había practicado algunas de las más conocidas técnicas de contacto. Aquella noche, cuando se encontraban en el campo, uno de los miembros del grupo recibió un mensaje concretísimo: había que regresar con urgencia a Zaragoza. A. B. D. y los otros se alarmaron. Habían dejado a los niños en casa y la súbita comunicación los intranquilizó.

Así que recogieron precipitadamente cuanto habían sacado del coche y se dispusieron a partir hacia la ciudad. Las prisas fueron tan considerables que ni siquiera desmontaron el tomavistas de A. B. D., situado, como era habitual, sobre un trípode. "Lo envolvimos en una manta y lo dejamos en la parte posterior del coche con el resto de las cámaras y prismáticos." Y el grupo volvió al domicilio de A. B. D. Allí, todo era normal. Los pequeños se encontraban perfectamente. ¿Por qué entonces aquellas prisas en abandonar el campo?

De pronto, hacia las doce y media de la noche, una de las personas, situada frente a la ventana, alertó al resto de la presencia en los oscuros cielos de Zaragoza de una "bola roja". Como un solo hombre, los siete u ocho amigos se precipitaron sobre el ventanal. Pero la bola rojiza desapareció en cuestión de segundos. Al retornar a la mesa, uno de los miembros del grupo advirtió a los demás de la próxima aparición, en media hora, de ovnis. Al cabo de treinta minutos, y ante la natural sorpresa de todos, apareció a baja altura sobre los tejados de la ciudad una formación de luces. A. B. D., con unos reflejos dignos del mejor reportero, se lanzó sobre el tomavistas y filmó la escena.

Varios objetos luminosos parecían descender sobre la ciudad. Eran unas luces blancas, amarillentas y anaranjadas. Cambiaban de color y se movían con una majestuosa lentitud. Debo reconocer que he visto la película en muchas ocasiones y siempre me he sentido maravillado por la armonía y las increíbles maniobras de los objetos no identificados. Cuando los ovnis desaparecieron, la misma persona que había anunciado la presencia de los objetos volvió a alertar al grupo: "Estarán aquí otra vez... también en cuestión de media hora". Y así fue. Por segunda vez, una asombrosa escuadrilla ovni se situó sobre las torres del Pilar de Zaragoza. Los objetos no hacían el menor ruido. Algunos de ellos, conforme descendían, se desdoblaron.

Al cabo de unos segundos, los objetos desaparecieron nuevamente. Y el contacto sentenció por tercera vez: "Estarán ahí dentro de treinta minutos". Y ante el desconcierto y la alegría general, los ovnis se presentaron, por tercera vez, sobre la capital aragonesa. Y A. B. D. volvió a filmar hasta que la escuadrilla desapareció de forma definitiva. Hasta aquí, y muy escuetamente, lo registrado aquella noche del 20 al 21 de junio de 1978. Una noche, por cierto, sumamente fría y con un cielo totalmente despejado. El viento, alcanzó en algunos momentos rachas de 50 km/h. La aventura duró hasta las dos de la madrugada aproximadamente.

Canarias: el ovni de la cruz

En 1979 llego hasta mí la sensacional imagen de un ovni con una especie de cruz grabada en su fuselaje. De "sugerente", como mínimo, calificaría yo esta sensacional fotografía de un ovni tomada en Canarias. La revista *Akhenaton,* que la publicó en primicia mundial, informaba así sobre el acontecimiento. Transcribo el texto literalmente:

"Podemos decir, con toda confianza y sin temor a equivocarnos, que una de las pruebas gráficas más singulares y excepcionales dentro del fenómeno ovni, tanto por sus características como por su calidad, fue obtenida el 27 de enero de 1979 en Las Palmas de Gran Canaria. Un nuevo caso ovni que añadir a la larga lista de los ocurridos en el archipiélago. Carlos Sosa y su mujer fueron los testigos de excepción en una noche clara de invierno, en la que un objeto de color anaranjado fuerte ascendía en vertical, quedándose posteriormente estabilizado en altura y siguiendo más tarde en horizontal. Algo más de un minuto tardó Carlos Sosa en poner pilas nuevas a su tomavistas e intentar 'captar el bulto', como él mismo nos dijo. 'Se asemejaba a una especie de pan de libra.' Su mujer, que en aquellos instantes estaba viendo la televisión, también pudo acercarse al balcón, coincidiendo ambos en que no podía tratarse de un helicóptero o de un avión, pues no emitía ningún tipo de ruido. El tamaño del objeto era mayor que el de la Luna llena. Emitía una serie de destellos, aumentando o disminuyendo la intensidad luminosa. El avistamiento se prolongó por espacio de cuatro minutos, aproximadamente. Después, el objeto desapareció a gran velocidad. En el centro del objeto podía apreciarse una cruz casi perfecta".

Zaragoza, otro avistamiento

Conozco a Juan González Misis desde hace más de diez años. Tuve la fortuna de trabajar con él en el diario *Heraldo de Aragón* de Zaragoza. Formábamos una pareja perfectamente compenetrada. Fueron tiempos hermosos, inolvidables en los que recorrimos Aragón, siempre en busca de la noticia y del reportaje. Le conozco bien, como digo, y sé de su lealtad y honradez personales y profesionales. Difícilmente encontraré otro reportero gráfico como él.

Por eso, cuando un buen día me comunicó que había visto un ovni y que había logrado fotografiarlo, le creí de inmediato. El hecho sucedió en septiembre de 1980, hacia las tres de la madrugada. Juan González Misis se encontraba en su casa cuando, al asomarse a la ventana, observó en el cielo y sobre la vertical de Fuentes de Ebro un objeto brillante:

"Se movía hacia la izquierda y hacia la derecha —me explicó el fotógrafo—. Y también arriba y abajo. Me llamó la atención desde el primer momento en que lo vi. Lanzaba fuertes destellos, algo así como *flashazos* y cambiaba constantemente de color. Pasaba del rojo al verde, etcétera. Estuve contemplándolo durante una hora y, por supuesto, inmediatamente me acordé de ti".

En noviembre de ese mismo año, Juan González Misis volvió a encontrarse con otro ovni. Esta vez acompañaba a mi también buen amigo y mejor periodista Alfonso Zapater: "Fue en Villanueva de Gállego. Lo vimos sobre los campos militares. Tanto Zapater como yo bajamos del coche y nos adentramos en el campo. Y estuvimos mirándolo por espacio de 10 o 15 minutos. Tenía luces de colores, blancas, rojas y verdes, y se encontraba inmóvil a unos 800 o 1000 m de altura. Saqué la cámara y disparé antes de que se alejara". He podido ver personalmente las imágenes, y ratifican a la perfección lo afirmado por los periodistas. Un nuevo caso sin explicación que se suma a la lista.

Conil, infiltrados entre nosotros

Mediados del mes de septiembre de 1989. Ya oscurecido, algunos vecinos de la localidad costera de Conil, en la provincia de Cádiz, observan desde la playa de Los Bateles las evoluciones de unas extrañas luces. Los avistamientos se prolongan durante dos semanas, siempre a partir de las 20 o 21 horas. La noticia trasciende y el viernes 29 de septiembre, se dan cita en la mencionada playa un grupo de cinco jóvenes, todos ellos vecinos de la referida población andaluza. Su intención, como en las noches precedentes, es asistir al singular espectáculo de las silenciosas luces que se desplazan por la zona.

A las 20.45 horas, aproximadamente, aparece sobre la vertical de los testigos una media luna con unas luces rojas en el interior. El semicírculo se dirige en silencio hacia el pueblo. Al poco, también sobre las cabezas de los muchachos, surge otra luz. Esta lleva a cabo una serie de fogonazos que son respondidos por una tercera luz ubicada sobre el puerto.

Los jóvenes contemplan los ovnis con unos prismáticos de 7 x 50 aumentos.

Hacia las 21 horas, sentados en la arena y a unos 50 m del agua, los testigos ven aparecer en la orilla a dos seres altos, de más de 2 m, luciendo unas vestiduras blancas y hasta el suelo. Las cabezas también son blancas, sin pelo y sin cara.

Los seres, con los brazos pegados al cuerpo y un andar torpe, se dirigen hacia el grupo. Cunde el pánico y los jóvenes huyen. Los seres se detienen y, al poco, los muchachos hacen otro tanto. Se hallan a 20 o 30 m. Los seres giran y dan la espalda a los cinco testigos. Parecen observar la luz roja que permanece inmóvil sobre el puerto de Conil.

En esos instantes, los vecinos ven caer lo que denominan una "estrella fugaz". Es una luz pequeña, como una pelota de tenis y de un color blanco-azulado. Surge a escasos metros sobre las cabezas de los seres y se esfuma cuando parece que va a chocar contra ellos. Acto seguido, sin inmutarse, los dos seres se sientan en la arena y excavan un pequeño montículo a su alrededor. La muralla tiene forma de herradura.

Segundos después, según los testigos, "se dejan caer de espaldas, siempre tiesos como palos".

Aparece entonces una esferita azul y los seres empiezan a pasársela de uno a otro. La secuencia se prolonga durante cinco o diez segundos. De pronto, uno de los jóvenes, que seguía la escena con los prismáticos, sale huyendo. Cuando otro de los testigos consigue detenerlo, aquel le explica que ha visto un tercer ser, al pie de los que se hallaban tumbados en la arena. Era mucho más alto. Alrededor de 3 m, vestido de negro y con una monstruosa cabeza en forma de pera invertida.

Al reintegrarse al grupo, el ser de negro ha desaparecido.

Los seres que vestían de blanco se ponen en pie. Pero, ante el desconcierto de los testigos, ahora son un hombre y una mujer, aparentemente normales.

El primero, alto, viste camisa y pantalones vaqueros. La mujer, de pelo largo, luce una blusa y una falda hasta el suelo. Y, sin pérdida de tiempo, hombre y mujer se dirigen hacia el pueblo, perdiéndose entre las calles.

En esos instantes, los asombrados jóvenes asisten a otro no menos extraño suceso. Sobre el agua descubren algo que parece una nube y que se acerca a la costa a gran velocidad.

Y al llegar a la orilla distinguen al ser de negro. Con la ayuda de los prismáticos observan que se trata de una figura altísima, enfundada en una especie de mono negro y con una cabeza blanca y descomunal. Y se queda quieto, mirándolos. E inmediatamente se pone en marcha, alejándose hacia poniente.

Pero lo más increíble es que no toca la arena. Se desliza a una cuarta del suelo y rígido como un poste. Aquello no era correr, más bien "volaba". E, inexplicablemente, dos de los muchachos salen tras él. Pero la persecución duraría poco.

"Estaríamos a 50 o 60 m —manifestaron— cuando giró hacia nosotros. Los ojos eran como dos huevos negros y la cabeza, enorme, parecía una pera al revés. El espanto nos obligó a huir. El ser de negro se perdió en la oscuridad y las luces que habían permanecido en lo alto, intercambiando destellos, desaparecieron igualmente. Eran las 21.30 horas, aproximadamente." Hasta aquí, muy sintetizado, un posible suceso de infiltrados. Es decir, un singular acontecimiento que pondría de manifiesto la posibilidad de que entidades no humanas tuvieran esta capacidad de transformación, infiltrándose como una quinta columna en la red social de nuestro mundo.

En su momento, los intoxicadores habituales intentaron desmontar el caso afirmando que aquellos seres no identificados eran operarios telefónicos británicos, que estaban colocando un cable submarino. Mis investigaciones posteriores, que incluyeron conversaciones directas con la división marina de la British Telecom, desvelaron las falsedades de los intoxicadores. La BT Marine sí estaba de operaciones en Cádiz, pero a 40 km de Conil… y en ningún caso los operarios bajaron a la playa, con o sin trajes de buzo. El caso sigue, por tanto, aún hoy abierto.

Índice

• C •

• D •

• F •

• K •

• L •

• *N* •

● *p* ●

• U •

• Y •

• Z •

IDIOMAS

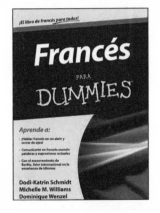

BIENESTAR

OCIO Y AFICIONES

MANAGEMENT

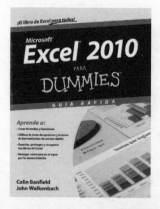